Jocelyne Morin

La maternelle

Histoire, fondements, pratiques

2e édition

**gaëtan morin
éditeur**

CHENELIÈRE ÉDUCATION

La maternelle : histoire, fondements, pratiques
2e édition

Jocelyne Morin

© 2007 **Les Éditions de la Chenelière inc.**
© 2002 gaëtan morin éditeur ltée

Édition : Sophie Jaillot
Coordination : Francis Dugas
Révision linguistique : Diane Robertson
Correction d'épreuves : Odile Dallasera
Conception graphique et infographie : Interscript

Tableau de la couverture :
Dance of the handkerchiefs
Œuvre de **Barbara Sala**

Barbara Sala est née en Allemagne en 1937. Après avoir roulé sa bosse dans de nombreux pays, elle s'installe à Montréal dans les années 1970. Artiste essentiellement autodidacte, elle peint dans un style naïf.

Peuplées de personnages et d'animaux aux couleurs vives, ses toiles évoquent bien souvent un univers où innocence et émerveillement sont omniprésents. L'enfance est un thème qu'elle aime exploiter. Certaines collections publiques au Canada, en France et en Italie possèdent des œuvres signées Sala. On peut aussi admirer ses toiles chez Artothèque de Montréal, institution muséale qui fonctionne selon le principe d'une bibliothèque d'œuvres d'art.

**Catalogage avant publication
de Bibliothèque et Archives Canada**

Morin, Jocelyne, 1948-

La maternelle : histoire, fondements, pratiques

2e éd.

Comprend des réf. bibliogr. et un index.

ISBN 978-2-89105-972-5

1. Écoles maternelles. 2. Écoles maternelles – Québec (Province) – Histoire. 3. Éducation préscolaire. 4. Enfants d'âge préscolaire – Éducation. 5. Famille et école. 6. Classes (Éducation) – Conduite. i. Titre.

LB1140.2.M67 2007   372.21'6   C2007-940325-5

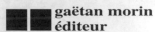

**gaëtan morin
éditeur**

CHENELIÈRE ÉDUCATION

7001, boul. Saint-Laurent
Montréal (Québec)
Canada H2S 3E3
Téléphone : 514 273-1066
Télécopieur : 514 276-0324
info@cheneliere.ca

ISBN 978-2-89105-972-5

Dépôt légal : 1er trimestre 2007
Bibliothèque et Archives nationales du Québec
Bibliothèque et Archives Canada

Imprimé au Canada

1 2 3 4 5 ITG 11 10 09 08 07

Nous reconnaissons l'aide financière du gouvernement du Canada par l'entremise du Programme d'aide au développement de l'industrie de l'édition (PADIÉ) pour nos activités d'édition.

Gouvernement du Québec – Programme de crédit d'impôt pour l'édition de livres – Gestion SODEC.

DANGER

LE
PHOTOCOPILLAGE
TUE LE LIVRE

À tous les éducateurs et à toutes les éducatrices dans le cœur et dans l'âme, aux pionnières qui ont marqué l'éducation préscolaire au Québec français, aux responsables de la formation à l'éducation préscolaire et à toutes celles qui nous ont apporté des informations et du matériel complémentaires concernant l'histoire de l'éducation préscolaire et la pratique de classe à la maternelle.

MATÉRIEL COMPLÉMENTAIRE

Les étudiants peuvent accéder à du matériel complémentaire en ligne au www.cheneliere.ca, à l'aide du mot de passe suivant: mat1867. Ce matériel est signalé dans le livre par un pictogramme.

Les professeurs ont également accès à d'autres ressources exclusives qui sont accessibles à la même adresse mais qui sont protégées par un mot de passe. Ils sont donc invités à communiquer avec nous au (514) 273-1066 (poste 2147) ou au 1-800-565-5531 (poste 2147) pour obtenir leur mot de passe.

REMERCIEMENTS

es remerciements s'adressent d'abord aux pionnières de l'éducation préscolaire au Québec français, et plus particulièrement à Thérèse Léveillé-Bourget, Thérèse Champagne, Jeannette Dalpé-Colleret, Laure Tétreault-Martel, Hélène Thibodeau, Candide Pineault et Jacqueline Thériault, qui ont enrichi cet ouvrage de leur expérience.

D'autres personnes, telles Denise Grégoire, Suzanne Tremblay et Monique Vermette, m'ont fait partager leur expérience des débuts de la maternelle publique et je les en remercie.

Je tiens aussi à remercier de façon particulière Monique Régnier, du Groupe de réflexion en éducation préscolaire (GREP) de l'Université du Québec à Montréal, grâce à qui la réalisation de ce livre a été rendue possible. Je suis redevable à d'autres membres du GREP qui, par leur présence, m'ont encouragée à produire cet ouvrage : Ginette Beauséjour, Yolande Brouillette, Louise Camaraire, Micheline Charest, Kathleen Dunnigan, Rima Elkhatib, Nicole Girard, Valérie Lanot, Pauline Proulx, Angéline Pelletier et Lisy Rasoanirina. Il faut aussi mentionner Arlette Tremblay, qui m'a permis de puiser dans les documents de sa pratique de classe.

Je veux également exprimer ma reconnaissance à des collègues de travail de l'Université du Québec à Montréal qui ont, d'une façon ou d'une autre, facilité la réalisation de ce livre. Je nommerai plus spécialement Jean-Claude Brief, professeur et ami, qui, par ses critiques encourageantes, m'a amenée à m'interroger et à analyser plus en profondeur les divers concepts liés à l'éducation préscolaire, ainsi que Jan Palkiewicz, professeur retraité et ami, dont les recherches sur les processus d'acquisition des connaissances m'ont fourni des pistes fructueuses d'investigation. S'ajoutent des personnes qui, plus récemment, ont mis les idées du livre en application dans la formation universitaire et ont validé certaines informations. Il s'agit des professeurs Nathalie Bigras, Caroline Bouchard, Annie Charron, Carole Raby et Joël Boucher (professeur invité) de même que de plusieurs chargés de cours. Merci également à Irène Benson, étudiante au doctorat, qui a relu l'ensemble de l'ouvrage et proposé des corrections très pertinentes.

Je désire souligner l'aide précieuse de Sophie Jaillot, éditrice déléguée, qui a assuré une mise en forme appropriée de l'ouvrage, aidée de Francis Dugas et de la réviseure Diane Robertson. Je suis redevable aussi aux trois évaluateurs anonymes de la première édition du livre. Leurs remarques pertinentes ont contribué à améliorer cette deuxième édition. Danielle Malette, bibliothécaire, a su dénicher les informations historiques manquantes et m'a apporté un soutien constant dans la recherche de documents spécialisés.

Enfin, je ne peux passer sous silence l'apport considérable de quatre éducateurs qui ont le feu sacré. Il s'agit de mon époux, Serge Roy, père exceptionnel et grand-papa exemplaire ; de nos trois enfants, Emmanuelle, Magali et Jasmin, soucieux de l'éducation dans leur enseignement (collégial et primaire). Adultes responsables et dignes de confiance, ils s'engagent à fond auprès des jeunes et dans l'éducation de leurs propres enfants.

PRÉFACE

J e ne peux que louer le travail de synthèse que réalise la professeure Jocelyne Morin avec La maternelle. Histoire, fondements, pratiques. Ce livre dote la littérature pédagogique québécoise d'un ouvrage qui servira avantageusement aux personnes intéressées à l'éducation des jeunes enfants, et plus spécialement aux enseignantes.

Il m'est apparu judicieux que l'auteure évoque les intuitions et les préoccupations concrètes qui ont engendré l'éducation préscolaire au Québec. Il était également important de rappeler les réalisations qui ont jalonné son existence ainsi que les sphères spécifiques de ses interventions.

La société québécoise a longtemps hésité à se convaincre du bien-fondé des principes d'éducation collective pour les enfants d'âge préscolaire. Les mères qui avaient de jeunes enfants se sentaient coupables de les confier à d'autres éducatrices. Elles trouvaient que leurs petits étaient trop jeunes pour affronter un groupe d'enfants étrangers et qu'ils avaient bien le temps d'aller à l'école et de se plier aux exigences et aux règlements scolaires. Mais l'évolution de la société, la présence de la femme dans le monde du travail, le développement des services de garde et des maternelles tant au Québec que dans d'autres pays occidentaux ont graduellement convaincu la famille de la nécessité et des bienfaits de l'éducation préscolaire.

Ce n'est pourtant pas d'hier que la valeur de l'éducation préscolaire est reconnue. Platon, qui vécut de 427 à 347 avant notre ère, fut le premier philosophe à revendiquer la création de jardins d'enfants et d'écoles communales. Il déclarait à son disciple Adimante : « Ignores-tu que le commencement est en toute œuvre ce qui importe le plus, et surtout quand celle-ci s'applique à quelque chose de neuf et de tendre ? » Cet intérêt pour l'éducation de l'enfant s'est continué au fil des siècles. Comme le mentionne l'auteure, philanthropes, pédagogues, psychologues et médecins, de Comenius au XVIIIe siècle jusqu'à Erikson, en 1994, tant en Europe qu'aux États-Unis, ont travaillé sur la conception qu'ils se faisaient de l'enfant et sur le concept de développement qui l'accompagnait.

Un artiste-animateur américain résume avec humour les témoignages en faveur de cette éducation précoce : « Tout ce que j'ai eu besoin de connaître dans la vie, je l'ai appris à la maternelle. »

La biologie reconnaît aujourd'hui à la petite enfance un développement neurologique exponentiel. Les premières années de vie offrent des plages uniques pour le développement de l'intelligence, de la personnalité et du comportement social. On reconnaît également qu'une forte dose de stimulations provenant de l'environnement est requise pour que s'installent des structures conceptuelles sécuritaires et des relations sociales harmonieuses.

Alors qu'autrefois on croyait que le développement du cerveau était lié à des facteurs génétiques, des recherches récentes tendent à montrer une inter-relation entre l'hérédité et les expériences vécues.

Les expériences vécues avant l'âge de trois ans avaient peu d'effet, disait-on, sur le développement ultérieur, alors qu'on affirme maintenant que les interactions précoces ont un effet décisif sur l'architecture du cerveau et sur la nature et l'extension des habiletés à l'âge adulte.

Une relation de sécurité entre la personne qui donne les soins et l'enfant qui les reçoit suffirait, selon les Anciens, au développement et à l'apprentissage. Aujourd'hui, on soutient que les interactions précoces, en plus de créer un contexte favorable aux apprentissages, influent directement sur la manière dont le cerveau fonctionne, c'est-à-dire que ce sont les stimulations précoces qui contribuent à la multiplication des réseaux neuronaux et, donc, à l'élargissement du champ de compréhension.

On pensait que le développement du cerveau était linéaire et que la capacité à apprendre et à changer croissait de façon stable à mesure que l'enfant grandissait. Les chercheurs modernes ont démontré que le développement du cerveau n'est pas linéaire et qu'il existe des moments privilégiés pour l'acquisition de connaissances et d'habiletés diverses. C'est comme si une seule stimulation ne produisait qu'un chemin de neurones à sens unique, alors que de nombreuses stimulations créeraient des chemins et des autoroutes en forme d'étoiles.

On a affirmé que le cerveau d'un bambin est moins actif que celui d'un collégien, alors qu'on sait aujourd'hui que le cerveau d'un enfant de trois ans est deux fois plus actif que celui d'un adulte et que le niveau d'activité décroît pendant l'adolescence.

Ce développement physiologique étonnant commande des compétences diverses au profit de l'enfant dont le dynamisme, prisonnier du jeune âge, n'attend pour s'épanouir que le dévouement des adultes.

Ces compétences diverses à développer chez les jeunes enfants et les habiletés professionnelles des éducatrices pour ce faire ont été consignées dans le programme et les guides pédagogiques préparés par le ministère de l'Éducation du Québec. La maternelle. Histoire, fondements, pratiques les explique de façon admirable tout en faisant les liens nécessaires avec les fondements de l'éducation préscolaire, les assises théoriques et les pratiques en maternelle.

L'auteure souligne que ce qui fait la gloire d'un programme, c'est l'enthousiasme et l'habileté des enseignantes à l'appliquer. Sur ce point, il faut féliciter le personnel enseignant qui le met en pratique avec tant d'intelligence et d'amour.

Un programme, et cela est d'autant plus vrai aujourd'hui, n'est jamais quelque chose de figé. On peut prévoir que l'apport des sciences de l'homme amènera à le transformer, à le simplifier, à le parfaire en conformité avec les impératifs du temps. Mais, dès maintenant, le programme actuel permet aux enseignantes d'exercer leur art de façon vraiment professionnelle et aux enfants qui en bénéficieront, de s'épanouir à la mesure de leurs talents.

Je qualifierais volontiers ce livre de somme pédagogique sur l'éducation préscolaire et je me réjouis de savoir que les professionnels de la petite enfance profiteront de toutes les connaissances pédagogiques qu'il recèle et des travaux pratiques qu'il présente pour assurer leur savoir.

Faire connaître l'histoire et l'évolution de l'éducation préscolaire québécoise, la faire aimer, conduire à une pratique intelligente, tel est le mérite de l'auteure.

Candide Pineault

Avertissement

Étant donné que les personnes qui travaillent en éducation préscolaire sont pour la plupart des femmes, nous emploierons le genre féminin pour les désigner dans ce livre. Dans les autres cas, le masculin est utilisé comme représentant des deux sexes dans le but d'alléger le texte.

TABLE DES MATIÈRES

PREMIÈRE PARTIE : LA PETITE HISTOIRE DE L'ÉDUCATION PRÉSCOLAIRE

DEUXIÈME PARTIE : LES FONDEMENTS DE L'ÉDUCATION PRÉSCOLAIRE

TROISIÈME PARTIE : LES PRATIQUES EN ÉDUCATION PRÉSCOLAIRE

INTRODUCTION

Une certaine confusion apparaît quand vient le temps de définir l'éducation préscolaire. On l'associe parfois à l'*éducation préélémentaire,* parfois à l'*éducation en garderie,* tantôt à l'*éducation à la prématernelle,* tantôt à l'*éducation à la maternelle* ou, plus récemment, aux *centres de la petite enfance* (CPE).

Dans les faits, au Québec, avant les années 1970, l'expression *éducation préscolaire* s'applique d'abord à l'éducation des enfants qui fréquentent la maternelle ou la prématernelle. Elle désigne généralement des services éducatifs fournis par le système scolaire et évoque l'idée d'un cheminement éducatif précédant la scolarisation et caractérisé par des apprentissages en lecture, en écriture et en mathématiques sous forme de jeux. De là probablement la perception courante selon laquelle la maternelle est une zone intermédiaire entre la famille et l'école, une période préparatoire à la première année ou une classe transitoire avant l'entrée à la *vraie* école. Pour réduire au minimum les effets de rupture entre l'enfant et sa famille, les interventions et les stratégies d'enseignement à la maternelle prennent la forme d'explorations. Elles visent à éveiller la curiosité des enfants, à stimuler leur développement, à les faire cheminer dans leurs apprentissages, mais aussi à dépister les tout-petits en difficulté.

En 1995-1996, les États généraux sur l'éducation, qui donnent lieu à des audiences publiques dans toutes les régions du Québec, constituent un moment déterminant pour faire le point sur la situation de l'éducation au Québec incluant l'éducation préscolaire. Pour répondre aux besoins d'une société en regard de la transformation de la famille, de l'écart entre les pauvres et les riches, du pluralisme, de la pluriethnicité, de la mondialisation des marchés, de l'ouverture sur le monde, le Québec n'a d'autre choix que de revoir ses priorités en matière d'éducation des différentes populations, à commencer par les services à la petite enfance. Il devient urgent d'établir de nouvelles politiques en vue de multiplier les places en garderie à des coûts accessibles, d'uniformiser les services, d'éviter la dispersion, de dépister précocement des enfants en difficulté, d'associer les parents au plan d'intervention et d'aider l'enfant à *commencer du bon pied à l'école.* Le gouvernement du Québec annonce alors de nouvelles dispositions à la politique familiale, qui entraînent la création des *centres de la petite enfance* (CPE) et le prolongement de l'horaire de la maternelle. Jusque-là d'une durée de deux heures trente et étalé sur une demi-journée, l'enseignement passe d'un coup à une durée de cinq heures par jour. La réforme, que l'on peut qualifier de majeure, a pour effet d'affirmer le caractère éducatif de l'éducation préscolaire en introduisant deux nouveaux programmes : un pour les enfants inscrits dans les CPE (Ministère de la Sécurité du revenu du Québec, 1997) et un autre pour les enfants des classes maternelles (Ministère de l'Éducation du Québec, 1997b).

Plus récemment, le *Programme de formation de l'école québécoise* (MEQ, 2001) accorde une place importante au programme d'éducation préscolaire. En l'occurrence, la maternelle devient véritablement un niveau parmi les autres, c'est-à-dire le premier échelon du système scolaire. Toutefois, elle réactualise l'importance du jeu, des explorations, des expériences de vie et du respect du rythme individuel. L'éducation préscolaire se voit attribuer un triple mandat, soit de créer des liens entre les milieux, de développer intégralement l'enfant et de jeter les bases de la scolarisation. Pour ce faire sont ciblées des compétences particulières à développer dans certains domaines généraux de formation, de nature à inspirer l'enseignante de maternelle.

À la lecture de ce livre, vous pourrez constater que la maternelle a subi des transformations importantes au cours des dernières décennies et qu'elle est encore en pleine mouvance. Son histoire mérite toute notre attention. N'oublions pas qu'au Québec, à Montréal plus précisément, les maternelles publiques sont apparues en 1892 dans le réseau scolaire protestant anglophone. Il faudra attendre une vingtaine d'années de plus avant que soient posés les premiers jalons pour la création des maternelles francophones.

PREMIÈRE PARTIE

La petite histoire
de l'éducation préscolaire

CHAPITRE 1
La création des maternelles

CHAPITRE 2
L'évolution de la maternelle

CHAPITRE 3
Les étapes de la progression des classes
maternelles publiques depuis 1960

La création des maternelles

Objectifs

Au terme de ce chapitre, le lecteur devrait pouvoir :

- décrire les premiers moments de l'éducation préscolaire au Québec ;

- indiquer les principes et les grandes orientations de l'éducation préscolaire au Québec ;

- rendre compte du témoignage de pionnières ;

- identifier les périodes stratégiques qui ont influé sur l'ouverture des classes maternelles au Québec.

A u Québec, comme ailleurs en Amérique du Nord, les services offerts aux jeunes enfants se divisent en plusieurs réseaux parallèles qui ne sont pas nécessairement complémentaires, d'où la difficulté à bien circonscrire le milieu préscolaire. Certains réseaux sont associés à la famille, d'autres à des institutions scolaires, d'autres enfin à des centres de la petite enfance (CPE) qui, depuis 1997, accueillent les jeunes enfants avant leur entrée à la maternelle. Précisons que les CPE regroupent les garderies et la garde en milieu familial. Même si l'orientation générale des milieux préscolaires quant au respect du développement intégral et harmonieux de l'enfant fait l'objet d'un certain consensus, des difficultés subsistent en ce qui concerne la définition et la distinction des rôles des différents intervenants.

Nous nous attacherons dans ce chapitre à évoquer quelques événements historiques qui ont marqué l'évolution de la maternelle au Québec français. Nous aborderons l'histoire de la création des maternelles en nous inspirant de témoignages de personnes qui y ont contribué tant par leur participation dans la classe que par leur engagement dans la formation des éducatrices. Il s'agit de Thérèse Léveillé-Bourget, Hélène Thibodeau, Laure Tétreault-Martel, Jeannette Dalpé-Colleret, Thérèse Champagne, Candide Pineault et Jacqueline Thériault. Les entrevues uniques réalisées auprès de ces grandes dames ainsi que les écrits spécialisés dans le domaine nous ont permis d'esquisser un portrait de la situation de la maternelle à ses débuts.

1.1 L'ÉVOLUTION DE L'ÉDUCATION PRÉSCOLAIRE

Au cours de la seconde moitié du XXe siècle, la reconnaissance du droit à l'éducation, le pluralisme culturel, la conception dynamique du rôle de l'élève et l'importance de l'éducation sur le plan social ont été des facteurs déterminants des modifications apportées à l'éducation en général et à l'éducation préscolaire en particulier. Désormais, en plus de sortir plus vieux de l'école, les enfants commencent à la fréquenter plus jeunes. Ces choix s'enracinent dans une conscience de plus en plus vive des exigences de formation qui découlent de la révolution scientifique et technologique et, plus globalement, sont le fruit de l'évolution naturelle des conditions de vie. Cette évolution a notamment entraîné l'émergence d'un mouvement social en faveur de l'égalité des sexes et amené les femmes sur le marché du travail.

Bien qu'historiquement les années 1960 se soient révélées les plus marquantes dans l'évolution des maternelles, par leur multiplication dans toute la province, déjà au siècle précédent la société avait démontré son souci des jeunes enfants. En effet, des salles d'asile et des orphelinats avaient été créés, souvent sous la gouverne de communautés religieuses, en vue de procurer des lieux d'hébergement et de protection aux enfants démunis et en détresse. Ces établissements sont à l'origine des garderies qui ont précédé les maternelles.

1.2 L'INTÉRÊT POUR LES MATERNELLES[1]

Du côté francophone, l'intérêt pour les maternelles se manifeste concrètement à compter de 1910, alors que la Commission des écoles catholiques de Montréal (CECM) projette d'instaurer des écoles maternelles sur son territoire. En effet, au cours de la réunion des commissaires du mois de décembre 1910, le juge Eugène Lafontaine propose que la CECM obtienne du département de l'Instruction publique la permission d'ouvrir des écoles maternelles.

Cette permission sera accordée au début de 1911. Cette requête de la CECM a sensibilisé les autorités provinciales à l'existence de ce niveau d'enseignement.

C'est ainsi qu'en 1911 le Comité catholique du Conseil de l'instruction publique proposait à l'Assemblée législative l'adoption d'une modification à la *Loi sur l'instruction publique,* de sorte que soit légalement reconnu l'établissement de classes maternelles dans les écoles publiques. Cette modification à la loi fut votée par la législature et sanctionnée par le lieutenant-gouverneur en conseil le 3 avril 1912.

Le Comité catholique du Conseil de l'instruction publique procéda ensuite à l'élaboration d'un programme à l'intention des classes maternelles. Ce programme compose l'appendice F (*voir en annexe*) des *Règlements du comité catholique du Conseil de l'instruction publique de la province de Québec* (refondus en 1915). Ce dernier document reconnaissait aux commissions scolaires le droit d'ouvrir des écoles maternelles et donnait un aperçu des buts ainsi que de l'organisation matérielle et pédagogique de ces établissements. Il déterminait aussi le genre de formation que devait recevoir le personnel.

Sur le plan scolaire, le programme de maternelle comprenait notamment des dispositions relatives à l'enseignement religieux et moral, à la gymnastique, aux exercices de pensée, au langage, à la récitation, au dessin et aux travaux manuels. Sur le plan développemental, le programme précisait qu'il fallait

---

1. Cette section s'inspire en grande partie de l'ouvrage de Thérèse Léveillé-Bourget (1973), *Le préscolaire au Québec français.*

respecter le rythme des enfants, assurer l'éducation du cœur et de la volonté dans un esprit de jeu libre et spontané, instruire en amusant. Ce programme correspondait donc bien à la pensée de Magnan (1916, p. 130) lorsqu'il disait : « L'enfant que l'on empêche de jouer cesse d'être un enfant. »

Le texte de l'appendice F adopté en 1915 n'a pas été modifié par la suite et apparaissait encore dans l'édition de 1959 des *Lois et règlements scolaires de la province de Québec*.

Comme nous l'avons mentionné précédemment, c'est la CECM qui a sensibilisé les autorités provinciales de l'époque aux bienfaits de l'école maternelle. Toutefois, au sein de la CECM, deux prêtres ont plus particulièrement animé ce mouvement. Il s'agit de l'abbé Philippe Perrier, visiteur d'écoles[2] à la CECM, et du révérend père R. Georges Daly, rédemptoriste, curé de la paroisse Sainte-Anne, à Montréal.

L'action de l'abbé Philippe Perrier en faveur des maternelles s'est officiellement manifestée en 1911, à l'occasion d'une conférence devant les commissaires de la CECM. Dans cette conférence intitulée *Les écoles maternelles*, l'abbé Perrier exposait sa conception des écoles maternelles qui « sont créées pour y donner l'éducation physique, intellectuelle aux enfants de 2 à 7 ans » et qui « ont un programme d'études bien précis où l'on exclut les exercices de lecture et d'écriture » (Léveillé-Bourget, 1973, p. 61). Précisons que l'intérêt de l'abbé Perrier pour l'école maternelle remontait à 1900. Il se trouvait alors à Paris où, dans le cadre de l'Exposition universelle, il fut marqué par les résultats d'une enquête faite aux États-Unis auprès d'institutrices de première année et qui témoignait des bienfaits de l'école maternelle. L'abbé Perrier fut également impressionné par l'importance que les États-Unis avaient accordée à l'école maternelle tout au long de cet événement.

Quant au révérend père R. Georges Daly, il s'est d'abord manifesté en 1912 en réclamant une école maternelle pour les 250 enfants de sa paroisse. Par la suite, en 1914, le père Daly s'est prononcé de nouveau en faveur de l'école maternelle dans un article qui a paru dans le numéro de juin de *L'école sociale populaire*. Dans cet article, il faisait un plaidoyer en faveur de l'école maternelle, dans le but d'attirer l'attention de la population sur « la valeur pédagogique de ce nouvel élément de notre enseignement primaire » (Léveillé-Bourget, 1973, p. 61).

---

2. Visiteur d'écoles : « Les fonctions du visiteur d'écoles consistent, notamment, à visiter quotidiennement les écoles pour vérifier l'application du programme d'études et des règlements. » (Gagnon, 1996, p. 95.)

Ainsi, au début des années 1900, deux prêtres ont vanté les mérites de l'éducation préscolaire et ont traité avec beaucoup d'à-propos de sujets aussi variés que l'organisation matérielle, les standards pédagogiques, les qualifications du personnel, l'inspection et la supervision.

Après la période 1911-1915, au cours de laquelle on sent une véritable préoccupation pour l'éducation préscolaire, il faudra attendre le début des années 1960 pour voir apparaître un nouvel intérêt pour les classes maternelles publiques.

1.3 LES PREMIÈRES MATERNELLES FRANCOPHONES

Même si l'on reconnaissait le bien-fondé de l'éducation préscolaire, plusieurs années se sont écoulées avant l'ouverture officielle de la première école maternelle francophone privée. Celle-ci a vu le jour dans la ville de Québec en 1931. Nommée Le Kindergarten, cette école fut fondée par les sœurs Josée et Mariette Boivin, qui allèrent par la suite suivre une formation en éducation préscolaire à l'Université d'Ottawa (en 1933 et 1934). Appuyées par leur mère et s'inspirant d'auteurs reconnus dans le domaine, tels Montessori et Fröbel, les dames Boivin élaborèrent un programme d'activités et du matériel s'adressant spécifiquement aux jeunes enfants. En 1936, le mariage de Mariette Boivin mena celle-ci à Rimouski, où elle fonda une école maternelle. Baptisé l'École nouvelle, cet établissement fermera ses portes après neuf ans d'existence.

Pendant ce temps, à Québec, Le Kindergarten, qui deviendra plus tard l'École nouvelle, puis l'École moderne, étend l'enseignement qu'il donne et ajoute le cours élémentaire à son programme (Léveillé-Bourget, 1973, p. 12).

Toujours à Québec, l'école Le Jardin bleu était fondée en 1937, sous la direction des sœurs Colombe et Germaine Darveau (Léveillé-Bourget, 1973).

À Montréal, c'est en 1938 que voit le jour la première école maternelle française, la Maternelle Vallerand, du nom de sa fondatrice Claudine Vallerand. Elle fermera ses portes huit ans plus tard. Il s'agissait d'une classe que madame Vallerand avait aménagée dans le sous-sol de sa maison, où elle avait réuni ses trois enfants, les petits voisins et les enfants de ses amis. Très consciente de sa responsabilité et soucieuse d'offrir aux enfants des services de qualité, elle avait engagé, pour la seconder, deux «institutrices» titulaires d'un brevet spécialisé en «enseignement aux arriérés mentaux» obtenu à l'Institut pédagogique de Montréal. Il faut dire qu'à cette époque aucune formation particulière en éducation préscolaire ne se donnait au

Québec. À la suite de l'initiative de madame Vallerand, on commença à s'interroger sur la qualité de la formation dans le domaine préscolaire. C'est ainsi que l'Institut pédagogique, qui s'occupait déjà de former des institutrices pour l'enseignement aux handicapés mentaux, fut amené à s'intéresser à la formation de spécialistes en éducation préscolaire. Après l'ouverture de la Maternelle Vallerand, le cours de pédagogie spécialisée axé sur des cas spéciaux que donnait l'Institut pédagogique fut dévié de son objectif premier et consacré à la formation à l'éducation préscolaire.

C'est dans ce contexte que madame Vallerand, femme très dynamique et préoccupée du développement des tout-petits, entreprit d'organiser des rencontres de parents pour discuter de l'évolution de leurs enfants. On lui doit d'ailleurs la fondation, en 1939, de l'École des parents du Québec. Cette corporation, reconnue officiellement par le gouvernement, avait pour objectifs de « contribuer à la restauration de la famille en complétant l'éducation des parents ; [de] mettre à leur disposition les techniques d'enseignement les plus modernes, la compétence des meilleurs spécialistes, etc. » (Léveillé-Bourget, 1973, p. 14). Aussi, non seulement Claudine Vallerand a été une des premières à reconnaître l'importance de discussions avec les parents, de même que l'importance d'une formation adéquate pour travailler auprès des tout-petits, mais elle a également été la première à concevoir et à animer une émission télévisée axée sur le développement de l'enfant. Cette émission, qui visait à divertir, à stimuler et à éveiller les enfants, s'intitulait *Fon Fon*, ce qui valut à sa conceptrice et animatrice le surnom familier de Maman Fonfon[3].

Bref, de manière sporadique, officieuse et selon le bon vouloir des personnes, des écoles maternelles s'ouvraient dans les grands centres urbains. On assista ainsi à la naissance de l'école Aux Buissonnets, fondée par Marcelle Turcotte à Québec en 1940, et de la maternelle Saint-Viateur, mise sur pied par mesdames Paul Fontaine et Jeannine Beaudry à Montréal en 1941.

Au cours des années suivantes, le mouvement d'ouverture d'écoles maternelles s'est poursuivi ici et là, souvent sous l'égide de communautés religieuses. En 1942, l'abbé Léandre Lacombe, directeur de la Société

---

3. « *"Fon Fon"* était une émission destinée aux enfants, une espèce de *one-man show* dont Claudine Vallerand était à la fois le scripteur, l'animatrice et la vedette (avec Miki). L'unique répétition avait lieu le jeudi, sous la direction du réalisateur Adlin Bouchard [...] L'émission était diffusée le samedi, de onze heures à midi [...] Chaque émission comprenait un sketch, une petite discussion à une seule voix et se terminait généralement par un cours de bricolage. » (Léveillé-Bourget, 1973, p. 15.) Claudine Vallerand est née à Montréal en octobre 1908 et est décédée en septembre 2001.

d'adoption et de protection de l'enfance, s'interrogea sur les conditions de vie des enfants des crèches. Soucieux de leur développement et désireux de favoriser leur adoption, il fit des pressions sur le gouvernement afin d'obtenir les sommes nécessaires à la création d'une école qui veillerait à la socialisation de ces enfants et qui répondrait à leurs besoins. Aidé par la Chambre de commerce de Montréal, il lança une campagne qui lui permit, en 1943, de recueillir les fonds nécessaires pour ouvrir 16 classes maternelles, regroupant 225 enfants de 5 et 6 ans. Il confia ce projet à Thérèse Léveillé-Bourget. C'est ainsi que s'amorça le mouvement des garderies et des maternelles privées à travers toute la province. Le tableau 1.1 donne une liste partielle des maternelles ouvertes durant la période 1940-1956.

Tableau 1.1	Quelques maternelles ouvertes entre 1940 et 1956
Année	**Maternelle**
1940	• L'école Aux Buissonnets (Marcelle Turcotte), Québec
1944	• La maternelle et garderie des franciscaines missionnaires de Marie, Montréal
	• La maternelle Jones (Marguerite Jones), Notre-Dame-de-Grâce
	• La maternelle Pagnuelo (Madeleine Pagnuelo), Westmount
1946	• La maternelle Saint-Germain (Jeannette Dalpé-Colleret), Outremont
1952	• La maternelle de Rimouski (Jacqueline Thériault-Pitre)
1954	• La maternelle d'été à Val-David (Thérèse Léveillé-Bourget)

Source : T. Léveillé-Bourget, *Le préscolaire au Québec français*, Montréal, Collection Thérèse Bourget, 1973, p. 33-55.

À cette époque, deux événements ont plus particulièrement influé sur l'enseignement préscolaire : d'abord, en 1948, la création de l'Organisation mondiale pour l'éducation préscolaire (OMEP) puis, en 1953, la fondation de l'Association canadienne des jardinières d'enfants (ACJE), dont Thérèse Léveillé-Bourget, Jeannette Dalpé-Colleret et Madeleine Pagnuelo étaient membres actifs.

Dans un mémoire présenté en juin 1962 à la Commission royale d'enquête sur l'enseignement dans la province de Québec, l'ACJE rappelle les buts qui sous-tendent sa création :

a) promouvoir l'éducation préscolaire ;

b) permettre des rencontres entre les professeurs ;

c) faciliter les visites aux écoles existantes ;

d) protéger parents et enfants contre les écoles qui ne répondent pas aux critères exigés ;

e) prendre contact avec les organismes existants pouvant servir la cause de l'éducation préscolaire ;

f) renseigner le public sur ce qui se fait ici ou ailleurs dans le domaine de l'éducation préscolaire. (Pelletier et coll., 1962, p. 3-4.)

Précisons tout de suite qu'en 1968 l'ACJE deviendra l'Association d'éducation préscolaire du Québec (AEPQ).

Entre 1931 et 1962, on dénombrait plus de 60 écoles maternelles privées au Québec (Léveillé-Bourget, 1973, p. 59). À cette époque, la responsabilité de l'enfant est du domaine privé et relève surtout des femmes. Un seul homme se distingue parmi elles : il s'agit d'André Cailloux, né en France en 1920 et établi au Québec depuis 1951 (Communication-Jeunesse, 1975). Monsieur Cailloux est le fondateur et le directeur des cours Au jardin de grand-père Cailloux, conçus pour développer la personnalité des enfants de trois à cinq ans.

Au fil des années, les classes deviennent de mieux en mieux organisées. On y trouve des meubles et des jeux adaptés aux jeunes enfants ; parfois aussi s'ajoutent des services tels la cantine, le transport ou un parc récréatif dans la cour d'école. Tout cela indique une préoccupation certaine pour le bien-être physique et l'éducation des enfants. Les éducatrices se munissent de grilles de comportement auxquelles elles se réfèrent pour observer les enfants sous différents angles, telles les relations avec les pairs (socialisation), l'exécution du travail (autonomie) et les attitudes personnelles (confiance en soi et esprit d'initiative). Très rapidement, on constate que les enfants ayant fréquenté la classe maternelle éprouvent moins de difficultés à s'intégrer à l'école primaire dès leur première année. On note aussi des effets positifs en ce qui concerne la motivation à la réussite et l'adoption de comportements favorables à l'apprentissage.

Parallèlement à toutes ces initiatives, on met les gens en garde contre les *fausses maternelles* qui préparent les enfants à entrer en première année en forçant l'apprentissage de la lecture et de l'écriture.

1.4 L'EXPÉRIENCE DES PERSONNES QUI ONT INFLUÉ SUR L'ÉDUCATION PRÉSCOLAIRE AU QUÉBEC FRANÇAIS

Dans cette section, nous nous attarderons sur le témoignage de quelques-unes des personnes qui ont joué un rôle de premier plan dans le domaine de l'éducation préscolaire au Québec français. Ces personnes, que nous avons eu l'honneur de rencontrer à l'université, nous ont permis de découvrir de manière vivante l'histoire de la maternelle au Québec en répondant à toutes les questions que nous avions préparées à leur intention. Véritables pionnières de l'éducation, chacune d'entre elles mériterait de faire l'objet d'un livre. Toutefois, aux fins de cet ouvrage, nous avons relaté leurs principales réalisations, c'est-à-dire ce qui résonnait avec le plus d'intensité. Voici donc, en résumé, les faits marquants de ces personnalités influentes de l'éducation préscolaire au Québec.

1.4.1 Thérèse Léveillé-Bourget

Thérèse Léveillé-Bourget a participé à la mise sur pied des premières maternelles dans la région de Montréal. En 1942, elle collabore à la fondation de l'école maternelle de la Nativité, qu'elle dirige ensuite jusqu'en 1946. Cette école, idée de l'abbé Léandre Lacombe, directeur de la Société d'adoption et de protection de l'enfance, accueille des enfants orphelins de trois à six ans, traumatisés mentalement et physiquement par un long séjour en institution. Pendant cette période, elle se perfectionne en allant suivre des cours d'été à la Columbia University, dans l'État de New York. D'ailleurs, durant sa carrière, elle fera plusieurs voyages d'études et stages d'observation dans les écoles maternelles de la région de New York.

En 1946, elle ouvre la maternelle Notre-Dame-de-Fatima, à Saint-Vincent-de-Paul, qui reçoit des enfants de trois à six ans. Puis, de 1950 à 1954, elle acquiert deux autres maternelles, les maternelles Léveillé, situées dans le quartier Notre-Dame-de-Grâce. Ces trois maternelles fermeront leurs portes en 1958.

En 1953, elle participe avec d'autres à la création de l'Association canadienne des jardinières d'enfants (ACJE). Elle y occupera successivement les postes de trésorière (1953-1959), de présidente (1959-1965 et 1966-1968) et de vice présidente (1965 1966), en plus de collaborer à la rédaction d'un mémoire pour la Commission royale d'enquête sur l'enseignement dans la province de Québec. En 1961, elle siège à la Sous-commission des écoles maternelles, créée par le département de l'Instruction publique. Elle publie, en 1973, un ouvrage intitulé *Le préscolaire au Québec français*.

1.4.2 Hélène Thibodeau

Sœur Hélène Thibodeau, membre de la congrégation Notre-Dame de Montréal, fut une des pionnières de la formation en éducation préscolaire.

En 1937, elle se spécialise, à l'Institut pédagogique de Montréal, dans l'éducation des enfants présentant des retards importants sur le plan du développement intellectuel. Après quelques années de travail à Pointe-Saint-Charles, auprès de cette clientèle d'enfants en difficulté, elle s'occupe, de 1947 à 1951, de la formation des maîtres à l'Institut pédagogique de Montréal.

En 1953, après une année d'enseignement à l'école normale de Saint-Pascal-de-Kamouraska, elle retourne aux études et complète, à New York, une maîtrise ès arts en *early childhood education*. De retour à Montréal, elle sera responsable, de 1954 à 1961, de la formation en éducation préscolaire à l'Institut pédagogique, où elle met sur pied la « maternelle d'observation ». De 1961 à 1964, elle étudie à Fribourg, où elle obtient un doctorat ès lettres, option pédagogie et orthopédagogie. Sa thèse porte sur le développement du langage à la maternelle.

Avant 1931, se rappelle Hélène Thibodeau, on ne trouvait que très peu de garderies et de maternelles. Lorsque c'était nécessaire, les parents confiaient leurs enfants à des familles connues qu'ils rémunéraient. Les premières écoles maternelles étaient privées et dirigées par des personnes qui tiraient leur information de lectures ou de voyages aux États-Unis et en Europe.

Ce n'est qu'à partir de 1940 que s'instaure une formation spéciale destinée aux personnes travaillant en éducation préscolaire, alors que l'Institut pédagogique de Montréal, dirigé par les religieuses de la congrégation Notre-Dame, transforme son programme de pédagogie spécialisée en un programme axé sur la préparation des spécialistes en éducation préscolaire. Ce faisant, l'Institut pédagogique de Montréal répondait à une demande de plus en plus grande du milieu. Rappelons que la fondatrice de la première maternelle à Montréal, Claudine Vallerand, a contribué à cette demande en faisant appel à des diplômées de ce cours pour son école. Finalement, en 1954, l'Institut pédagogique de Montréal a restructuré son programme de manière à le consacrer uniquement à l'éducation préscolaire.

1.4.3 Laure Tétreault-Martel

Laure Tétreault-Martel a participé, tant à titre de fondatrice qu'à titre de directrice, à la mise sur pied du réseau des classes maternelles à la CECM.

De 1954 à 1956, elle fait des études en psychoéducation à l'Université de Montréal. En 1957, elle est déléguée pour représenter le Canada francophone à un camp sur les préjugés, organisé par le Children International Summer Village à Dayton, en Ohio. La même année, elle travaille comme directrice par intérim au centre Allan-Crost, à Beaconsfield, qui reçoit des enfants de plus de cinq ans en attente d'un foyer d'accueil.

Puis, en 1962, elle obtient un baccalauréat en pédagogie préscolaire et entreprend une licence dans le même domaine à l'Université Laval, où elle assume également des charges de cours. Pendant cette période, elle ouvre une classe maternelle privée à Sainte-Foy, à la demande d'un comité de parents.

En 1962, elle est nommée au poste de directrice des maternelles à la CECM, où elle met sur pied, à l'automne, 14 classes maternelles. Elle collabore à la rédaction du *Guide des écoles maternelles* publié en 1963 par le Comité catholique du Conseil de l'instruction publique. En 1964, elle donne des cours de formation au personnel du préscolaire inscrit à l'Université de Montréal et à l'Université de Sherbrooke.

1.4.4 Jeannette Dalpé-Colleret

Après avoir obtenu, en 1939, son brevet d'enseignement à l'école normale de Mont-Laurier, Jeannette Dalpé-Colleret vit ses premières expériences en enseignement à la Société d'adoption de Montréal tout en poursuivant son perfectionnement en éducation préscolaire à l'Institut pédagogique de Montréal.

Elle fonde, en 1946, l'école maternelle Saint-Germain, à Outremont, école qu'elle dirigera pendant 15 ans. En 1950, elle va visiter des classes maternelles en France, en Belgique et en Hollande, où elle entend de la bouche même de responsables pédagogiques de ces pays que ce qui est en train de se mettre en place au Québec est tout aussi valable, sinon plus, que ce qui existe chez eux.

Madame Dalpé-Colleret a participé à la fondation de l'ACJE, en 1953. Elle a aussi été responsable, pendant quatre ans, de la *Revue préscolaire,* qui est toujours publiée.

1.4.5 Thérèse Champagne

En septembre 1950, la Commission scolaire de la Cité de Lachine ouvrait la première classe maternelle sur son territoire, qui fut également la première classe maternelle publique de la province de Québec. Pour s'occuper de cette classe, elle choisit Thérèse Champagne, titulaire d'un diplôme supérieur de pédagogie, obtenu en 1949 à l'Institut pédagogique de Montréal.

Pour se perfectionner dans le domaine préscolaire, madame Champagne assiste aux rencontres et aux journées de formation organisées par l'ACJE, dont elle devient membre actif en 1955, et ce, même si elle ne remplit pas les conditions requises, soit avoir une formation spécialisée en éducation préscolaire. C'est que des déléguées de l'ACJE, après une inspection de sa classe et une évaluation de son enseignement, ont remis un rapport favorable à la reconnaissance de madame Champagne comme membre de l'organisme.

À compter de 1964, et pendant trois ans, elle suit des cours en pédagogie préscolaire à l'Université de Sherbrooke, études qui lui permettent de se qualifier légalement pour enseigner au préscolaire.

Sa carrière se déroulera sous le signe de la continuité puisqu'elle occupera le poste d'éducatrice au préscolaire à l'école Monseigneur-Boileau, à Lachine, de 1952 à 1984.

Madame Champagne a grandement contribué à la formation du personnel enseignant au préscolaire, plus particulièrement au cours de la période 1954-1964, où sa classe a été utilisée, chaque année, comme classe d'observation d'enseignement pratique pour les étudiants de l'Institut pédagogique de Montréal. Elle a aussi reçu des étudiants d'Amqui et de L'Islet et a été sollicitée par plusieurs commissions scolaires du Québec pour donner des conférences ou pour les guider dans l'ouverture de classes maternelles.

1.4.6 Candide Pineault

Candide Pineault a été responsable des programmes d'éducation préscolaire au ministère de l'Éducation du Québec (MEQ) de 1967 à 1969 et de 1972 à 1993. Elle a en outre collaboré à la conception de l'émission pour enfants *Passe-Partout*. Madame Pineault, qui a enseigné aux niveaux secondaire et collégial, a aussi été vice-doyenne du Département des sciences de l'éducation à l'Université du Québec à Chicoutimi, de 1969 à 1972.

Titulaire d'un baccalauréat en pédagogie familiale, obtenu en 1958 à l'Université de Montréal, madame Pineault étudie ensuite en éducation à la Cornell University, à Ithaca, dans l'État de New York, où elle obtient un diplôme de maîtrise en 1964 et un doctorat en 1967.

De 1992 à 1998, elle assume la présidence de l'Organisation mondiale pour l'éducation préscolaire (OMEP), qui regroupe 67 pays répartis sur 5 continents.

En 1967, les éducatrices de maternelle émettaient des réserves sur l'implantation d'un programme d'études au préscolaire comme dans l'enseignement primaire. Elles ne voulaient pas que les activités soient orientées vers des apprentissages formels de matières scolaires. Leur position incita le MEQ à publier, sous la responsabilité de madame Pineault, la série de brochures intitulée *Les activités à la maternelle.* Chacun de ces fascicules correspondait à un principe directeur, à un thème ou à une discipline scolaire, comme l'indiquent leurs titres : *Éducation sociale ; Le langage à la maternelle ; Sciences ; Éveil musical ; Arts plastiques ; Éveil religieux des tout-petits* (remplacé en 1976 par *Vers l'éveil spirituel et l'éducation de la foi des tout-petits [4-5 ans]).* Plus tard, on ajouta à cette série *Éveil mathématique* (1975). L'objectif visé était la sensibilisation de l'enfant au monde qui l'entoure, mais aussi le développement d'un être équilibré.

En 1981, tout en faisant référence à ces documents existants, le MEQ publie son *Programme d'éducation préscolaire,* qui met l'accent sur le développement harmonieux de l'enfant. Cette orientation cherche à assurer une continuité avec le passé de chacun des enfants eu égard à son être intégral, c'est-à-dire en respectant les dimensions affective, sociale, cognitive et psychomotrice de chacun.

1.4.7 Jacqueline Thériault

Après l'obtention d'un baccalauréat en pédagogie de l'Université Laval auquel s'ajoute une année de formation en pédagogie spécialisée à l'Institut de pédagogie de Montréal, Jacqueline Thériault ouvre une école maternelle à Rimouski en 1952. Ce nouveau lieu éducatif est offert aux petits enfants après l'École nouvelle de Mariette Boivin-Fafard (1936-1945).

À la suite de cette expérience sur le terrain, elle retourne aux études et, avec l'obtention d'un doctorat, on la retrouve à l'Université du Québec à Chicoutimi où, durant 25 ans, elle consacre son temps à la recherche et à la formation d'enseignants pour le préscolaire et le primaire.

Ses thèmes de recherche ont été le jeu symbolique et l'émergence de l'écrit. En raison de ses articles, de ses conférences et surtout de ses livres, *J'apprends à lire... Aidez-moi!* (1995) et *L'éveil à la lecture et à l'écriture... une responsabilité familiale et communautaire* (2004) écrit avec Natalie Lavoie de l'Université du Québec à Rimouski, madame Thériault est considérée comme une personne-ressource importante au Québec dans le domaine de la lecture et de la production écrite des jeunes enfants.

Toujours active, on la retrouve en 1995 présidente du Comité canadien de l'Organisation mondiale pour l'éducation préscolaire (OMEP-Canada), poste qu'elle a occupé pendant 10 ans. Elle a su proposer à ce mouvement divers projets sur des sujets liés à la petite enfance comme l'éducation à la paix, qui a donné naissance au collectif *Voyage dans la cité des mots-cadeaux : Abécédaire de la paix* pour les enfants de quatre à neuf ans.

RÉSUMÉ

Jusqu'en 1910, les services gouvernementaux à la petite enfance consistaient essentiellement en des *salles d'asile* et des *orphelinats,* lieux d'hébergement et de protection à l'intention des enfants les plus démunis.

À partir de 1910, des documents officiels rendent compte d'un intérêt manifeste pour l'ouverture de classes maternelles. Toutefois, cet intérêt ne s'est concrétisé que grâce aux actions soutenues de femmes très engagées dans le milieu, en général sous l'égide de l'Église. L'apparition des premières maternelles soulève de nombreuses questions quant aux méthodes pédagogiques à privilégier. En l'absence d'une tradition bien établie comme en Europe, les pionnières ont dû faire preuve de détermination et de courage pour créer leurs propres maternelles privées. S'inspirant des maternelles ou des jardins d'enfants existant dans d'autres pays, elles ont élaboré des programmes, fabriqué du matériel, planifié l'organisation de la classe et travaillé au développement des enfants. Cependant, étant donné leur caractère privé et les droits d'inscription élevés, ces premières maternelles profitaient seulement aux enfants des familles nanties.

À l'échelle internationale, l'année 1948 voit la création de l'Organisation mondiale pour l'éducation préscolaire (OMEP), qui œuvre aujourd'hui encore sous le même nom.

Au Québec, on assiste, en 1953, à la naissance de l'Association canadienne des jardinières d'enfants (ACJE), qui devient en 1968 l'Association d'éducation préscolaire du Québec (AEPQ), dont l'objectif premier est de promouvoir l'éducation préscolaire et d'en assurer la qualité.

Questions

1. Quels événements ont contribué à l'ouverture des maternelles ?

2. Décrivez les difficultés éprouvées pour rendre la maternelle accessible aux enfants d'âge préscolaire.

3. Que retenez-vous des témoignages des personnes qui ont marqué l'éducation préscolaire au Québec, en ce qui a trait au développement du jeune enfant ?

4. Comment se faisait la formation des aspirantes éducatrices au début de l'histoire des maternelles au Québec ?

5. Que retenez-vous de l'évaluation des enfants dans le contexte des premières maternelles au Québec ?

Mise en situation

Éducatrice en classe maternelle

Pour cette mise en situation, vous devez vous reporter dans les années 1950. Vous êtes une des premières éducatrices à être engagée pour travailler auprès des jeunes enfants en maternelle.

Pistes d'exploration

– Que signifie être éducatrice à cette époque ?

– Quelles sont les actions que vous entreprendrez sur le plan : 1) personnel ? 2) de l'organisation de l'environnement ? 3) de la programmation ? 4) de la planification pédagogique ?

– Décrivez des stratégies que vous adopterez tout en étant consciente du fait que la socialisation demeure une priorité en classe maternelle.

Présentation

Vous avez à présenter votre façon de voir, de comprendre le rôle d'éducatrice tel qu'il était défini dans les années 1950. Vous devez adopter

Mise en situation (*suite*)

des attitudes qui soulignent les difficultés auxquelles faisaient face les pionnières de l'éducation préscolaire. Les moyens que vous pouvez utiliser sont le jeu de rôle, la conférence ou tout autre moyen qui vous semble pertinent.

Lectures suggérées

ABBADIE, M., et coll. (1973). *Pédagogie de l'école maternelle, principes et pratique,* Paris, Bibliothèque pédagogique Fernand Nathan, t. 1 et 2.

BEAUPIN, E. (1914). *Les jardins d'enfants et le problème de l'éducation,* Paris, Bloud et Gay.

DUBY, M. (1973). *La maternelle,* Paris, Éditions Jean-Pierre Taillandier.

LÉVEILLÉ-BOURGET, T. (1973). *Le préscolaire au Québec français,* Montréal, Collection Thérèse Bourget.

NAUD-ITHURBIDE, J.-R. (1964). *Les écoles maternelles,* Paris, PUF.

CHAPITRE 2

L'évolution de la maternelle

Objectifs

Au terme de ce chapitre, le lecteur devrait pouvoir :

- brosser un portrait de l'organisation matérielle et pédagogique de la maternelle au Québec avant 1960 ;

- faire état des principales lacunes du réseau des maternelles au début des années 1960 ;

- établir la distinction entre *éducation préscolaire* et *maternelle*.

*T*oute entreprise connaît, à ses débuts, une période de tâtonnements et d'incertitude, et la maternelle n'échappe pas à ce phénomène. Malgré leur bon vouloir et leur détermination, les éducatrices ont eu à faire la preuve du bien-fondé de la classe maternelle en ce qui regarde le développement du jeune enfant, et ce, en dépit de l'absence de matériel et de programmes adaptés et de l'inexistence de la formation professionnelle dans le domaine.

Dans ce chapitre, nous nous pencherons sur les débuts de la maternelle et sur son évolution dans le temps.

2.1 LA MATERNELLE AVANT LES ANNÉES 1960

Les premières maternelles ont joué un rôle déterminant dans l'orientation de l'éducation préscolaire au Québec, orientation qui met l'accent sur le développement de l'enfant à l'intérieur d'un réseau éducatif accessible à tous les enfants de cinq ans. C'est d'ailleurs de cette réalité que rendait compte le rapport de la Commission royale d'enquête sur l'enseignement dans la province de Québec (1964). Comme nous l'avons vu dans le premier chapitre, il a fallu attendre quelques années avant d'en arriver à un système qui rejoigne l'ensemble des enfants. Rappelons qu'avant les années 1960 les enfants qui avaient la possibilité de fréquenter la maternelle étaient en général issus de milieux favorisés, leurs parents devant supporter les coûts d'un système privé. Dans l'ensemble, donc, la famille demeurait le milieu où l'enfant faisait ses premiers apprentissages.

L'objectif principal de la maternelle était de rassembler les tout-petits pour qu'ils puissent s'amuser ensemble. La socialisation, sur laquelle on mettait l'accent, devait les rendre moins craintifs face à une figure étrangère, les préparer à respecter les règles et à entreprendre leur première année. Pour la majorité des enfants qui la fréquentait, la maternelle donnait l'occasion d'un premier contact avec un univers différent de celui de la maison.

Souvent considéré dans sa famille comme un petit bébé, l'enfant qui commençait l'école se trouvait projeté du jour au lendemain dans un milieu où il devait agir en grand garçon ou en grande fille. À ce nouveau rôle étaient liés des devoirs auxquels il n'était pas habitué, comme respecter les règles de vie de groupe et se soumettre aux exigences de la jardinière.

L'éducatrice, qui devait être très maternelle, était choisie autant pour sa sollicitude envers les petits que pour sa compétence à les guider. Par exemple, à la maternelle des Saints-Anges, dans la Commission scolaire de la Cité de Lachine, durant l'année scolaire 1950-1951, deux institutrices diplômées d'écoles normales possédant plusieurs années d'expérience dans l'enseignement et intéressées aux apprentissages chez les jeunes enfants se partageaient l'enseignement et les soins aux petits. Cette tâche consistait à veiller à leur sécurité et à les entourer d'affection et de tendresse afin de les aider à s'intégrer le plus rapidement possible au nouvel environnement. En définitive, la patience, l'enjouement et la spontanéité étaient les qualités propres à amener l'enfant à participer aux activités qui lui étaient proposées. L'éducatrice, ou la jardinière, puisque c'est le titre qu'on lui donnait à l'époque, en plus de fournir de bons soins aux enfants, devait concevoir des activités intéressantes, amusantes, stimulantes et éducatives.

Les activités prenaient souvent la forme de jeux. Les jeux libres, très valorisés, permettaient à l'enfant de bouger, de faire des choix, de parler et de jouer avec les autres. Mis à part les contacts entre les frères et les sœurs d'une même famille, les rudiments de la socialisation avec les pairs étaient appris à l'école. On y donnait la possibilité de communiquer et de discuter, et ce contexte amenait l'enfant à se comparer à ses amis et à se situer par rapport à eux.

L'éducation par les sens (l'ouïe, la vue, le toucher, le goût et l'odorat) tenait une place importante dans les activités offertes aux enfants. Peu à peu, l'enfant construisait sa place, à partir d'actions de mieux en mieux circonscrites et de conduites de plus en plus autonomes. Les activités en grand groupe, comme le chant, la danse et les activités physiques, occupaient une partie du temps de classe, l'autre partie étant consacrée aux exercices de préapprentissage de la lecture, de l'écriture et des mathématiques. Évidemment, tout cela dépendait entièrement de la planification de l'éducatrice, car elle établissait elle-même son programme d'activités.

En l'absence de programmes déterminés et de modalités d'évaluation uniformes et officielles, comme le bulletin, la jardinière devait construire ses propres instruments. Le plus souvent, elle se fiait à son intuition de maman pour créer des activités mais, dans la mesure du possible, elle s'informait auprès de collègues qui œuvraient dans le même domaine. Un principe général l'inspirait toujours, soit développer les diverses facultés de l'enfant tout en lui faisant aimer l'école et en lui donnant le goût du travail bien fait. Loin d'être axée exclusivement sur les connaissances, la maternelle s'attachait à des objectifs développementaux, telles les habitudes d'ordre, de propreté, de politesse, d'attention et d'obéissance, objectifs que le jeune enfant devait atteindre au moyen des activités.

En général, les parents, et plus particulièrement les mères, puisque la tâche d'éduquer les enfants leur incombait le plus souvent, étaient très heureux d'envoyer leurs enfants à l'école. Les familles étant habituellement plus nombreuses qu'aujourd'hui, la fréquentation de la maternelle par l'un des enfants libérait la mère, qui s'occupait des autres frères et sœurs. De plus, dans l'esprit des parents, la fréquentation de la maternelle assurait un meilleur avenir à l'enfant, car on considérait qu'il serait mieux préparé à entrer en première année et plus apte à réussir à l'école.

2.1.1 L'organisation matérielle et pédagogique

Le tableau 2.1, inspiré du document *Prospectus 1950-51* publié par la Commission scolaire de la Cité de Lachine, donne un aperçu de l'organisation matérielle et pédagogique des maternelles telle qu'elle se présentait avant les années 1960. À cette époque, on commençait à peine à poser les balises des classes maternelles. Par conséquent, il est fort probable que certains éléments du tableau ont varié selon les commissions scolaires et selon les acteurs. Quoi qu'il en soit, ce tableau reste pertinent dans la mesure où il rend compte des éléments typiques de l'organisation structurelle des maternelles de l'époque.

Soulignons enfin que de profondes transformations sociales sont nécessaires pour que se développe la scolarisation précoce. Entre autres choses, il faut envisager un changement complet dans la façon de concevoir la dépendance physique de l'enfant pour ce qui est de sa capacité à se prendre en main et à répondre lui-même à ses besoins. Devant la nécessité de dépasser l'œuvre de bienfaisance privée où des personnes charitables et engagées prennent en charge les petits, on se tourne naturellement vers l'État pour qu'il assume une fonction d'éducation à leur égard.

Tableau 2.1	Sommaire de l'organisation structurelle des maternelles avant les années 1960
	Organisation matérielle
Local	L'aménagement d'une salle, où l'on trouve du mobilier et du matériel répondant aux besoins d'une maternelle moderne, offre tout le confort voulu.
	Organisation pédagogique
Méthode	On privilégie une méthode personnelle qui s'inspire de grands pédagogues et psychologues spécialisés dans l'éducation préscolaire. La méthode varie selon le groupe d'enfants, leur caractère, leur âge, leur milieu, et selon la personnalité de la jardinière. Elle s'inspire des valeurs dominantes, telles que la spiritualité, l'obéissance, le respect de l'ordre, la politesse et la propreté. Axée sur les bonnes habitudes, cette méthode doit amener ultimement l'enfant à devenir un adulte responsable.

	Organisation pédagogique (*suite*)
Programme	Même s'il est bien précisé qu'il n'est pas question de faire acquérir aux enfants une somme quelconque de connaissances, le programme accorde une grande importance aux apprentissages scolaires. Il n'en manifeste pas moins un réel souci d'éveiller l'attention et de développer l'observation, de même que les habiletés physiques et l'acuité sensorielle. Il s'articule également autour des notions fondamentales d'ordre et de sociabilité et il favorise l'éclosion du sentiment religieux. On s'efforce, dans l'idéal de l'«école heureuse», de faire acquérir aux enfants un ensemble de connaissances pratiques reliées à leur petit monde. Tout en conservant les activités de jeux, on privilégie un commencement d'instruction proprement dite. On préconise l'apprentissage de quelques éléments de calcul, de géographie et de sciences naturelles avec, en temps opportun, l'initiation à la lecture et à l'écriture, à quoi s'ajoutent quelques notions de civisme.
Matériel didactique	La jardinière imagine et crée du matériel didactique. Elle trouve ses idées en fouillant dans des catalogues et en visitant d'autres maternelles. S'il y a lieu, elle voit à la préparation à la première communion des enfants qui ont atteint l'âge et le développement requis. La jardinière s'occupe de l'ensemble du groupe au moyen d'activités collectives, mais elle s'occupe aussi de chacun des enfants individuellement. Elle diversifie les jeux tout en prêtant attention à ceux qui désirent jouer avec d'autres dans des coins spécifiques comme les coins de poupées, de construction ou de jeux de table (encastrements, casse-tête, lotos). Elle soutient ceux qui, dans leurs apprentissages, éprouvent des difficultés. Le matériel se diversifie et se complexifie au cours de l'année pour permettre à l'enfant de faire d'autres choix qui le dirigeront vers des apprentissages plus poussés.
Horaire et emploi du temps	Les enfants viennent à l'école à mi-temps, soit le matin de 9 h à 11 h 30, soit l'après-midi de 13 h 30 à 16 h, selon leur inscription en début d'année. Une fois le climat de confiance nécessaire à l'apprentissage établi, l'horaire est divisé en fonction d'une routine de manière que l'enfant puisse se situer dans le temps et estimer lui-même le moment du retour à la maison.
Admission	Pour répondre aux exigences du service d'hygiène de la ville, on demande aux parents de fournir deux certificats: un de vaccination contre la variole et un de bonne santé. Les inscriptions sont limitées de façon qu'aucune jardinière n'ait à s'occuper de plus de 20 enfants à la fois. La direction se réserve le droit de retarder l'inscription d'un enfant qui exigerait de la part de l'éducatrice une attention trop exclusive. Les parents doivent débourser une somme de 50 $ par année, ou de 5 $ par mois, qui sert à payer le coût de matériel comme les craies, les livres.
Transport	Les parents dont les enfants sont transportés doivent supporter le coût de la location de voitures.
Année scolaire	Elle commence durant la deuxième semaine de septembre et se termine en juin. À des fins pédagogiques et de contrôle, elle se divise en trois trimestres, débutant respectivement en septembre, en décembre et en mars.

Tiré des entrevues des personnalités qui ont marqué l'éducation préscolaire au Québec.

2.2 LA MATERNELLE AU DÉBUT DES ANNÉES 1960

Le début des années 1960 marque un tournant dans l'histoire des maternelles, grâce aux subventions accordées par le département de l'Instruction publique. À l'aube de ce qu'on appellera la Révolution tranquille, période où la société québécoise est en effervescence sur tous les plans, on assiste à l'émergence des maternelles publiques.

Le 10 juin 1961, l'Assemblée législative du Québec sanctionne le projet de loi 86, en vertu duquel une subvention spéciale est accordée aux commissions scolaires en vue de maintenir les classes maternelles (articles 6 et 14). Quelques mois auparavant, soit le 10 mars, le département de l'Instruction publique avait institué la Sous-commission des écoles maternelles, dont la tâche première était de préparer un guide pour l'organisation des classes maternelles, destiné aux commissions scolaires et aux titulaires de classes maternelles. Peu après, la même sous-commission se voit confier une deuxième mission, dont l'objet est l'élaboration d'un nouveau programme à l'intention des écoles normales, concernant la formation d'un personnel qualifié.

2.2.1 Les principales lacunes relevées

Au début des années 1960, la situation d'ensemble des maternelles présentait des lacunes importantes au chapitre de leur encadrement et de la formation des institutrices qui y œuvraient.

En juin 1962, témoignant devant la Commission royale d'enquête sur l'enseignement dans la province de Québec, l'Association canadienne des jardinières d'enfants (ACJE) souligne le réel retard du Québec en ce qui a trait à l'organisation et à la réglementation de l'enseignement préscolaire.

À l'appui de cette affirmation, l'ACJE fait état de données fournies par les inspecteurs d'écoles au Service des statistiques du département de l'Instruction publique pour l'année 1961-1962. Ces données révèlent l'existence de 256 classes maternelles, dont 64 seulement, soit 25 % de l'ensemble, relèvent des commissions scolaires. En ce qui regarde la fréquentation des maternelles, le mémoire de l'ACJE (Pelletier et coll., 1962) rapporte que 2 % seulement des enfants sont inscrits dans les maternelles publiques, soit 2 478 sur une possibilité d'environ 120 000. L'ACJE compare cette situation avec celle de la minorité francophone de l'Ontario qui, en 1960, compte 5 774 enfants inscrits dans les *kindergartens,* soit plus du double du nombre d'inscriptions dans la province de Québec. Et si l'on considère l'ensemble des classes maternelles de l'Ontario, cette province compte, pour l'année 1960, 3 388 écoles maternelles, dont 2 074 d'entre elles sont publiques et accueillent 64,7 % de la population totale des enfants de 5 ans (données de l'Ontario Department of Education and Welfare).

Pour ce qui est du retard qu'accuse la qualité de l'enseignement, l'ACJE fait état du faible encadrement des écoles maternelles et du problème de la formation des institutrices (Pelletier et coll., 1962). En effet, l'ACJE déplore le fait qu'au moins 75 % des classes maternelles ne font l'objet d'aucune surveillance, ce qui ne manque pas de l'inquiéter au sujet des standards pédagogiques qui prévalent dans ces classes. À l'appui, l'ACJE cite aussi la conclusion de la conférence prononcée à Sainte-Adèle, en 1960, par Charles Bilodeau, à l'occasion de la Conférence canadienne de l'enfance, où il précisait que :

> [...] une des questions à étudier est assurément celle de la réglementation des écoles maternelles indépendantes. À l'heure actuelle, une liberté complète existe au Québec. Toute personne, qualifiée ou non, peut ouvrir une école maternelle et la conduire comme elle l'entend, bien ou mal. Une école maternelle dirigée par une personne non compétente peut parfois causer un tort sérieux aux élèves. Une sage réglementation empêcherait de tels abus et contribuerait au développement des véritables écoles maternelles. (Pelletier et coll., 1962, p. 15-16.)

De plus, les normes d'encadrement en vigueur sont toujours celles qui sont définies dans l'appendice F des *Règlements du comité catholique du Conseil de l'instruction publique de la province de Québec* (refondus en 1915). Dans son mémoire, l'ACJE affirme que ces normes « ne correspondent pas à la conception moderne de l'éducation préscolaire » (Pelletier et coll., 1962, p. 12).

Quant au problème de la formation des institutrices, le mémoire de l'ACJE révèle que, en 1961-1962, 184 institutrices sur 256 possèdent un diplôme reconnu par la loi, et 51 d'entre elles seulement sont spécialisées en pédagogie préscolaire. De plus, ces diplômes présentent une grande disparité, tel que l'illustre le tableau 2.2.

Tableau 2.2	Les diplômes dont sont titulaires les institutrices de maternelle, 1961-1962
Provenance du diplôme	**Diplômes**
Bureau central des examinateurs catholiques	Diplôme élémentaire Diplôme modèle Diplôme académique Diplôme complémentaire Diplôme supérieur
Écoles normales	Brevet supérieur Brevets «A», «B», «C» Brevets spécialisés
Institutions diverses	Diplôme spécialisé après une 10e année Diplôme d'auxiliaire sociale Diplôme du Conservatoire LaSalle Diplôme professoral de l'Université de Montréal

Source : L. Pelletier et coll., *Problèmes de l'enseignement préscolaire dans la province de Québec,* mémoire de l'Association canadienne des jardinières d'enfants présenté à la Commission royale d'enquête sur l'enseignement dans la province de Québec, 1962, p. 13.

Constat encore plus dramatique, l'ACJE signale l'existence de 70 classes maternelles dirigées par des personnes ne possédant qu'un certificat de 7e, 8e, 9e, 10e, 11e ou 12e année ou encore un diplôme de garde-bébés (Pelletier et coll., 1962). De toute évidence, la modification apportée, le 23 novembre 1960, aux règlements du Comité catholique du Conseil de l'instruction publique pour obliger les écoles maternelles à embaucher du personnel qualifié n'avait pas encore corrigé la situation.

Quoi qu'il en soit, les défenseurs de l'école maternelle commencent à laisser leurs traces. On considère désormais la maternelle comme une unité originale ayant une valeur en soi. On oblige la titulaire à posséder une formation adéquate pour travailler au sein d'un système d'éducation qui privilégie l'unification de la pensée pédagogique.

Jusque-là, en dépit de l'existence d'une certaine réglementation, aucun comité émanant du département de l'Instruction publique ne s'était vu confier la tâche d'étudier l'ensemble du dossier préscolaire. Une volonté d'action à cet égard semble toutefois se manifester, comme le souligne l'ACJE (Pelletier et coll., 1962, p. 21-22) :

[…] un pas en ce sens a été fait récemment. Le 14 mars 1962, le Comité catholique du Conseil de l'instruction publique tenait compte d'une des suggestions faites par la Sous-commission des écoles maternelles et recommandait la nomination d'un conseiller technique responsable des écoles maternelles. Nous applaudissons à cette décision et y ajoutons quelques précisions :

1. Nous souhaitons que cette personne soit la directrice d'un service des écoles maternelles, ce service constituant une entité autonome.

2. Que cette personne soit détentrice d'une licence ou d'une maîtrise en pédagogie et qu'elle soit spécialisée en éducation préscolaire.

3. Que les membres de ce service aient l'entière responsabilité de l'organisation matérielle et pédagogique de l'enseignement préscolaire, qu'ils voient à la surveillance et aient juridiction sur toutes les écoles maternelles publiques ou indépendantes.

4. Que des personnes choisies pour occuper un poste au sein de ce service, que ce soit en tant que conseiller technique, chargé de recherches, etc., détiennent un degré universitaire.

Dans un document publié en 1963 et intitulé *Guide des écoles maternelles,* le Comité catholique du Conseil de l'instruction publique expose les objectifs de la maternelle et les conditions de l'organisation pédagogique et matérielle de l'école maternelle. La publication, en 1964, du rapport de la Commission royale d'enquête sur l'enseignement dans la province de Québec, mieux connue sous l'appellation de commission Parent, du nom de son président, monseigneur Alphonse-Marie Parent, marque une étape décisive dans la société québécoise. Précurseur d'une réforme en profondeur de tout le système d'éducation, il change le cours de l'histoire des maternelles. Au cœur des débats concernant cette réforme se trouve le principe de l'accessibilité à l'école et du droit à l'éducation préscolaire gratuite. Ce droit finalement acquis, l'éducation préscolaire devient un service public au même titre que l'enseignement primaire : la maternelle est désormais gratuite et accessible à tous les enfants de cinq ans, peu importe leur condition sociale.

2.2.2 La croissance de la fréquentation de la maternelle

Au début des années 1960, le Québec accusait un retard important au chapitre de la fréquentation de la maternelle, qui accueillait seulement 2 % des enfants de cinq ans, alors que l'Ontario et des pays européens comme la France, l'URSS et l'Angleterre recevaient en maternelle près des deux tiers des enfants de trois, quatre et cinq ans. Il apparaissait par conséquent urgent de redresser la situation. En 1961, l'Assemblée législative du Québec adoptait une loi relative à l'octroi de subventions aux commissions scolaires pour l'ouverture de maternelles, de telle sorte que la fréquentation de la maternelle par les enfants de 5 ans passait de 10,2 % en 1961 à 92,3 % en 1970 et à 97 % en 1974 (Ministère de l'Éducation du Québec, 1981b, p. 38).

Le tableau 2.3 donne un aperçu de cette évolution.

Tableau 2.3	L'évolution des effectifs en éducation préscolaire, de 1963 à 1979			
Année	Nombre de commissions scolaires	Nombre de classes	Nombre de titulaires	Nombre d'élèves (total)
1963-1964	78	241	244	10 560
1964-1965	142	462	330	23 310
1965-1966	230	1 039	893	38 805
1966-1967	317	1 368	1 361	34 701
1967-1968	470	1 822	1 829	70 382
1968-1969	728	2 501	2 483	98 545
1969-1970	725	2 874	2 833	108 758
1970-1971	694	2 936	2 855	107 993
1971-1972	650	2 824	2 705	99 406
1972-1973	212	2 746	2 532	94 575
1973-1974	200	2 656	2 443	91 216
1974-1975	201	2 674	2 442	89 919
1975-1976	201	2 762	2 534	89 755
1976-1977	202	2 762	2 541	89 636
1977-1978	n.d.	n.d.	n.d.	84 258
1978-1979	n.d.	n.d.	n.d.	83 091

n.d.: données non disponibles.
Source : Ministère de l'Éducation du Québec, *Programme d'éducation préscolaire*, Québec, 1981, p. 39.

2.2.3 De la maternelle à l'éducation préscolaire

Le mot *maternelle* a été employé pour la première fois en 1771 par le pasteur français J. F. Oberlin, fondateur des écoles enfantines, alors que l'expression *école maternelle* remonte à 1848, sous la plume du ministre français de l'Instruction publique, Hippolyte Carnot.

Au Québec, le Comité catholique du Conseil de l'instruction publique définissait l'école maternelle de la façon suivante :

L'école maternelle est un établissement d'éducation dont l'objet est de préparer l'enfant à recevoir avec fruit l'instruction primaire. Elle n'est pas une école au sens ordinaire du mot, car son caractère diffère de celui de l'école primaire.

[…] Cette école du premier âge est donc un établissement où les enfants des deux sexes viennent recevoir les soins de surveillance maternelle et de première éducation que leur âge réclame. (Conseil de l'instruction publique. Comité catholique, 1915, p. 211.)

Avec le temps, cette définition de la maternelle a évolué et aujourd'hui nous parlons plutôt d'éducation préscolaire. Adoptée par l'Organisation mondiale pour l'éducation préscolaire (OMEP), la notion d'éducation préscolaire comporte une dimension particulière, touchant à la fois au développement de l'enfant et à un style d'enseignement lié à la première éducation des enfants. Au Québec, les objectifs mis au premier plan par la Commission royale d'enquête sur l'enseignement s'articulent autour de cette double dimension en tenant compte autant du développement psychologique de l'enfant par la satisfaction de ses besoins que de son développement harmonieux, dans le respect de ses intérêts et de ses qualités intellectuelles.

De nos jours, depuis qu'elle a gagné en notoriété, l'éducation préscolaire est perçue comme un moment crucial dans l'ensemble du développement humain :

Si un enfant humain ne reçoit pas en temps voulu un minimum d'éducation convenable, il ne pourra jamais, quels que soient les efforts ultérieurs de ses éducateurs, rattraper le retard, compenser le manque premier. (Jean Rostand, cité dans Debesse et Mialaret, 1972, p. 82.)

Au Québec, l'organisation du réseau d'éducation préscolaire, amorcée par le département de l'Instruction publique, s'est poursuivie sous l'autorité du ministère de l'Éducation du Québec (MEQ). Entre autres responsabilités, ce dernier doit établir des normes, contrôler et orienter le travail des maternelles et commander ou diriger des recherches en pédagogie préscolaire (Commission royale d'enquête sur l'enseignement dans la province de Québec, 1964, p. 79-80). Il définit également les normes concernant la formation et la compétence du personnel, la qualité du local et du matériel, les critères d'admission et le nombre d'enfants par classe.

En 1979, le MEQ a publié *L'école québécoise, énoncé de politique et plan d'action,* document mieux connu sous le nom de Livre orange. Réagissant à cette publication, la Centrale de l'enseignement du Québec (1979, p. 13) déclarait :

L'éducation préscolaire au Québec s'articulait autour d'un embryon : un réseau de classes maternelles pour enfants de 5 ans rassemble 97 % d'entre eux mais seulement cinq demi-journées par semaine. L'expérience de maternelles cinq ans fréquentées à temps plein demeure marginale. À l'échelle du Québec, quelques classes maternelles pour enfants de 4 ans à demi-temps et quelques maternelles-maisons sont organisées dans les milieux défavorisés. Il en existe également dans certains grands centres urbains.

[…] Les auteurs du Livre orange refusent de transformer les maternelles (5 ans) fréquentées à demi-temps en maternelles temps plein, sauf à titre de mesures spéciales où de telles maternelles accueillent des enfants défavorisés ou encore des enfants dont la langue maternelle est autre que le français.

Tout compte fait, l'éducation préscolaire de l'époque se résume essentiellement à des services éducatifs assurés par le système scolaire. Elle se définit au regard d'objectifs et non pas par rapport à une identité structurelle. Le *Guide des écoles maternelles* (Comité catholique du Conseil de l'instruction publique, 1963, p. 51) précise que cette éducation « possède une valeur en soi, qu'elle offre à l'enfant un complément nécessaire à l'éducation qu'il reçoit au foyer. Elle est l'auxiliaire de la famille ». Il ajoute : « S'inscrivant en prolongement de la famille, l'éducation préscolaire constitue une transition heureuse entre le foyer et l'école élémentaire. » (*Ibid.*, p. 53.)

Le *Programme d'éducation préscolaire,* publié en 1981, poursuit cet objectif de *bien-être* en insistant sur le rôle « d'éducation globale de la personnalité de l'enfant » (Ministère de l'Éducation du Québec, 1981b, p. 7) par un environnement social de qualité. « Aussi, estiment les auteurs de ce document, la façon d'éduquer l'enfant pendant toute la période préscolaire a-t-elle une influence déterminante sur son avenir, sur la réussite de son éducation scolaire et aussi, dans une certaine mesure, sur la réussite ultérieure de sa vie. » (*Ibid.*)

Dès lors se dessinent deux tendances. La première préconise une éducation préscolaire qui s'inscrit dans la continuité familiale en laissant une certaine liberté d'action à l'enfant dans des activités spontanées qu'il entreprend de sa propre initiative ; la seconde est surtout axée sur des activités de première année présentées en vue de préparer l'enfant à la réussite scolaire et de faire ultimement de lui un citoyen responsable.

Avec le temps et au fil des événements, l'éducation préscolaire a pris une signification beaucoup plus étendue, qui va au-delà du sens attribué à la classe maternelle proprement dite. En 1988, le Conseil supérieur de l'éducation affirmait que « l'éducation préscolaire fait partie intégrante du curriculum […] ayant donné un cadre spécifique d'exercice à l'intérieur du système scolaire » (Conseil supérieur de l'éducation, 1988, p. 13). En fait, l'éducation préscolaire englobe la prise de conscience des responsabilités en matière d'éducation pour l'ensemble des tout-petits. Cependant, il ne faut pas confondre l'éducation familiale avec l'éducation préscolaire. La première concerne l'enfant à la maison, la seconde se rapporte à tout établissement qui s'occupe du bien-être des enfants d'âge préscolaire en général. Sur ce dernier point, étant donné que, de nos jours, la grande majorité des enfants fréquentent la maternelle et que sont apparus un grand nombre d'établissements destinés aux jeunes enfants autres que les maternelles, on serait porté à dire que l'éducation préscolaire touche l'ensemble des enfants de moins de six ans. Toutefois, cette dernière affirmation n'est pas partagée par Perrenoud, qui affirme que :

> […] ne peut être préscolaire qu'une institution qui présente tous les traits de la forme scolaire : 1) un maître reconnu savant et compétent ; 2) un groupe d'élèves ; 3) un espace spécifique, fermé ; 4) des temps planifiés et protégés ; 5) une pratique séparée des autres pratiques sociales ; 6) des règles contraignantes de fonctionnement ; 7) un programme comme ensemble ordonné de savoirs et de savoir-faire à développer ; 8) un contrat didactique définissant le rapport au savoir et le travail des élèves ; 9) une autorité fondée sur des récompenses et des sanctions. Or, on en conviendra, l'école préobligatoire présente tous ces traits. Ni l'obligation légale, ni l'évaluation sont indispensables pour caractériser une école ! (Perrenoud, 2000, p. 6.)

En définitive, comme le mot l'indique, *préscolaire* fait référence à ce qui précède le scolaire. Cela étant, les éducateurs s'entendent pour dire qu'il est nécessaire de créer des liens étroits entre tous les milieux qui exercent une influence sur le développement de l'enfant avant son arrivée à l'école, en l'occurrence la famille, la garderie et la maternelle. Un tel souci a toujours ressorti des programmes d'éducation préscolaire. Cependant, sur le plan éducatif, la maternelle ne peut remplacer la famille et l'éducatrice ne peut se substituer aux parents. Par conséquent, afin d'éviter les coupures entre les milieux et de mieux préserver l'unité de la vie enfantine, on ne saurait trop insister sur la nécessité de renforcer les liens de collaboration entre ces différents milieux.

De nos jours, contrairement à la situation des années 1960, les petits Québécois qui entrent à l'école primaire sont susceptibles d'avoir fréquenté toute une gamme d'établissements, soit des garderies de types variés, des centres de la petite enfance (CPE), des prématernelles ou des maternelles. Ces établissements, privés ou publics, relèvent d'un ministère particulier. Selon le ministère auquel ils se rattachent, ils sont considérés comme établissements scolaires ou non scolaires. Au-delà de ces distinctions, deux réalités s'imposent : d'abord, la maternelle n'est plus la première institution préscolaire à prendre l'enfant en charge en dehors de la famille ; ensuite, elle n'est plus le seul milieu social et éducatif où l'enfant peut développer ses habiletés. En effet, les enfants peuvent profiter de nombreux cours artistiques, sportifs ou autres en dehors de toute institution organisée. Devant cette réalité, on commence à mieux comprendre le dilemme de certaines éducatrices qui souhaiteraient aller de l'avant et faire de la maternelle une classe préparatoire à la première année ou à l'enseignement primaire. En fait, le rôle de la maternelle consiste inévitablement à préparer *peu à peu* l'enfant à devenir un écolier capable d'écrire, de lire et de compter. Ce *peu à peu* soulève une certaine controverse parmi les éducatrices. Il revêt une signification différente selon la compréhension et l'interprétation de chacune et selon qu'on l'associe aux diverses écoles de pensée en faveur ou non de l'apprentissage de la lecture et de l'écriture dès la maternelle. Le débat opposant éducation et instruction est loin d'être terminé et retient toujours l'attention des personnes préoccupées par le bien-être de l'enfant.

En conclusion, les années 1960 marquent un tournant important dans l'éducation préscolaire, ne serait-ce que par la multiplication des maternelles. Cette révolution accompagne de multiples débats sur les bienfaits qu'apporte à l'enfant le fait de rencontrer des compagnons ou compagnes du même âge, de s'adonner à d'autres types d'activités que celles qui sont offertes dans le milieu familial, d'apprendre à partager, à se soumettre à des règles de vie de groupe et à se plier à une certaine discipline. Il faut dire que des personnes voient d'un mauvais œil cette entrée précoce à l'école. La maternelle devient donc le sujet par excellence de récriminations de toutes sortes : elle n'est pas assez ceci ; elle est trop cela ; pauvre petit qu'on doit sortir du lit pour envoyer à l'école ; sa vie de misère commence ; si petit pour aller à l'école ; il ne fait rien à la maternelle, etc. Malgré tout, une majorité de parents reconnaissent les bienfaits de la maternelle en tant que milieu de transition avant les apprentissages formels de la première année et, bien qu'elle ne soit pas obligatoire, décident d'y envoyer leur enfant.

Résumé

Par comparaison avec l'Europe, ou même avec la province voisine, l'Ontario, l'implantation des maternelles se fait très lentement au Québec. Avant 1960, la maternelle demeure essentiellement le premier lieu de socialisation extérieur à la famille pour les jeunes enfants. Dans ce contexte, le rôle de la *jardinière,* ainsi qu'on désigne l'éducatrice à l'époque, est assimilé à celui d'une *bonne maman* plutôt qu'à celui d'une enseignante et consiste d'abord et avant tout à *protéger* l'enfant. Une approche pédagogique plutôt intuitive, axée sur les *bonnes habitudes* à faire acquérir, est privilégiée. La jardinière crée et imagine elle-même le matériel, les jeux et les activités de préapprentissage.

À la suite de la reconnaissance du statut de l'enfant et sous l'influence de pédagogues et de chercheurs, un mouvement vers la préscolarisation s'est amorcé au début du siècle dernier. Avec la publication du rapport Parent, en 1964, la préscolarisation devient accessible à l'ensemble de la population, particulièrement aux enfants ayant cinq ans le 1er octobre de l'année en cours, l'âge d'admission officiel pour l'entrée à la maternelle. Deux tendances s'affrontent quant à la conception de la maternelle : laisser l'enfant découvrir par lui-même à travers ses jeux ou lui montrer à lire, à écrire et à compter. La première vise la continuité familiale, en insistant sur une certaine spontanéité ; la deuxième privilégie des apprentissages de première année du primaire en vue de préparer l'enfant à la réussite scolaire.

Questions

1. À quand remonte l'appellation *maternelle* et où se situe-t-elle par rapport à l'expression *éducation préscolaire* ?

2. Comment décririez-vous le rôle et l'importance de la maternelle au Québec avant 1960 ?

3. Quel événement majeur marque un tournant dans l'évolution de la maternelle au Québec ?

Mise en situation

Directrice d'école

Pour cette mise en situation, vous devez vous reporter en 1960, où vous êtes directrice d'une école primaire.

Depuis quelque temps, des parents viennent vous rencontrer pour vous faire part de leurs doléances concernant le fait qu'ils ne peuvent envoyer leurs jeunes enfants à la maternelle privée, faute d'argent. Ils aimeraient que vous fassiez pression sur vos supérieurs pour que votre école offre ce service.

Mise en situation (*suite*)

Pistes d'exploration

– Que signifie ouvrir une classe maternelle à cette époque?

– Pensez-vous que la majorité des parents de votre entourage veulent envoyer leurs enfants à la maternelle?

– Quels arguments invoquerez-vous pour convaincre vos supérieurs du bien-fondé de votre requête?

– Quelles stratégies mettrez-vous en œuvre pour répondre aux besoins des parents, aux exigences de vos supérieurs et pour présenter votre position au personnel enseignant de votre école?

Présentation

Vous avez à présenter les stratégies que vous adopterez. Vous devez exposer à trois groupes d'acteurs, soit les parents, vos supérieurs et les enseignants de votre école, les avantages et les inconvénients liés à l'ouverture d'une classe maternelle dans votre école.

Les moyens que vous pouvez utiliser sont le jeu de rôle, la conférence ou tout autre moyen qui vous semble pertinent.

Lectures suggérées

CHARRIER, C., et S. HERBINIÈRE-LEBERT. (1955). *La pédagogie à l'école des petits: cours complet et pratique*, Paris, F. Nathan.

DAJEZ, F. (1994). *Les origines de l'école maternelle,* Paris, PUF.

LUC, J.-N. (1997). *L'invention du jeune enfant au XIXe siècle, de la salle d'asile à l'école maternelle,* Paris, Belin.

CHAPITRE 3

Les étapes de la progression des classes maternelles publiques depuis 1960

Objectifs

Au terme de ce chapitre, le lecteur devrait pouvoir :

- décrire l'organisation matérielle et pédagogique de la maternelle à chacune des étapes importantes de l'histoire de la maternelle au Québec ;

- analyser, au cours de ces différentes étapes, les buts, les activités et les programmes qui ont contribué à rendre la maternelle crédible ;

- décrire les différents types de maternelles qui ont existé et qui ont été mis sur pied à l'étape d'organisation (1970-1980).

Comme on a pu le constater dans les deux chapitres précédents, l'histoire de l'éducation préscolaire est relativement récente au Québec français. Certes, comparé aux pays européens, le Québec est une jeune nation, ce qui peut expliquer en partie son retard. Toutefois, plusieurs autres facteurs ont contribué à ralentir le processus d'implantation de l'éducation préscolaire. Parmi ces facteurs, retenons les deux faits suivants : l'importance du développement du jeune enfant tarde à être reconnue dans l'ensemble de la population et les connaissances à ce sujet sont alors pour ainsi dire inexistantes. Même si, au début du XXe siècle, on assiste ici et là à quelques initiatives privées, on est encore bien loin d'un système capable de rejoindre l'ensemble des enfants de cinq ans.

Il fallait une volonté politique pour rassembler en un tout cohérent les multiples tentatives éparses faites par des femmes très engagées et déterminées. En 1959, le premier ministre du Québec Paul Sauvé invite la population à *se tourner vers l'avenir.* C'est le début d'une ère où le Québec entier se transforme, et ce, dans tous les secteurs, y compris celui de l'éducation. En 1960, le nouveau premier ministre Jean Lesage continue sur la lancée de son prédécesseur avec un slogan non équivoque : « C'est le temps que ça change. » Le Québec entre alors de plain-pied dans ce que les historiens ont appelé la *Révolution tranquille,* une période caractérisée par des changements d'une envergure sans précédent. Paul Gérin-Lajoie, le premier des ministres de l'Éducation, confie à monseigneur Alphonse-Marie Parent la tâche d'étudier l'organisation et le financement de l'éducation. Le temps est à la démocratie et aux consultations diverses. Durant cette période, la commission Parent, bien décidée à mettre de l'ordre dans le système scolaire québécois, exerce une influence prodigieuse sur l'enseignement au Québec, influence qui se fait encore sentir de nos jours. Ce vent de réforme donne l'occasion de réfléchir sur l'éducation en général et sur l'éducation préscolaire en particulier. S'ouvre ainsi une ère nouvelle qui se prolonge jusqu'à aujourd'hui. Afin d'en faciliter la compréhension, cette évolution sera divisée en quatre étapes détaillées dans les sections qui suivent, selon ce qui caractérise fondamentalement chacune d'elles. En voici tout d'abord une description succincte.

- La première étape d'initiation est marquée par le démarrage de la maternelle publique dans un contexte formel de classe, dans un milieu scolaire. Faute de règles bien circonscrites, cette étape se fait par des essais et erreurs, ce qui donne lieu à des remises en question continuelles.

- La deuxième étape d'organisation est caractérisée par la mise en œuvre d'actions qui conduisent à définir une unité ayant des caractéristiques particulières. La maternelle est maintenant en mesure de créer ses propres règles et de connaître ce dont elle a besoin.

- La troisième étape d'intégration s'explique dans un ensemble. Ayant trouvé sa propre voie qui la distingue des autres classes de l'école, la maternelle peut maintenant s'insérer dans un système et s'en démarquer par ses orientations particulières.

- La quatrième étape de consolidation procure à la maternelle un ancrage beaucoup plus solide, contrairement à l'étape d'initiation qui laissait place à la vulnérabilité. Les enseignantes peuvent dorénavant se reposer sur des actions passées pour affirmer leurs positions et projeter des actions futures.

3.1 LA MATERNELLE DE 1960 À 1970 : ÉTAPE D'INITIATION

Au début des années 1960 survient au Québec ce que l'on a appelé la *Révolution tranquille*. L'heure de la réforme scolaire a sonné, et il est plus que temps de généraliser et de démocratiser l'accès à l'éducation. En 1961, le gouvernement provincial, dirigé par Jean Lesage, institue la *Commission royale d'enquête sur l'enseignement*, appelée aussi commission Parent du nom de son président, monseigneur Alphonse-Marie Parent, vice-recteur de l'Université Laval.

Dans la foulée du Rapport Parent, le projet de loi 60 crée le ministère de l'Éducation en 1964 et le Conseil supérieur de l'éducation en 1965. En fait, les recommandations du Rapport Parent mettent l'accent sur la confessionnalité du système scolaire, l'accessibilité à l'éducation et la démocratisation de l'enseignement. En s'appuyant sur ces principes, on affirmait la nécessité de développer et de généraliser la maternelle, qui dorénavant serait considérée comme un service public. Dès 1965, 73 % des enfants de cinq ans de langue française fréquentent la maternelle publique à demi-temps.

Dans ces conditions, il convenait d'ouvrir des maternelles qui dépasseraient la fonction utilitaire, c'est-à-dire qui feraient plus que prendre soin de l'enfant. À cette époque, on ne parlait pas de services de garde, ce rôle relevant de la famille, en l'occurrence de la mère. De ce fait, l'enfant qui entrait à la maternelle (privée ou publique) n'avait en règle générale pas connu d'autres milieux que son milieu familial.

3.1.1 Le but

Le *Guide des écoles maternelles* (Comité catholique du Conseil de l'instruction publique, 1963, p. 51) souligne que « l'éducation préscolaire vise le développement d'une personnalité équilibrée, bien intégrée et bien individualisée ». Cette idée est reprise par les membres de la commission Parent, qui reconnaissent que l'école doit faire en sorte que l'enfant devienne un adulte « bien développé, épanoui, équilibré, heureux » (Commission royale d'enquête sur l'enseignement dans la province de Québec, 1964, p. 82).

3.1.2 L'enfant

L'enfant est considéré comme un petit être fragile qu'il faut protéger et soustraire au monde des grands en lui créant un environnement particulier. Aussi les enfants de la maternelle ont-ils leur propre cour de récréation.

L'entrée à la maternelle constitue souvent pour la mère et l'enfant une première expérience de séparation, ce qui donne lieu à des larmes et à des crises. Dans un texte paru dans le journal *La Presse,* Mariane Favreau (1969) décrit la situation :

Combien ont vu des larmes dans les yeux de leur mère lors de leur premier jour de classe? De nos jours, plus rares sont les parents qui considèrent que le petit a « fini son bon temps », qu'il sera soumis à une discipline sévère, bref que l'école est une espèce de noviciat sans joie. Mais, il y a toujours un peu de tristesse chez la maman qui voit vieillir son petit, qui s'aperçoit qu'elle ne sera plus seule à le guider, à le former.

3.1.3 Les parents

Les parents n'ont pas nécessairement leur place dans l'école. En fait, cela ne tient qu'au bon vouloir de l'éducatrice. Même si, compte tenu des responsabilités communes au regard du développement de l'enfant, tous s'accordent pour reconnaître les bienfaits de la collaboration maîtres-parents, les applications pratiques demeurent relativement rares.

3.1.4 La jardinière d'enfants

La jardinière d'enfants, nom par lequel on désigne la personne qui s'occupe des jeunes enfants de la maternelle, doit avoir une personnalité équilibrée. En plus de son rôle auprès des enfants, elle voit à tout ce qui a trait à l'installation physique et matérielle de la maternelle. Elle est parfois appelée à donner son avis sur les plans du local et elle doit déterminer l'emplacement des divers *coins,* comme celui des poupées, de la construction et de la lecture.

3.1.5 Les activités

Les activités sont soit de nature ludique, pour répondre au besoin de bouger des enfants, soit de nature scolaire, comme les exercices de préécriture, de prélecture ou de précalcul, qui ont pour objet de préparer l'enfant à la première année. On travaille beaucoup à partir de centres d'intérêt et de thèmes. Par exemple, la saison d'automne amène des causeries, des chansons, des comptines et d'autres activités centrées sur ce thème. Une attention particulière est prêtée au développement du langage, pour pallier une attitude courante chez plusieurs adultes qui consiste à considérer l'enfant de cinq ans comme un bébé et à le limiter à un langage enfantin. La formation du schéma corporel par l'activité physique est prise en considération et l'on apprend à l'enfant le nom des différentes parties de son corps et leurs fonctions. On privilégie le jeu avec les pairs comme moyen de reconnaissance de sa propre identité. La maternelle aménagée en différents coins (poupées, construction, magasin) donne à l'enfant l'occasion de choisir les activités auxquelles il veut se livrer et les amis avec qui il désire jouer. Une bonne portion de temps est allouée aux jeux libres. Au chapitre de l'évaluation du comportement et de l'adaptation de l'enfant à l'école, les critères *jouer avec les autres, demander de l'aide au besoin* ou *s'habiller seul* sont des indicateurs de choix. À cela s'ajoute l'observation du comportement de l'enfant dans divers types d'activités, tels la musique, le dessin, la peinture ou le bricolage. Dans les activités de création, on a parfois tendance à imposer des *modèles,* et il n'est pas rare que la jardinière retouche elle-même chaque réalisation de l'enfant afin d'obtenir un *beau* produit fini qui impressionnera les parents lors des expositions de travaux.

Tout comme la socialisation de l'enfant, l'*autonomie fonctionnelle,* c'est-à-dire la débrouillardise et la prise en charge de l'enfant par lui-même, demeure un élément important à développer. Dans cet esprit, on l'encourage à s'habiller seul, à attacher ses souliers, à connaître son adresse et son numéro de téléphone. Les tableaux d'émulation ou la remise de diplômes constituent des outils de renforcement de ces apprentissages.

3.1.6 Le programme

Rappelons d'abord qu'en 1915, à la suite des travaux d'une commission créée par le département de l'Instruction publique, était publié un programme à l'intention des maternelles, présenté dans l'appendice F des *Règlements du comité catholique du Conseil de l'instruction publique de la province de Québec.* Toutefois, comme en témoignent les procès-verbaux de la Commission des écoles catholiques de Montréal (CECM), les premières maternelles, dans l'ensemble, ne connaissaient pas suffisamment ce programme et ne s'y conformaient pas. Selon Léveillé-Bourget (1973, p. 63), « ce n'était que des simulacres d'écoles maternelles. On y faisait bel et bien de l'enseignement traditionnel… ».

Ce programme sera en vigueur jusqu'en 1963, année où il est remplacé par le *Guide des écoles maternelles* (Comité catholique du Conseil de l'instruction publique, 1963). Ce document présente une esquisse du développement de l'enfant d'âge préscolaire ainsi que les grandes orientations de la pédagogie. Celles-ci prennent la forme d'objectifs, de rôles, de programme, d'organisation stratégique et matérielle. Ce document précise que l'école maternelle n'est pas axée sur l'acquisition de connaissances, mais bien sur le développement progressif des actions autonomes de l'enfant. Étant donné le caractère général de ce guide, le MEQ publie, à compter de 1967, une série de brochures intitulée *Les activités à la maternelle*. Ces brochures, dont chacune traite d'un sujet en particulier, laissent toute latitude en ce qui concerne le contenu, la méthode pédagogique et l'organisation de la classe.

3.1.7 L'organisation matérielle et pédagogique

En vue de mieux cerner l'organisation structurelle des maternelles, y compris leur organisation matérielle et leur organisation pédagogique, nous nous inspirons ici d'un document de la Commission scolaire de la Cité de Lachine (Champagne et coll., 1963) qui explique en détail la planification pédagogique.

L'organisation matérielle

À la Commission scolaire de la Cité de Lachine, sur cinq classes maternelles qui s'ouvrent dans les écoles élémentaires, trois sont construites selon les normes de construction pour les classes maternelles et les deux autres sont installées dans des locaux de classes élémentaires. Toutes ces classes se trouvent au rez-de-chaussée. De plus, deux sont complètement isolées tandis que les autres sont assez à l'écart. Cela contribue à donner à la maternelle un caractère particulier et incite à la considérer comme une classe à part. En outre, le mobilier spécial, solide, léger et adapté aux tout-petits (tables, chaises, casiers, bibliothèque, chevalets), diffère de celui des autres classes.

L'organisation pédagogique

La *méthode* employée à la maternelle dépend beaucoup de la personnalité et des valeurs personnelles de la jardinière d'enfants, d'où une diversification des approches et des stratégies. Cependant, d'autres facteurs influent sur l'enseignement, par exemple le groupe d'enfants, leur caractère, leur âge et leur milieu d'origine. On s'inspire des écrits de grands pédagogues et psychologues dans le domaine de l'éducation préscolaire.

Le *programme* reste ouvert, puisqu'« on ne fait pas de l'école primaire ». On insiste sur les aspects intellectuel, moral, religieux, affectif, social et physique du développement de l'enfant.

En septembre, l'accent est mis sur le vocabulaire et les activités sociales. Tout au long de l'année, on se soucie du développement intellectuel et on donne une éducation axée sur :

- la langue française, par des activités d'initiation à la lecture et à l'écriture (causeries, histoires, poésie, exercices de mémoire) ;
- les sciences, par l'initiation au temps, à l'espace, aux nombres et aux sciences naturelles, physiques et sociales ainsi que par des expériences et l'observation ;
- l'éducation corporelle, par des exercices moteurs (adresse, équilibre, mime) et des jeux de groupe (rondes et danses) ;
- l'éducation des sens (vue, ouïe, odorat, toucher, goût) ;
- l'éducation artistique ;
- l'éducation religieuse et morale.

Le *matériel didactique* respecte le développement du jeune enfant en favorisant les jeux. Le matériel, qui est diversifié, offre plusieurs possibilités de choix et permet la manipulation de divers matériaux.

3.2 LA MATERNELLE DE 1970 À 1980 : ÉTAPE D'ORGANISATION

L'*étape d'organisation* des années 1970 est caractérisée par la diversification des services d'éducation préscolaire. On constate la mise en place de mesures destinées à assurer l'accès à des services de qualité pour répondre aux besoins des enfants dits « en difficulté ». D'ailleurs, le Conseil supérieur de l'éducation (1987) relate que les études effectuées aux États-Unis dans le cadre du projet Headstart et d'autres projets similaires tels Follow-Through et

Perry Preschool Project, dont les objectifs visaient à hausser les compétences des enfants avant leur arrivée dans le système scolaire officiel, ont eu des répercussions sur les mesures spécifiques à envisager pour intervenir plus rapidement auprès des jeunes enfants. Ainsi, les recherches montrent que l'intervention précoce auprès d'enfants à haut risque d'échec scolaire améliore leur insertion à la maternelle. De plus, plusieurs pays d'Europe occidentale ont également mis en œuvre des mesures d'appui pour soutenir les enfants handicapés ou socialement désavantagés.

Certes, ces diverses initiatives ont eu des répercussions sur les différents types de classes préscolaires mis en place au Québec pour répondre aux besoins des jeunes enfants.

3.2.1 Les types de maternelles

Dans son ensemble, l'évolution de la société québécoise a entraîné des effets certains sur l'ouverture de différents types de maternelles. Avec les années 1970, on assiste à une expansion généralisée des services d'éducation préscolaire attribuable aux transformations au sein des familles, aux changements dans les structures sociales et à l'émergence de nouveaux besoins.

L'intérêt pour le milieu préscolaire contribue à éveiller la curiosité de la population en ce qui a trait aux besoins et au mieux-être des jeunes enfants. En plus de sa mission éducative, la maternelle s'attache à une dimension sociale qui intègre la prévention par le dépistage précoce des troubles d'apprentissage. À cet égard, une des recommandations formulées par la commission Parent est que «des classes maternelles de type spécial soient ouvertes pour accueillir les enfants qui, pour une raison ou une autre, ne peuvent être acceptés dans la classe maternelle régulière : enfants arriérés, physiquement handicapés, etc. » (Commission royale d'enquête sur l'enseignement dans la province de Québec, 1964, p. 85). C'est ainsi que, parallèlement au réseau des maternelles dites «cinq ans», la CECM, dans le cadre de l'Opération Renouveau, ouvre différents types de maternelles. Comme l'explique Hamel (1995, p. 15) :

> La première phase de l'Opération Renouveau, qui se déroule de 1970 à 1975, est avant tout basée sur l'approche déficitaire. On attribue l'échec scolaire des enfants issus de milieux défavorisés au déficit de l'enfant et de son milieu familial [...]. [Un] enrichissement du milieu est offert par le biais de la maternelle. La maternelle cinq ans se donne en classe à l'ensemble des enfants tandis que la maternelle quatre ans est offerte aux enfants de milieux dits défavorisés. [...] La maternelle quatre ans revêt diverses formes : l'enseignement peut se faire soit en classe (maternelle-classe), soit

à la maison (maternelle-maison), et peut être confié aux parents (maternelle-animation) ou à un animateur spécialisé.

Le deuxième plan quinquennal, réalisé entre 1977 et 1982, est axé sur la reconnaissance des différences; les interventions visent alors l'amélioration du rendement scolaire mais également le développement d'une image de soi positive chez les enfants.

Le tableau 3.1 présente les différents types de maternelles.

Tableau 3.1 Un classement et une description des maternelles quatre et cinq ans

Maternelle-maison

L'objet de la maternelle-maison est d'apporter un soutien principalement aux jeunes enfants de milieux ruraux et de rapprocher l'école de la famille, et ce, à raison de deux demi-journées par semaine. Concrètement, il s'agit de regrouper cinq ou six enfants, successivement dans la maison de chacun, de manière que chaque enfant puisse se faire connaître dans son cadre familial. L'éducatrice planifie l'organisation pédagogique en s'inspirant des activités familiales et quotidiennes de la maison. Ce modèle permet aux parents d'intervenir avec l'éducatrice. Dans certains cas, c'est cette dernière qui se charge du transport des enfants d'une maison à une autre. Les premières maternelles-maisons sont apparues dans la région de Québec, avec l'appui de l'organisme Centraide.

Maternelle-animation

La maternelle-animation s'apparente à la maternelle-maison, à la différence que ce sont les parents qui planifient les activités éducatives.

Projet *Passe-Partout*

Le programme *Passe-Partout* fut lancé en 1977. Il visait à rejoindre les enfants par l'entremise d'une série d'émissions télévisées intitulée aussi *Passe-Partout*. Celle-ci avait pour mission la promotion et l'exploitation amusante de certains concepts, dans un souci de développement intégral de l'enfant. Hamel (1995, p. 16) décrit ce programme selon trois volets: « [...] une série d'émissions télévisées et une revue pour enfants [offertes] à l'ensemble de la population québécoise de même qu'un programme d'animation pour un nombre plus restreint de parents. De plus, un volet d'activités éducatives pour les enfants est implanté de façon complémentaire dans certaines régions du Québec. »

Maternelle quatre ans

La maternelle quatre ans vise à maximiser les chances de réussite des enfants *à risque*. Elle est offerte à certains groupes d'enfants handicapés ou en difficulté d'adaptation et d'apprentissage, de même qu'aux enfants de milieux défavorisés et à ceux qui n'ont pas une connaissance suffisante de la langue d'enseignement parce qu'ils sont issus de minorités culturelles. Diverses formules ont été élaborées en fonction des besoins puis, selon les règles en vigueur, appliquées dans un contexte de classe à

Maternelle quatre ans (*suite*)

temps plein ou à mi-temps. C'est ainsi que des classes expérimentales, autorisées par le MEQ en 1976, ont été créées pour améliorer l'accueil des enfants immigrants et faciliter leur intégration dans le secteur francophone. Ces classes, appelées *maternelles d'accueil* et *maternelles de francisation*, se conforment aux objectifs du programme d'éducation préscolaire, tout en mettant l'accent sur l'apprentissage de la langue française.

Maternelle cinq ans à temps partiel (demi-temps)

Bien que facultative, la maternelle cinq ans à demi-temps est offerte à tous les enfants âgés de cinq ans nés avant le 1er octobre de l'année en cours, à raison d'environ deux heures et demie par jour, cinq jours par semaine. (À partir de 1997, elle passe de mi-temps à temps plein.)

Maternelle-classe

La maternelle-classe est équivalente à la maternelle cinq ans à temps partiel, sauf qu'elle compte moins d'enfants, une quinzaine en tout, s'adresse principalement à des enfants de quatre ans issus de milieux défavorisés et dispose d'un service complémentaire à l'intention des parents visant à harmoniser leur action avec celle de la maternelle.

Maternelle cinq ans à temps plein

La maternelle cinq ans à temps plein est offerte exclusivement aux enfants de cinq ans handicapés, en difficulté d'adaptation ou d'apprentissage, venant de milieux défavorisés ou de communautés culturelles d'immigration récente. Son objectif est de réduire les déficits intellectuels, moteurs, langagiers ou sociaux avant l'entrée en première année. À cette fin, des services sont offerts aux parents pour les aider à mieux intervenir auprès de leurs enfants. (À ne pas confondre avec la maternelle cinq ans à temps plein régulière offerte à tous les enfants depuis 1997.)

Maternelle d'accueil

Les maternelles d'accueil ont été créées pour venir en aide aux enfants d'immigrants vivant au pays depuis moins de cinq ans qui ne connaissent pas la langue française. Ces services sont offerts à temps plein. L'objectif premier est l'acquisition des rudiments de la langue et des codes culturels et sociaux. Pour l'enfant allophone d'immigration récente, l'intégration demeure complexe car, en plus de se retrouver dans un milieu étranger, il est aux prises avec une langue qu'il ne comprend pas, tout comme ses parents, d'ailleurs. En outre, dans la majorité des cas, la société d'accueil ne comprend pas la langue qu'il parle. Cette situation engendre de l'anxiété, d'où l'importance d'accorder une attention spéciale à l'enfant immigrant pour l'intégrer le plus rapidement possible à un service éducatif.

Source : D'après le Conseil supérieur de l'éducation, *Pour un développement intégré des services éducatifs à la petite enfance. De la vision à l'action*, Québec, Bibliothèque nationale du Québec, 1996, p. 96-98.

3.2.2 Le but

Au cours de cette phase d'organisation, le but de la maternelle se précise. Il s'agit de créer un milieu éducatif stimulant dans une perspective développementale et non scolaire où l'enfant pourra s'éveiller au monde qui l'entoure grâce à des activités diverses qui le préparent à l'école.

3.2.3 L'enfant

L'enfant, encore tout imprégné de son milieu familial, perd son statut de bébé pour devenir un enfant parmi les autres. Il faut l'amener un peu plus loin dans l'exploration des objets et dans les relations avec ses pairs. On commence à lui accorder de l'importance. La preuve en est que l'année 1979 a été décrétée l'Année de l'enfant par l'Organisation des Nations unies.

3.2.4 Les parents

Les parents se sentent de plus en plus interpellés par l'éducation du jeune enfant, et les éducatrices sont invitées à les faire participer aux activités de la classe. Rappelons qu'à cette époque les familles sont déjà moins nombreuses, ce qui contribue à libérer les mères qui, pour la plupart, n'ont pas intégré le marché du travail, les femmes y accédant plus massivement quelques années plus tard. Par conséquent, elles ont le temps de faire autre chose que de s'occuper de la maison et des enfants, temps qu'elles investissent de plus en plus à l'école, où elles vont observer le comportement de leurs enfants.

3.2.5 L'éducatrice

Le titre d'éducatrice vient remplacer celui de jardinière d'enfants. L'éducatrice cherche à avoir une place dans l'école, malgré la tendance de la direction et des enseignants des autres degrés à l'oublier, vu l'horaire et le programme distincts de la maternelle. Le plus souvent, c'est sur sa seule initiative que sont trouvés des moments et des moyens d'échanges d'idées avec ses collègues de l'école.

Dans la mesure où elle en fait la demande expresse et qu'elle reçoit une réponse favorable, l'éducatrice peut avoir accès aux services de psychologues et d'orthopédagogues pour l'épauler auprès des enfants en difficulté.

Également, suivant l'organisation de l'horaire et la disponibilité du professeur spécialisé dans la discipline en question, elle peut, selon le bon vouloir de la direction, bénéficier d'une période d'éducation physique, de musique ou d'arts plastiques pour son groupe d'enfants.

3.2.6 Les activités

Les activités en grand groupe sont privilégiées lorsqu'on veut amener graduellement les enfants à atteindre certains objectifs ponctuels comme réciter une comptine, exécuter une danse, etc. Des périodes de jeux libres sont prévues afin de laisser la possibilité aux enfants non seulement de choisir une activité, mais aussi de décider avec qui ils veulent la partager. La fin des années 1970 intensifie la mise sur pied des ateliers, dans le cadre desquels l'enfant peut travailler, seul ou en équipe, à des activités qui exigent du matériel approprié et une organisation précise. Cependant, on n'en accorde pas moins d'importance au produit fini.

3.2.7 Le programme

Le programme d'activités que l'éducatrice applique s'articule autour de jeux plutôt qu'autour d'apprentissages formels. Néanmoins, l'idée de *préapprentissages* est très valorisée. En conséquence, les enfants sont amenés à faire des exercices de prélecture et de préécriture associés à un thème prédéterminé. Avec le Livre vert et *L'école québécoise, énoncé de politique et plan d'action* publiés par le MEQ respectivement en 1977 et en 1979, les grandes orientations du préscolaire se précisent dans la perspective d'« amener l'enfant à développer harmonieusement toutes les ressources de sa personnalité en respectant les valeurs plus fondamentales de cet âge, en l'introduisant graduellement à la vie dans une société qui déborde sa famille et son voisinage immédiat » (Ministère de l'Éducation du Québec, 1979, p. 29).

Le développement harmonieux dont il est question sous-entend l'éveil spirituel de l'enfant. Le MEQ, dans la brochure qu'il publie en 1976, intitulée *Vers l'éveil spirituel et l'éducation de la foi des tout-petits (4-5 ans)*, incite les éducatrices à réfléchir à la dimension spirituelle et religieuse chez l'enfant. Cette dimension émerge du questionnement de l'enfant, de ses actes, de ses capacités à regarder, à écouter, à toucher, à sentir, à goûter, à s'émerveiller, à découvrir et à chercher des réponses à ses questions. L'ouverture sur la signification simple des choses est la finalité véritable de cette spiritualité. Par exemple, le fait d'observer la nature et de s'arrêter à sa beauté touche à l'aspect esthétique de la chose et, encore plus important, conduit à s'interroger sur certains phénomènes et même à comprendre l'essence de certaines fêtes comme Noël, Pâques, etc. Il en résulte des sentiments, des valeurs qui proviennent essentiellement de l'intérieur de l'être. Comme on peut le constater, toutes les expériences peuvent être mises à profit pour amener progressivement l'enfant à exprimer ce qui l'habite. Cela signifie que, au fur et à mesure de ses explorations, l'enfant nomme, comprend, interprète et adapte ses gestes. Ces transformations subtiles ont néanmoins un sens, une signification qui découle de l'intérieur même de la personne et qui est la source de l'épanouissement.

3.3 LA MATERNELLE DE 1980 À 1990 : ÉTAPE D'INTÉGRATION

Compte tenu du fait que la publication par le MEQ, en 1981, du premier programme officiel d'éducation préscolaire contribue à l'unification de la pensée pédagogique, on peut considérer que les années 1980 marquent une *étape d'intégration* pour la maternelle.

3.3.1 Le but

L'éducation préscolaire, souligne le nouveau *Programme d'éducation présco-laire* (Ministère de l'Éducation du Québec, 1981b, p. 10), vise à « contri-buer au développement harmonieux de l'enfant, c'est-à-dire [à] permettre à l'enfant de niveau préscolaire de poursuivre son cheminement personnel, d'enrichir sa capacité d'entrer en relation avec les autres et celle d'inter-agir avec son environnement ».

3.3.2 L'enfant

L'enfant est davantage considéré comme un petit *écolier* qui apprend et assume des responsabilités au sein de la classe. On le charge de petites commissions à l'extérieur de la classe ; il peut apporter de l'aide aux enfants qui en ont besoin.

3.3.3 Les parents

Les parents se partagent davantage les responsabilités à l'égard de l'enfant, car plusieurs mères travaillent maintenant à l'extérieur de la maison. Cette situation entraîne une présence accrue des pères dans la classe, et surtout au cours des sorties éducatives.

3.3.4 L'éducatrice

L'éducatrice se perçoit davantage comme une *enseignante,* qui fait travailler l'enfant en se souciant de son développement. Avec la multiplication des garderies et, par conséquent, l'accroissement du nombre d'éducatrices en garderie, en maternelle, on cherche à se démarquer de ce milieu en adoptant le terme *enseignante* qui fait référence au milieu scolaire. Cela accentue l'idée que la maternelle fait partie intégrante du système scolaire et qu'elle est assujettie à un programme régi par le MEQ.

Aussi, au moins un cours dans une discipline donnée (éducation physique, arts plastiques ou musique) est habituellement offert de manière statutaire aux enfants, selon ce qui reste disponible dans la grille horaire de l'école une fois tous les autres groupes desservis. Enfin, dans la mesure où la ressource existe, il y a possibilité pour l'éducatrice de faire appel à la conseillère pédagogique, dont le rôle officiel est celui de porte-parole auprès de la commission scolaire pour l'ensemble des éducatrices à la maternelle.

3.3.5 Les activités

Les activités prennent de plus en plus la forme d'ateliers. Même les activités dans les coins de construction, de poupées et de lecture sont considérées comme des ateliers, ce qui donne parfois l'impression d'une *surconsommation* d'ateliers, laquelle risque de pénaliser l'enfant, car l'accent est souvent mis sur la préparation de matériel. En conséquence, plusieurs enseignantes s'interrogent sur cette façon de faire et optent progressivement pour une *pédagogie par projets,* une approche qui redonne à l'enfant la place qu'il mérite au sein de la classe. En effet, contrairement au fonctionnement par ateliers, dans lequel l'enseignante organise presque tout, l'approche pédagogique par projets lui attribue un rôle plus réaliste d'*accompagnatrice* de l'enfant. Bref, cette formule pédagogique permet à l'enfant de s'engager dans des actions envers lui-mème et les autres, l'amène à prendre des responsabilités et à accomplir des tâches précises pour réaliser son projet. Le produit fini n'est plus une valeur en soi, mais une simple étape dans le contexte d'une démarche sans cesse remise en question.

3.3.6 Le *Programme d'éducation préscolaire*

Le *Programme d'éducation préscolaire,* que publie le ministère de l'Éducation en 1981, met au premier plan une éducation globale centrée sur le développement de l'enfant et privilégie l'exploration, l'apprentissage par essais et erreurs et la capacité de faire des liens. Pour aider l'enseignante dans l'application de ce programme, le MEQ publie, en 1981 et 1982, de nombreux guides, dont le plus imposant est certainement le *Guide général d'interprétation et d'instrumentation pédagogique pour le Programme d'éducation préscolaire*. Parmi les autres guides, plus spécifiques ceux-là, mentionnons : *L'aménagement des maternelles ; L'observation de l'enfant au préscolaire ; La participation des parents au préscolaire ; Le langage au préscolaire*. En 1985, le MEQ publie *L'enfant de la maternelle au moment du passage à l'école primaire : propositions d'éléments pédagogiques*, puis, en 1992, *Le répertoire d'activités préscolaires saveur nature, Les sciences de la nature et l'éveil à l'esprit scientifique chez les enfants d'âge préscolaire*.

L'action éducative que préconise le *Programme d'éducation préscolaire* vise la prévention de problèmes sociaux, particulièrement pour les enfants « à risque », et le dépistage précoce des enfants ayant des difficultés d'apprentissage.

3.4 LES MATERNELLES DE 1990 À 2006 : ÉTAPE DE CONSOLIDATION

Compte tenu de la reconnaissance publique accordée à l'éducation préscolaire et de la prolongation de l'horaire de la maternelle, on peut considérer les années 1990 comme une *étape de consolidation*. Peu importe les débats et les frictions, la maternelle joue un rôle décisif dans le développement de l'enfant et dans sa réussite éducative.

En 1997, dans le cadre de la politique familiale élaborée par la ministre de l'Éducation Pauline Marois pour s'adapter aux nouvelles réalités sociales et répondre aux besoins des jeunes enfants, la maternelle cinq ans à temps plein a été offerte à tous les enfants de cinq ans, et ce, malgré de vives oppositions provenant de différents milieux. Il faut dire que la Commission des états généraux sur l'éducation (1995-1996), qui avait pour tâche de rénover le système d'éducation, a fortement influencé la décision. Les principaux arguments invoqués étaient qu'il faut offrir une plus grande continuité éducative aux enfants, que l'infrastructure de l'éducation préscolaire s'y prêtait bien et garantissait des services de qualité. Cependant, loin de préconiser une scolarisation précoce, on insistait sur l'idée que la maternelle représente un moment privilégié en ce qu'y sont proposées des activités préparatoires à la scolarisation dans un contexte de respect du rythme et du mode d'apprentissage de chacun des enfants. Il n'apparaissait pas utile de rendre obligatoire la préscolarisation vu que le service existait déjà à la satisfaction du plus grand nombre. D'autant plus que, si la maternelle devenait obligatoire, bien des parents y verraient une sorte de conscription.

L'an 2000 marque un pas important dans l'évolution sociale, ce qui, dans certains cas, affecte la façon d'éduquer l'enfant. Alors qu'auparavant on relevait un nombre plus restreint d'enfants en difficulté en maternelle, on constate maintenant son augmentation. Plusieurs facteurs peuvent expliquer ce fait :

- la fréquentation par les enfants de la garderie et de cours de stimulation intellectuelle, d'exploration et d'activités sportives contribue à créer un écart important entre les enfants stimulés et ceux qui le sont moins ;
- le ballottement des enfants gardés alternativement par la mère, le père ou d'autres personnes crée parfois un climat d'instabilité, ce qui contribue à modifier les humeurs de l'enfant, qui devient plus vulnérable, agressif ou hyperactif, selon la façon dont il est traité dans son milieu familial ;
- le mode d'éducation a des répercussions importantes sur la personnalité de certains enfants : l'enfant gâté ou l'enfant-roi, parfois enfant unique, à qui l'on donne tout ce qu'il demande, qui attire constamment l'attention et qui demeure insatiable ; l'enfant tyran qui manipule les adultes et fait des crises jusqu'à ce qu'on lui remette ce qu'il exige ; l'enfant gavé qui ne s'intéresse à aucune des activités proposées et pour qui le manque de motivation entraîne le décrochage dès son entrée à l'école.

Pour venir en aide à ces différents types d'enfants, des partenariats s'imposent entre les intervenants qui œuvrent auprès de l'enfant, à commencer par les parents. La concertation entre les partenaires contribue à mettre en place des balises et des façons d'intervenir complémentaires et, parfois même, à créer des règles de discipline strictes pour que l'enfant sache à quoi s'en tenir et à quoi s'attendre de chacun des milieux.

Il faut dire que le parent d'aujourd'hui, soucieux d'éviter de créer des problèmes affectifs à son enfant, a souvent tendance à vouloir trop lui plaire. Pour ce faire, il lui donne l'impression malsaine qu'il a tous les droits et que tout peut être discutable. Certains parents, dans le but de préserver la bonne relation et d'éviter que l'enfant soit marqué affectivement pour le reste de sa vie, vont jusqu'à expliquer dans les moindres détails leurs décisions parentales en ouvrant la voie à des discussions interminables, voire déraisonnables. De façon encore plus tragique, ils acceptent les comportements hostiles et méprisants de l'enfant. Dans une telle situation, ce n'est plus l'enfant qui a besoin d'aide, mais le parent.

Un nouveau besoin de société émerge, soit celui d'apprendre à être parent, c'est-à-dire d'éduquer l'adulte afin qu'il puisse faire face à son rôle de parent. Dans cette perspective, plusieurs outils ont été développés depuis quelques années, que ce soit des programmes de formation dans le domaine, des ouvrages spécialisés sur le sujet, des émissions de télévision ciblées sur des objectifs à cet effet et même des lignes ouvertes visant à donner des conseils aux parents. Plusieurs d'entre eux vont jusqu'à consulter des spécialistes pour trouver des solutions à leurs problèmes relationnels avec leurs enfants, que ce soit sur le plan des comportements déviants, des limites à respecter, des attentes par rapport au monde extérieur, etc.

3.4.1 Le but

La maternelle, qui poursuit toujours les mêmes objectifs développementaux que par le passé, s'attache au développement de l'enfant dans sa globalité et voit à ce que ce dernier ait accès à une éducation de qualité. Cette éducation doit d'abord trouver sa source dans une acceptation totale de la personne éduquée, tant sur le plan de son expérience personnelle que sur le plan de son rythme et de son style d'apprentissage. On encourage également la continuité entre les différents milieux – famille, garderie, maternelle et première année –, en vue d'une certaine complémentarité d'action en ce qui concerne les apprentissages et la façon de tirer profit des activités.

3.4.2 L'enfant

L'enfant ou l'écolier de jadis est maintenant considéré comme un *élève* inscrit au premier échelon du système scolaire. Il se mêle aux plus grands de l'école et peut occasionnellement partager leurs jeux. Il doit respecter les consignes et obéir aux règles de la vie scolaire. Il est invité à faire des choix, à les assumer et à prendre des responsabilités au sein de sa classe.

3.4.3 Les parents

Les parents sont des partenaires essentiels à l'action éducative. À leur intention, le MEQ publie, en 1997, un livret intitulé *Parents : des réponses à vos questions à propos du Programme d'éducation préscolaire*. Ce document, qui fait suite aux nouvelles orientations de la maternelle et aux propositions concernant une fréquentation à plein temps, précise le rôle de la maternelle et confirme la place essentielle du jeu dans le programme. Il décrit en outre les diverses formes d'une réelle participation des parents, qu'il reconnaît par ailleurs comme les premiers éducateurs de leurs enfants.

3.4.4 L'enseignante

À la différence de l'éducatrice des deux étapes précédentes, la titulaire de la classe maternelle est davantage vue comme une *enseignante*. Sa tâche consiste à éveiller l'enfant, à le stimuler et à le rendre apte à entreprendre sa première année. Dans cette optique, elle prépare, planifie et organise les activités en prenant soin d'offrir des choix aux enfants afin de les amener à se prendre en charge et à devenir fonctionnels. L'observation attentive lui permet de repérer les difficultés éprouvées par certains enfants, de sorte qu'elle peut leur apporter l'aide nécessaire le plus rapidement possible.

3.4.5 Les activités

Les activités s'inscrivent de plus en plus dans le cadre de projets. En effet, les enfants fréquentant les garderies ont accès à du matériel semblable à celui que la maternelle met à leur disposition. Par conséquent, il faut trouver de nouvelles formules pour susciter leur intérêt et surtout éviter la redondance d'un milieu à l'autre. Il en va de même des activités, auparavant réalisées à la maternelle, mais qui existent désormais à la garderie. Pour se démarquer de celle-ci, on introduit à la maternelle la notion de *travail* par opposition au jeu ; on aménage un *coin de première année,* avec des cahiers d'exercices et autres outils typiques de l'apprentissage programmé. Finalement, même si la pédagogie du jeu s'avère incontournable pour mieux faire apprendre au jeune enfant, les activités prennent souvent une valeur scolaire, avec des exercices ponctuels d'écriture, de lecture et de calcul. Évidemment, tout cela ne tient pas nécessairement compte du cheminement individuel de l'enfant. Les jeux libres, auxquels l'enfant s'adonnait autrefois à son gré, sont souvent organisés de manière à correspondre à des objectifs d'apprentissage précis ou bien sont exploités comme outil pour mener un projet à terme. La maternelle devient un endroit très organisé qui utilise des moyens de plus en plus complexes. Par exemple, des tableaux de programmation et de responsabilités sont affichés bien en vue, le premier devant permettre à l'enfant d'avoir une vision globale des activités de la journée, le second lui rappelant les tâches qu'il est obligé d'accomplir.

3.4.6 Le programme du préscolaire

Le *Programme d'éducation préscolaire* que le MEQ a remanié en 1997, pour l'adapter à la fréquentation à temps plein de la maternelle, est remis en question à la faveur de la réforme en éducation préscolaire et des politiques relatives à la petite enfance. Des changements s'imposent pour faire face aux nouvelles réalités préscolaires. Tout d'abord, les milieux de garde appliquent maintenant un programme éducatif dont les objectifs se rapprochent des objectifs établis par le MEQ en 1981 et en 1997 pour l'éducation préscolaire. Ensuite, conséquemment à l'allongement de la durée des classes maternelles en 1997, parents, administrateurs et autres enseignants entretiennent des attentes plus élevées. Avec le nouveau programme, dont la version provisoire de 2000 a été officiellement approuvée en 2001, l'éducation préscolaire est désormais intégrée au *Programme de formation de l'école québécoise,* ce qui lui confère une place au premier échelon du premier cycle du primaire. Dans ce contexte, la réussite des enfants et une préparation plus adéquate à la première année deviennent des exigences dont il faut tenir compte. La réforme pédagogique ouvre toute grande la porte à la discussion au sujet de l'harmonisation des services éducatifs offerts aux jeunes enfants. Également, dans la foulée de cette réforme, on met en œuvre différents programmes en vue de favoriser une cohérence entre les expériences de vie et les compétences dites transversales définies dans le nouveau programme (*voir le chapitre 7*). Cependant, on tient à préserver la spécificité de la maternelle et, dans cette perspective, on privilégie un programme d'éducation préscolaire plutôt qu'un programme d'études comme il en existe pour les autres cycles du primaire. Malgré tout, on s'attend à ce que l'enfant entreprenne son cours primaire sans trop de difficulté et, par conséquent, à ce qu'il soit un bon élève.

Il faut ici signaler la contradiction qui apparaît entre, d'une part, le discours concernant le programme et l'éducation préscolaire et, d'autre part, les pratiques qu'appelle le nouveau programme. En effet, si le programme insiste sur le jeu comme moyen par excellence pour faire apprendre à l'enfant et préconise une action éducative qui tient compte de ses besoins et de ses intérêts, dans le respect du rythme et du style d'apprentissage de chacun, il pose en contrepartie une exigence à laquelle tous doivent se soumettre, à savoir l'acquisition de compétences transversales. À la fin, même si le programme d'éducation préscolaire actuel reste fidèle à ses orientations de base traditionnelles, axées sur les objectifs *se connaître et s'estimer, entrer en relation avec les autres* et *interagir avec l'environnement* (Ministère de l'Éducation du Québec, 1981b, 1997b), la tendance actuelle dans l'évolution de l'éducation préscolaire est de valoriser les apprentissages scolaires, ce qui entraîne la maternelle du côté de la première année plutôt que du côté des milieux de garde.

Le tableau 3.2 récapitule les étapes et les caractéristiques de l'évolution de la maternelle.

Étape	Initiation (1960-1970)
Type de maternelle	Maternelles privées et ouverture de plus en plus généralisée de maternelles publiques.
But	Développer une personnalité équilibrée.
Enfant	Être fragile qu'il faut protéger car encore sous les jupes de sa mère.
Parent	La mère occupe une place importante dans la vie de l'enfant. Les parents ne sont pas intégrés à la vie de la classe. Plus souvent qu'autrement, c'est la mère qui fait l'entrée de l'enfant à la maternelle et qui vient chercher son bulletin.
Éducatrice (titulaire)	Jardinière d'enfants.
Activités	Ludiques, spontanées, jeux libres, thématiques, exercices de prélecture, préécriture, etc.
Programme	L'appendice F des *Règlements du comité catholique du Conseil de l'instruction publique de la province de Québec* ; *Guide des écoles maternelles* (1963) ; *Les activités à la maternelle* à compter de 1967.
Étape	**Organisation (1970-1980)**
Type de maternelle	Différents types de maternelles publiques pour répondre aux besoins de tous les enfants d'âge préscolaire.
But	Développer harmonieusement l'enfant afin de l'éveiller au monde qui l'entoure.
Enfant	L'enfant est un être social.
Parent	Participation des parents, plus particulièrement, des mères, à certaines activités d'école comme les sorties éducatives.
Éducatrice (titulaire)	Éducatrice.
Activités	Activités en grand groupe, jeux libres, travail en ateliers.
Programme	*Les activités à la maternelle* à compter de 1967.
Étape	**Intégration (1980-1990)**
Type de maternelle	Poursuite d'ouverture de maternelles pour répondre aux besoins particuliers des enfants dans le souci d'accompagnement des parents comme étendre le projet *Passe-Partout* à plusieurs milieux défavorisés.
But	Développer l'enfant dans la poursuite de son cheminement personnel.
Enfant	L'enfant est un petit écolier, en mesure de prendre des responsabilités et de les assumer.

• • •

Étape	Intégration (1980-1990) (*suite*)
Parent	Les pères sont de plus en plus présents dans les activités d'ateliers ou d'accompagnement des enfants dans les sorties éducatives.
Éducatrice (titulaire)	Enseignante.
Activités	Ateliers.
Programme	Premier programme officiel du ministère de l'Éducation.

Étape	Consolidation (1990-2006)
Type de maternelle	Les milieux de garde sont de plus en plus présents de même que les activités d'initiation, de stimulation ou d'exploration pour les jeunes enfants. Donc, la maternelle doit s'adapter à cette nouvelle réalité.
But	Développement intégral de l'enfant en vue de l'acquisition progressive d'habiletés à la lecture et à l'écriture.
Enfant	Élève au premier échelon du système scolaire.
Parent	Les parents participent aux activités en se partageant les responsabilités. Dans certains cas, les grands-parents offrent leurs services.
Éducatrice (titulaire)	Enseignante.
Activités	Projets.
Programme	Le programme d'éducation préscolaire est intégré au programme de l'enseignement primaire.

En guise de conclusion, le tableau 3.3 présente un survol des événements qui ont marqué l'éducation préscolaire au Québec.

Tableau 3.3 Les événements marquants de l'histoire des maternelles au Québec français

Années	Événements
1915	Autorisation par le Comité catholique du Conseil de l'instruction publique pour l'ouverture d'écoles maternelles. Adoption d'un programme à l'intention des écoles maternelles, qu'on trouve dans l'appendice F des *Lois et règlements scolaires de la province de Québec*.
1931	Ouverture de la première école maternelle française à Québec par les demoiselles Boivin. Maternelle privée du nom de «Le Kindergarten».
1936	Première école de formation en «pédagogie spécialisée» à l'Institut pédagogique de Montréal, établie par les religieuses de la congrégation Notre-Dame.
1938	Ouverture de la première école maternelle française à Montréal, la Maternelle Vallerand, une école privée.

Tableau 3.3	Les événements marquants de l'histoire des maternelles au Québec français (suite)
1950	Ouverture des deux premières classes maternelles publiques francophones par la Commission scolaire de la Cité de Lachine.
	Inauguration de la «Section de pédagogie préscolaire» à l'Université Laval.
1953	Fondation de l'Association canadienne des jardinières d'enfants (ACJE).
1961	Création par le département de l'Instruction publique de la Sous-commission des écoles maternelles.
1963	Publication du *Guide des écoles maternelles* par le Comité catholique du Conseil de l'instruction publique.
1964	Publication du tome 2 du rapport de la Commission royale d'enquête sur l'enseignement dans la province de Québec, comprenant trois tomes divisés en cinq volumes.
	Création du ministère de l'Éducation du Québec.
1967	Début de la publication d'une série de brochures intitulée *Les activités à la maternelle*.
1968	Transformation de l'Association canadienne des jardinières d'enfants (ACJE) en Association d'éducation préscolaire du Québec (AEPQ).
1981	Publication du *Programme d'éducation préscolaire* par le ministère de l'Éducation du Québec.
1987 1988 et 1996	Publication, par le Conseil supérieur de l'éducation, de *L'éducation préscolaire : un temps pour apprendre* ; *Pour une approche éducative des besoins des jeunes enfants* ; *Pour un développement intégré des services éducatifs à la petite enfance : de la vision à l'action*.
1995-1996	Place importante accordée à l'éducation préscolaire lors des états généraux sur l'éducation.
1997	Publication des *Nouvelles dispositions de la politique familiale. Les enfants au cœur de nos choix* par le ministère de la Sécurité du revenu.
1997	Prolongation de l'horaire des maternelles, de mi-temps à plein temps.
	Remaniement et publication du *Programme d'éducation préscolaire* par le ministère de l'Éducation du Québec.
2000 et 2001	Publication d'un nouveau programme d'éducation préscolaire intégré au *Programme de formation de l'école québécoise* (version provisoire en 2000 ; version approuvée en 2001), dans la perspective d'une continuité éducationnelle avec la première année.
2003	Abolition du ministère de la Famille et de l'Enfance.
	Transfert de la responsabilité des questions familiales au ministère de l'Emploi, de la Sécurité sociale et de la Famille.
2005	Changement dans l'appellation du ministère de l'Éducation du Québec (MEQ) pour le ministère de l'Éducation, du Loisir et du Sport du Québec (MELSQ).

Source : Pour les années 1915 à 1968, T. Léveillé-Bourget, *Le préscolaire au Québec français,* Montréal, Collection Thérèse Bourget, 1973.

RÉSUMÉ

Après les tâtonnements et l'insécurité du début des classes maternelles dus en grande partie au manque de ressources et à l'absence de tradition dans ce domaine, on assiste à l'accélération de leur développement à partir des années 1960. Sous l'impulsion de la Révolution tranquille, des subventions sont accordées aux commissions scolaires par le gouvernement du Québec pour permettre l'ouverture de maternelles publiques sur l'ensemble du territoire québécois.

Grâce à l'intervention de l'État, le Québec rattrape enfin son retard par rapport à l'Europe et aux provinces canadiennes avoisinantes. Le gouvernement établit des normes et des règles de fonctionnement tout en uniformisant les exigences relatives à la formation du personnel, jusque-là minimales et disparates.

Depuis 1960, la maternelle n'a pas cessé d'évoluer. On peut diviser son évolution en quatre grandes phases : une phase d'initiation (1960-1970), une phase d'organisation (1970-1980), une phase d'intégration (1980-1990) et une phase de consolidation (1990-2006).

La phase d'initiation est marquée par l'ouverture de plusieurs maternelles publiques. Durant cette période, le Comité catholique du Conseil de l'instruction publique publie le *Guide des écoles maternelles* (1963) et le MEQ produit, à partir de 1967, des guides sur les activités à la maternelle.

La phase d'organisation est caractérisée par l'ouverture de différents types de maternelles pour répondre aux divers besoins de la société québécoise. Le MEQ publie, en 1979, *L'école québécoise, énoncé de politique et plan d'action,* qui insiste sur le développement harmonieux de l'enfant.

Au cours de la phase d'intégration, l'accent est mis sur l'uniformisation des modèles et des modes d'action en éducation préscolaire. Pour favoriser cette harmonisation, le MEQ publie, en 1981, le *Programme d'éducation préscolaire.* Ce premier programme officiel contribue à définir la maternelle non plus seulement en tant que services éducationnels assurés par le système scolaire, mais aussi en tant qu'institution possédant une identité structurelle.

La phase de consolidation, enfin, se caractérise par l'instauration, dans un esprit de continuité éducationnelle, d'une politique de la petite enfance qui allonge la durée des classes maternelles. La mise à jour, en 1997, du

Programme d'éducation préscolaire de 1981 confirme le chemin parcouru. La réforme qu'on entreprend ensuite s'inscrit dans le cadre d'une réforme de l'éducation dans son ensemble, qui se cristallise dans le *Programme de formation de l'école québécoise,* dont la version finale est publiée en 2001. Ce programme, auquel est intégré le programme d'éducation préscolaire, fait en sorte que la maternelle est désormais reconnue comme premier échelon du système scolaire, et ce, même si sa fréquentation n'est pas encore obligatoire. Encore aujourd'hui, le besoin de définir la place de l'éducation préscolaire est toujours présent. Dans cette perspective, le Référentiel réalisé par la table régionale de l'éducation préscolaire (2006, p. 5) a conçu un document visant à réaffirmer le mandat du *Programme d'éducation préscolaire* dans la pratique de classe. À cet effet, on a traduit en gestes pédagogiques les huit affirmations suivantes:

• l'organisation de la classe doit être de type préscolaire;

• l'école doit être signifiante pour tout enfant;

• le jeu doit être un véhicule d'apprentissage privilégié;

• l'interrelation des compétences doit chapeauter la situation d'apprentissage;

• l'intervention pédagogique doit s'adapter aux ressources de l'enfant;

• l'émergence des apprentissages cognitifs doit être respectée;

• le savoir-vivre en société doit guider les apprentissages sociaux;

• la reconnaissance des potentialités doit être un engagement des partenaires.

Évidemment, ces affirmations tiennent compte des orientations du programme dans l'optique de jeter les bases de la scolarisation en se souciant du développement affectif, social, cognitif et psychomoteur. D'ores et déjà persiste le souci de réaffirmer que l'éducation préscolaire doit conserver son caractère particulier qui vise à tenir compte de l'être individuel qui bouge au contact des autres enfants. Cet enfant avide de découvertes apprend à la condition de se sentir accepté, écouté et valorisé dans tout ce qu'il est. Le rôle de l'enseignant est alors de discuter avec lui de ses propositions et de lui soumettre des défis à sa mesure tout en l'amenant un peu plus loin. Chaque petite goutte de savoir s'ajoute pour devenir son univers de connaissances.

Questions

1. Quels sont les événements qui ont marqué l'histoire de la maternelle publique au Québec français?

2. Montrez dans quelle mesure la création de la maternelle au cours des années 1960 a été particulièrement importante.

3. Indiquez les avantages de l'existence d'un programme d'éducation préscolaire officiel.

4. Distinguez les différents types de maternelles qui ont existé au Québec et décrivez leurs principales caractéristiques.

Mise en situation

L'historique de la maternelle au Québec

Vous êtes invitée à titre de conférencière à faire l'historique de la maternelle au Québec depuis 1960. Vous devez aussi parler des changements qui ont touché les rôles de l'enfant et de l'enseignante.

Pistes d'exploration

– Que signifie l'expression *classe maternelle*?

– Quels événements ont poussé les milieux éducatifs à ouvrir des maternelles?

– Existe-t-il différents types de classes maternelles?

– En quoi les rôles de l'enfant et de l'enseignante ont-ils évolué?

– Quelles transformations se sont opérées au chapitre de la reconnaissance de l'enfant, du programme, de l'organisation de la classe, du fonctionnement et de la planification des activités?

Présentation

Vous avez à présenter l'évolution de la maternelle depuis 1960 en insistant sur les moments importants qui ont contribué à en faire ce qu'elle est devenue aujourd'hui. Votre présentation doit prendre la forme d'une conférence. Vous pouvez vous aider d'affiches, de jeux de rôle, de transparents.

Lectures suggérées

AZÉMAR, G.-P., C. DELAFOSSE, et J.-C. POMPOUGNAC (dir.). (1990). *La maternelle,* Paris, Autrement, Série Mutations, n° 114.

BOEHM, L. (1952). *Les tendances nouvelles de l'éducation préscolaire aux États-Unis et leurs aspects psychologiques,* Paris, Delachaux et Niestlé.

CONSEIL DE L'EUROPE. (1979). *Les grandes priorités de l'éducation préscolaire,* Strasbourg, Conseil de la coopération culturelle.

RAYNA, S., F. LAEVERS, et M. DELEAU. (1996). *L'éducation préscolaire, quels objectifs pédagogiques?,* Paris, INRP et Nathan, Série Formation.

CHAPITRE 4

Les assises théoriques

Objectifs

Au terme de ce chapitre, le lecteur devrait pouvoir :

- définir les principales assises théoriques de la maternelle ;

- définir le concept clé de développement ;

- décrire les conséquences éducationnelles d'une approche centrée sur le développement ;

- situer les théoriciens pédagogues qui ont exercé une influence sur l'éducation préscolaire et résumer les principes qui sous-tendent les modèles qu'ils ont élaborés.

C omme nous l'avons vu dans les chapitres précédents, la maternelle au Québec est née d'initiatives privées pour répondre à des besoins concrets. Son évolution s'est faite peu à peu, s'appuyant sur l'intuition personnelle d'éducatrices compétentes ou encore sur l'exemple d'autres pays, comme la France ou les États-Unis, qui avaient déjà une tradition dans ce domaine.

Cependant, mettre en place de nouvelles maternelles ne se réalise pas du jour au lendemain. Cela implique une réflexion sur l'ensemble des stratégies à adopter pour y parvenir. D'où la nécessité de solides fondements théoriques.

Le ministère de l'Éducation du Québec (MEQ) a énoncé officiellement ces fondements pour la première fois en 1981, dans le *Programme d'éducation préscolaire* qui met l'accent sur *une approche développementale* centrée sur l'enfant, par opposition à l'enseignement par objectifs, axé sur la matière. Cette orientation a été réaffirmée en 1997, avec la mise à jour du programme de 1981 rendue nécessaire par l'adoption, en 1996, d'une nouvelle politique familiale par le gouvernement du Québec. Un des volets de cette politique concerne l'implantation de la maternelle à temps plein pour les enfants de cinq ans et l'accès à des services de garde gratuits pour les enfants de quatre ans de milieux défavorisés. Un autre volet a trait aux services de garde à un prix minime, soit à cinq dollars par jour, pour tous les enfants.

Dans le contexte de la réforme majeure entreprise dans le secteur de l'éducation, qui a fait l'objet de diverses consultations en milieu scolaire, lesquelles ont permis de préciser les attentes de la population à l'endroit de l'école et des programmes d'études, on a mis l'accent sur la réussite pour tous. Comme le *Programme de formation de l'école québécoise* (Ministère de l'Éducation du Québec, 2000, 2001) cherche, entre autres choses, à établir une continuité éducationnelle, il apparaissait pertinent d'intégrer le programme du préscolaire à celui du primaire. En conséquence, depuis 2000, le programme d'éducation préscolaire fait partie intégrante du *Programme de formation de l'école québécoise*. Encore une fois, le MEQ pose le principe d'une approche centrée sur le développement de l'enfant, qui se traduit désormais en termes d'acquisition de compétences.

Cette approche se distingue par son souci constant d'adapter le contenu à l'enfant et non l'inverse. La source des connaissances se trouve dans l'enfant, et ces connaissances constituent à leur tour un tremplin pour des actions ou des réflexions de plus en plus complexes, de mieux en mieux appropriées au contexte. Dès lors, on peut parler de savoirs intégrés ou signifiants, par opposition à des connaissances disparates et livresques. Les savoirs ne se superposent pas comme les pierres d'un édifice, mais servent de point d'appui pour agir, pour aller de l'avant, tout en donnant du sens à ce qui précède et à ce qui s'en vient. En d'autres mots, on se sert de compétences et de savoirs déjà acquis pour répondre à de nouveaux besoins ou faire face à de nouvelles situations.

4.1 LES INFLUENCES

L'approche développementale décrite plus haut reflète l'évolution historique de la maternelle en Occident. En effet, tant aux États-Unis qu'en France, on tend à associer naturellement le caractère distinctif de la maternelle à l'importance donnée au développement intégral de l'enfant.

La maternelle apparaît au Québec à une époque où de nombreux pays ont déjà une expérience de plusieurs décennies dans le domaine. Dès lors, il était en quelque sorte inévitable qu'elle puise dans leurs traditions. En cela, le *Programme d'éducation préscolaire* de 1981 mentionne que « la maternelle publique québécoise des années soixante s'est largement inspirée à la fois de l'école française et de l'école américaine » (Ministère de l'Éducation du Québec, 1981b, p. 40).

La maternelle au Québec est donc riche d'influences multiples. À des degrés divers, ces influences sont perceptibles dans les maternelles actuelles, tant dans le discours des éducatrices que dans leur pratique.

On ne peut passer sous silence l'apport de ces nombreux philanthropes et pédagogues qui se sont intéressés à l'enfance et à l'éducation préscolaire, ne serait-ce que pour mieux les comprendre et pour assurer leur intégration et leur adaptation, d'où l'influence actuelle des thérapeutes tels que Rogers du côté de l'identité et de l'affirmation de soi, de Maslow du côté des besoins et de Skinner du côté des comportements. C'est donc d'eux qu'il sera question dans la suite de cette section. On constatera que la maternelle, initialement créée pour garder les enfants pauvres et s'occuper d'eux, s'est vu graduellement confier une mission beaucoup plus pédagogique.

4.1.1 Jan Amos Comenius

Humaniste tchèque, Jan Amos Comenius (1592-1670) est considéré comme le fondateur de la pédagogie moderne. En 1657, il publie *La grande didactique* et *Directoire pour l'école maternelle,* le premier traité sur l'éducation préscolaire, qui pose les fondements de la pédagogie systématique (Guérin, 1998, p. 78).

Comenius soutient que le maître remplit ses fonctions avec plaisir et zèle s'il a devant lui de nombreux élèves, car ils se stimuleront et s'entraideront mutuellement. À ce moment, le maître aurait moins à faire et les élèves apprendraient davantage. Précisément, dans l'enseignement simultané, les intelligences s'exercent réciproquement lorsque tous les élèves unissent leurs efforts vers un même sujet, puis se corrigent entre eux. Cela les amène à se comparer. Pour cet auteur, il existe une seule méthode pour enseigner les sciences, les arts et les langues : il s'agit de la méthode naturelle. Elle s'appuie sur l'idée que « les mots n'étant que les images des choses, il faut présenter d'abord les choses aux enfants » (Guérin, 1998, p. 79). Ses fondements sont les suivants :

• la connaissance doit nécessairement débuter par les sens qui participent à l'observation réelle des choses ;

• la vérité et la certitude de la connaissance dépendent des sens, puis de l'esprit ;

• les sens sont le plus fidèle réservoir de la mémoire et ce qu'on apprend par la perception sensible, on le sait pour toute la vie ;

• Dieu a instauré une harmonie qui fait que les choses supérieures peuvent fort bien être représentées par les choses inférieures, les éloignées par les voisines, les invisibles par les visibles (Grégoire, 1965, p. 115).

Bref, l'idée principale qui se dégage de l'œuvre de Comenius, c'est qu'on peut enseigner toutes choses à tout le monde, en vue de former l'être total. Cependant, il ne faut pas s'attendre à ce que tous les élèves apprennent les mêmes choses dans le même temps. Développer l'esprit reste un élément fondamental avant d'amener l'enfant à apprendre.

Guérin (1998, p. 79) résume en trois mots « la pensée didactique et humanitaire de Comenius : 1. *Omnes ;* 2. *Omnia ;* 3. *Omnino ;* c'est-à-dire que tous (*omnes*) doivent avoir accès à l'éducation ; que tous doivent être instruits en tout (*omnia*) ; et que l'éducation doit former l'homme tout entier (*omnino*) ».

4.1.2 Jean-Jacques Rousseau

Écrivain et philosophe genevois d'expression française, Jean-Jacques Rousseau (1712-1778) a grandement influencé l'éducation préscolaire par son œuvre. Il va à contre-courant des philosophes de son époque en plaçant l'*enfant,* la *nature* et l'*utile* au cœur de l'éducation. Il rejette systématiquement l'enseignement traditionnel, prônant plutôt un apprentissage le plus naturel possible. À ses yeux, le tout-petit est un enfant et non un adulte en devenir. Cet enfant naît foncièrement bon, et la méchanceté vient de l'extérieur. Pour cet auteur, l'éducation se fonde sur la vérité et non sur le mensonge, sur la liberté et non sur les interdictions, sur les expériences et non sur les obligations.

Depuis Rousseau, on reconnaît la spécificité de l'enfance. Il a influencé tout le système pédagogique, en insistant sur la nécessité de préserver la liberté de l'enfant, cela à travers des activités, des jeux, des explorations sensorielles, des expériences personnelles et des *leçons de choses.* Cette façon de considérer l'activité de l'enfant a des incidences sur le rôle de l'éducateur.

[…] pour Rousseau, l'éducation du sens de l'observation, de l'intelligence et du sens moral s'opère à même la nature et occasionnellement. Le précepteur ne doit contrarier ni l'exercice de la liberté enfantine, ni l'influence bienfaisante de la nature physique dont il faut tirer constamment des leçons de choses. (Guérin et Vertefeuille, 1960, p. 177.)

La méthode d'enseignement traditionnelle est remplacée par la formation de l'homme grâce à la nature :

La nature a, pour fortifier le corps et faire croître, des moyens qu'on ne doit jamais contrarier. Il ne faut point contraindre un enfant à rester quand il veut aller, ni d'aller quand il veut rester en place. Quand la liberté des enfants n'est point gâtée par notre faute, ils ne veulent rien inutilement. (Rousseau, 1762, livre II, p. 31.)

Cette loi naturelle répond aux besoins et aux nécessités propres à chaque individu. Par exemple, l'enfant livré à lui-même se heurte aux obstacles naturels et il apprend d'eux : cela constitue l'*expérience.* Par cette vision de l'enfant, Rousseau ouvre la voie aux grands éducateurs comme Fröbel, Dewey, Montessori, Freinet, en l'occurrence certains de ceux qui ont influencé l'école moderne.

4.1.3 Johann Heinrich Pestalozzi

Les écrits et la pratique du pédagogue suisse Johann Heinrich Pestalozzi (1746-1827) sont motivés par un profond désir d'égalitarisme. Inspiré par Rousseau, il développe ses propres idées qu'il met en pratique dans un programme éducationnel détaillé.

L'éducation proposée par Rousseau dans *Émile* s'adressait aux enfants riches, ou plutôt aux *garçons* riches, car les pauvres et les filles en étaient exclus. Pestalozzi croit quant à lui en une société où l'on offre à tous, homme ou femme, la possibilité de développer leurs capacités. Il a consacré sa vie à améliorer les conditions de vie des pauvres. « Son idée était de rendre les enfants pauvres autonomes financièrement par le travail. En pédagogie, son idée était identique : développer les habiletés propres de chacun et l'art de penser par soi-même. Partir du connu, partir du concret, respecter les différences individuelles, procéder par degré dans le développement des facultés sont des idées pestalozziennes que l'on retrouvera chez Herbart, Montessori, John Dewey, Jean Piaget et R. V. Allen. » (Guérin, 1998, p. 250.)

Pestalozzi relie l'évolution de l'individu à celle de la société dans son ensemble. C'est seulement dans l'élévation de chaque individu que la société entière pourra se transformer et que le sort du pauvre s'améliorera.

Dans son approche pédagogique, Pestalozzi prône certains des principes didactiques suivants :

1. L'intuition doit être à la base de toute connaissance ; il faut partir du concret pour aller à l'abstrait.
2. Le langage, source des idées, doit être à la base de l'enseignement.
3. L'enseignement doit être progressif et adapté au niveau mental des élèves.
4. La formation de l'intelligence par les leçons de choses, l'idée et l'action importent plus que la rétention des connaissances.
5. La pédagogie doit s'inspirer des lois naturelles qui développent toutes les facultés à la fois.
6. L'enseignement doit donner des connaissances utiles dans la vie, mais aussi contribuer au développement des facultés spirituelles et du cœur. (Guérin et Vertefeuille, 1960, p. 203.)

Les objets naturels constituent un matériel de choix pour développer des perceptions claires sans tomber dans des abstractions sans signification. Pour enseigner les éléments de base concernant la forme, le langage et le nombre, Pestalozzi établit une série de *leçons de choses* qui tiennent compte de la propension naturelle de l'enfant à l'action. Il valorise beaucoup la relation mère-enfant. À l'école, il privilégie une atmosphère se rapprochant le plus possible d'un climat familial et empreint d'amour :

L'enfant est d'autant plus heureux qu'on lui donne plus d'occasions d'enrichir et de rectifier ses vues par sa propre expérience ; il éprouve d'autant plus de satisfaction qu'on lui donne du jeu pour l'emploi et le développement de ses forces, comme il est d'ailleurs inconsciemment poussé par la nature. (De Hovre et Breckx, 1927, p. 254-255.)

4.1.4 Johann Friedrich Herbart

Pédagogue allemand, Johann Friedrich Herbart (1776-1841) est considéré comme un des pères de la pédagogie scientifique. À partir d'une certaine conception de la vie mentale, il développe sa théorie éducative. D'après lui, l'enseignement doit franchir cinq étapes :

1. La présentation, qui consiste à soumettre du matériel nouveau ou ancien de nature à susciter chez [l'enfant] un intérêt vital.

2. La présentation du nouveau matériel à l'aide d'objets concrets ou de faits d'actualité.

3. L'association, qui force à assimiler la nouvelle « idée » par comparaison avec les anciennes, tout en notant les ressemblances et les différences.

4. La généralisation, qui est une étape importante, surtout à l'adolescence, où le maître doit permettre à l'esprit de dépasser le stade du concret et des premières perceptions.

5. L'application, qui consiste à se servir des idées nouvelles acquises non seulement dans un but utilitaire, mais aussi dans un but plus noble proche du développement de l'esprit et d'une compréhension de la vie humaine. (Guérin, 1998, p. 151.)

Selon Herbart, on ne peut dissocier la volonté et la connaissance. L'enfant s'approprie les idées nouvelles en les adaptant aux différentes situations. « En psychologie, Herbart reconnaît que l'homme ne pense pas selon un mode pour sentir selon un autre mode. Les fonctions rationnelles coagissent dans les émotions et en toutes les émotions coagit la raison. » (Guérin, 1998, p. 152.)

4.1.5 Friedrich Fröbel

Pédagogue allemand, Friedrich Fröbel (1782-1852) a été et demeure un maître incontesté dans l'histoire de l'éducation préscolaire. On lui doit le premier programme élaboré spécifiquement à l'intention de l'enfant de maternelle ainsi que l'agencement d'une pratique d'enseignement liée au développement dans le respect de la liberté et de la spontanéité du jeune enfant. En 1837, il fonde le premier *jardin d'enfants* (*Kindergarten* en allemand), ce qui lui vaut le nom de *père* et, à l'éducatrice responsable, celui de *jardinière*. « Selon lui, les enfants de ses *Jardins* sont comme des fleurs qui naissent, croissent, se développent et fleurissent sous la conduite d'un jardinier-éducateur. » (Guérin, 1998, p. 127.)

Dans les faits, l'éducation idéale, selon Fröbel, se réalise grâce au travail en commun axé sur le jeu, la libre activité et l'activité spontanée où se combinent la réalité et l'imaginaire. Considérant l'importance fondamentale du langage humain, ce pédagogue réserve une place de choix aux causeries, à la poésie et au chant. Il implante deux lois naturelles pour guider les éducateurs : « 1) la loi de l'activité, qui est une loi naturelle ; 2) la loi des contraires, qui est aussi naturelle puisqu'elle se traduit dans le langage par les mots tels que : chaud – froid, ouvert – fermé » (Guérin et Vertefeuille, 1960, p. 210). Fröbel est le précurseur des méthodes *intuitives,* qui inspireront Decroly et Montessori.

Selon Fröbel (1861, p. 113), « dans toute bonne éducation, dans tout enseignement vrai, la liberté et la spontanéité doivent être nécessairement assurées à l'enfant, à l'écolier ».

4.1.6 Marie Pape-Carpantier

La pédagogue française Marie Pape-Carpantier (1815-1878) part du principe que l'enfant éduque le maître. Les méthodes actives et les leçons de choses remplacent l'enseignement traditionnel, considéré comme ennuyeux. Dans ce cadre, il convient d'assouplir la discipline et de diminuer le nombre d'enfants par classe. Pape-Carpantier est à l'origine de l'expression *école maternelle*[1] qui remplace celle de *salle d'asile,* voulant par là mettre l'accent sur le double caractère de l'éducation telle qu'elle la conçoit, c'est-à-dire *scolaire* et *maternelle.*

Cette pédagogue a recours aux *leçons de choses* pour permettre aux enfants de s'instruire directement à même la réalité. À cette intention, elle leur présente des objets qu'ils peuvent manipuler. Elle souhaite aussi leur faire acquérir les premiers éléments des connaissances usuelles telles que la droite et la gauche, les jours de la semaine, les différents noms d'animaux, de végétaux, de minéraux et les saisons. Finalement, elle privilégie l'aptitude à utiliser les données obtenues par les *fenêtres de l'âme* que sont pour elle les sens. Elle insiste également sur l'importance de l'observation de l'enfant par le maître.

---

1. L'expression a été reprise par le Français Hippolyte Carnot en 1848, alors qu'il était ministre de l'Instruction publique. L'appellation a été rendue définitive par le décret du 2 août 1881 (Delaunay et Abbadie, 1973, vol. 1, p. 32).

4.1.7 Pauline Kergomard

Pauline Kergomard (1838-1925) ouvre à Paris un cours pour la formation des éducatrices. À l'instar de Rousseau, elle y prône la liberté de l'enfant et la reconnaissance de son statut en tant qu'enfant et non en tant qu'adulte en devenir. Elle est considérée comme la fondatrice de l'éducation maternelle. À titre d'inspectrice des salles d'asile, elle recommande d'accorder une place importante à la culture physique dans les programmes des maternelles tout en insistant sur un environnement adapté à la mesure de l'enfant. Elle critique ouvertement l'aspect misérable des locaux ainsi que la pénurie de matériel et de mobilier. Ses tournées d'inspection lui permettent de constater la réalité des écoles maternelles, trop souvent perçues comme des garderies ou des écoles primaires prématurées. Elle hésite à employer le vocable *école maternelle*. À son avis, le mot *maison* convient mieux, à condition d'y adjoindre le mot *éducation*. D'où finalement l'appellation *maison d'éducation maternelle* ou tout simplement *la maternelle* (Kergomard, 1919). Le respect et l'amour des enfants orientent sa doctrine.

Consciente de l'importance des premières années pour le développement de la personne, Kergomard fait valoir la nécessité d'acquérir de bonnes habitudes dès le début de la vie, et ce, sur tous les plans : affectif, physique, intellectuel, mental et social. Elle insiste pour que les écoles maternelles et les garderies adoptent les mêmes principes en ce qui concerne la discipline et le rythme de vie.

Kergomard instaure des programmes pédagogiques dans lesquels les jeux, les chants et les activités manuelles sont mis à l'honneur, sans négliger pour autant les exercices de langue, les contes ainsi que les rudiments de calcul, de dessin, de lecture et d'écriture. Cependant, sous prétexte d'un *manque de conformité,* ces programmes pédagogiques sont retirés par l'État. Kergomard exige alors la création d'une école normale pour les directrices d'école maternelle et les enseignantes en vue d'uniformiser la pensée pédagogique. Tout comme plusieurs autres pédagogues qui l'ont précédée, elle accorde une place importante à l'observation dans l'éducation des petits enfants. L'observation concrète de l'enfant est fondamentale pour qui veut intervenir efficacement et aménager un cadre éducatif qui tienne compte de ses besoins. Elle déplore que les modèles pédagogiques aboutissent souvent à des pratiques systématiques, aux antipodes de la spontanéité enfantine. Le principe directeur de l'approche qu'elle préconise peut se résumer comme suit :

L'analyse des activités «normales» de l'enfant dans sa famille de même que l'analyse des activités «normales» de la mère auprès de son enfant doivent inspirer la pratique de la pédagogie de l'école maternelle. Dans la famille, les enfants ne font rien de précis et surtout « ne prennent pas de leçons »; malgré tout, ils se développent « physiquement, intellectuellement et moralement, sans effort, au moins sans effort apparent, de façon normale, et ce, sans que leur mère ait l'air d'y toucher ». (Plaisance, 1966, p. 25.)

4.1.8 Maria Montessori

Médecin italienne, Maria Montessori (1870-1952), frappée par le peu d'importance qu'on accorde à l'enfant, décide d'y consacrer une partie de sa vie. Trop souvent, considère-t-elle, l'enfant est vu par l'adulte comme un intrus qu'il faut mater en lui imposant le respect, l'immobilité et même le silence. Elle désire changer cette façon de concevoir l'enfant. Montessori réprouve les sentiments de colère et d'orgueil qui amènent l'adulte à interdire, à punir et même à réagir violemment par des gifles et des fessées. Selon elle, la bonne volonté et la sollicitude sont deux attitudes indispensables pour encourager l'enfant à agir. Cela implique de ne pas se substituer à lui en vue d'obtenir des résultats plus rapides et meilleurs. Loin de voir l'enfant en tant que médecin et de l'observer avec ses yeux d'adulte, elle essaie de se mettre à sa place pour sentir ce qu'il ressent.

En fait, la révolution qu'opère Montessori réside dans sa représentation de l'enfant. Selon elle, l'adulte doit s'adapter à l'enfant et non l'inverse. Inspirée par l'œuvre de J. M. G. Itard et É. Seguin, après avoir travaillé auprès d'enfants « idiots » et ensuite d'enfants considérés comme normaux, elle s'interroge sur le peu de différence entre les performances des deux catégories de sujets et sur le fait que l'on maintienne les enfants normaux à un niveau aussi bas.

Certains phénomènes attirent l'attention de Montessori, notamment la concentration et l'amour de l'ordre, qui se traduisent concrètement par l'idée de *retrouver les choses à leur place*. Ce dernier phénomène donne lieu au *libre choix* des activités scolaires. De manière plus globale, il est relié à l'insertion de l'enfant dans le monde et inspire à Montessori sa théorie des « périodes sensibles ». Celles-ci renvoient à des phases importantes du développement, dont l'acquisition du langage et le perfectionnement des sons, la découverte de l'écriture par l'alphabet et la compréhension du mécanisme de la correspondance entre le signe et le son. Analyser de tels miracles demeure l'aspect primordial de la « méthode Montessori » qui, à partir de la découverte de l'enfant, doit mener ce dernier à réaliser sa libération. À cette fin, l'adulte doit s'adapter à l'enfant, créer les conditions matérielles et un climat favorables à une exploration sans contraintes. De plus, il doit faire faire à l'enfant des exercices sensoriels avec du matériel adapté. Conformément à ces objectifs, Montessori met au point un ensemble de matériel éducatif en vue de développer la personnalité et la mémoire de chacun en faisant appel à ses cinq sens (l'ouïe, le toucher, la vue, l'odorat et le goût). Ce matériel est composé, entre autres, de cubes, d'emboîtements, de pièces à lacer et à boutonner.

> Les idées pédagogiques de madame Montessori sont claires et nettes : « Le grand problème, écrit-elle, consiste à respecter la personnalité de l'enfant, à ne pas entraver mais au contraire à laisser s'exercer librement son activité spontanée... Il ne s'agit pas de l'abandonner à lui-même en le laissant faire ce qu'il veut, mais pour qu'il puisse être libre, il s'agit de lui préparer un milieu approprié et de lui donner les instruments nécessaires à son développement selon les besoins psychiques du moment. » (Guérin et Vertefeuille, 1960, p. 288.)

4.1.9 Ovide Decroly

Ovide Decroly (1871-1932), éducateur, psychologue et médecin belge, s'intéresse d'abord aux enfants dits irréguliers. Il les prend chez lui et cherche avec eux une méthode qui leur convient pour apprendre. Ses études sur les retardés mentaux le conduisent, par la voie psychologique, aux problèmes pratiques de pédagogie pour les enfants dits normaux. Il constate qu'il n'existe pas de différences fondamentales entre les uns et les autres en ce qui concerne le passage entre les stades de développement. Il note aussi que, lorsque les problèmes s'accentuent, cela se répercute sur le bon fonctionnement de l'enfant. « [...] en plus d'avoir été un grand psychologue, le Dr Decroly fut aussi un éducateur authentique : sa principale réalisation pratique a été l'École de l'Ermitage appelée aussi "l'école de la vie, par la vie". » (Guérin et Vertefeuille, 1960, p. 335.)

Pour Decroly, l'essentiel est de bien préparer l'enfant à sa destinée d'adulte et à son insertion dans la société, d'où l'intérêt accordé au bien commun et aux activités collectives. Les besoins et les centres d'intérêt de l'enfant sont les éléments centraux de sa pédagogie. Il est important de lui proposer des jeux et des activités quotidiennes inspirées de la nature. Le matériel n'a de valeur éducative et significative que s'il s'intègre au milieu naturel. Il s'agit là d'une méthode active fondée à la fois sur l'observation directe, l'association entre le temps et l'espace, l'expression par le langage oral et écrit ou toute autre forme d'activité privilégiée par les enfants, comme l'activité physique et les activités de plein air. On doit à Decroly la méthode idéovisuelle d'apprentissage de la lecture qui s'appuie sur la fonction de globalisation dans le cadre d'une démarche analytique :

> L'enfant à l'entrée à l'école a les sens développés. Il suffit de ne pas tuer son esprit d'observation. Il associe, abstrait, généralise. Cependant, il faut lui offrir l'occasion d'associer à des éléments d'ordre plus élevé, de le laisser abstraire et de généraliser sur des données plus étendues et plus nombreuses. Il agit, crée, imagine, exprime, il suffit de lui donner les matériaux et les occasions pour qu'il puisse continuer à développer ses tendances actives. (Melard, 1990, p. 6.)

4.1.10 William Heard Kilpatrick

Pédagogue américain inspiré par Dewey, Montessori et Fröbel, William Heard Kilpatrick (1871-1965) se passionne pour les nouvelles formes d'enseignement. Il publie, en 1918, *The Project Method* (*La méthode des projets*), qui met l'accent sur la pédagogie active et sur le travail en groupe tout en faisant appel à des centres d'intérêt aussi appelés des *idées-programmes* ou, plus simplement, des projets. Il est l'ardent défenseur de la liberté et de la démocratie dans les établissements éducationnels.

Selon cet auteur, « les activités d'apprentissage adoptent quatre directions : 1° faire ou produire ; 2° jouir ou consommer ; 3° enquêter ou rechercher ; 4° *to DRILL* : dresser à une habileté déterminée » (Guérin, 1998, p. 184). Kilpatrick affirme la place centrale de l'expérience et de la réflexion personnelles dans la construction de soi-même fondée sur le développement intégral de la personne.

> Pour Kilpatrick, le projet est à la fois le moyen et le but, le vrai mode de la pensée. Penser est un acte en vue d'un but ; quand nous pensons, nous proposons quelque fin, nous faisons des projets. Le projet est une activité personnelle qui s'exerce individuellement ou collectivement en vue d'acquérir des connaissances nouvelles ou d'atteindre un certain but. (Dottrens, 1936, p. 66.)

4.1.11 Célestin Freinet

Éducateur et pédagogue français, Célestin Freinet (1896-1966) s'intéresse au renouveau pédagogique. Il privilégie les activités d'art, de dessin libre et d'imprimerie à l'école. Selon lui, le tâtonnement expérimental précède toutes les autres méthodes plus ou moins scientifiques. L'« expérience tâtonnée » épargne à l'éducation les abstractions systématiques. Par exemple, la découverte de l'écriture, de la lecture et des mathématiques passe avant tout par l'exploration dans des activités concrètes de manipulation et d'essais successifs. Le dessin libre est à l'origine de plusieurs découvertes. Il amène l'enfant à déchiffrer, à s'intéresser aux mots, aux lettres et à reconnaître certaines spécificités de l'écriture et de la lecture.

Freinet considère l'enfant dans sa globalité à partir de ce qu'il est, avec ses besoins et ses intérêts particuliers. L'enfant n'est pas d'abord un élève, mais un être complet, avec ses désirs, sa personnalité et son histoire. L'école moderne doit se préoccuper d'éveiller chez lui le goût du travail qui s'enracine dans un milieu naturel et social et, ainsi, favoriser son autonomie et sa spontanéité. C'est dans cette perspective que Freinet propose la création d'ateliers de travail intégrés à la vie du milieu, tels le jardinage, la menuiserie et la mécanique. L'accent mis sur une pédagogie du travail motive la coopération. L'élève et le maître élaborent ensemble un échéancier pour ensuite voir à la réalisation du travail par la distribution de tâches et de rôles précis dans un environnement adapté. La bibliothèque contient des brochures, des livres d'information et de référence. «Pour Freinet, l'imprimerie à l'école, le fichier coopératif et la correspondance interscolaire peuvent remplacer avantageusement les manuels et les cahiers d'enseignement.» (Guérin et Vertefeuille, 1960, p. 363.) Les élèves rédigent des textes individuellement ou en groupe et choisissent ensuite ceux qui seront imprimés dans le journal. Les corrections orthographiques et autres sont faites par le groupe. La récompense ultime réside dans la satisfaction personnelle, mais aussi dans une appréciation écrite désignée comme un *brevet*.

> Il faut déborder le cadre scolaire et évoluer vers une forme pratique et constructive de l'enseignement moral, vers la coopération sous toutes ses formes. On pourra y parvenir par l'organisation normale du travail et l'établissement de rapports plus humains entre maîtres et élèves dans un milieu pédagogique favorable. (Freinet, 1956, p. 6-7.)

4.1.12 John Dewey

Philosophe et pédagogue américain, John Dewey (1859-1952) demeure le digne maître des écoles actives. Son instrumentalisme s'appuie sur le naturalisme. Il encourage les essais et erreurs par opposition aux vérités immuables du pragmatisme. L'un des principes de base de son approche consiste en l'établissement de liens entre la personne et son environnement. L'enfant apprend par l'expérience (*learning by doing*). La connaissance devient donc un instrument de l'action, d'où l'importance des activités libres et des jeux pour le développement de l'enfant. Selon Dewey, l'expérience première ou immédiate n'est pas cognitive. La réflexion ou encore les retours sur l'expérience permettent une certaine prise de conscience qui donne un sens à l'action et donc une signification fonctionnelle à la pratique. Contrairement à l'école traditionnelle, qui impose un enseignement planifié par l'enseignant, l'école nouvelle veut faire découvrir à l'élève l'environnement en lui donnant l'occasion de l'explorer pour se l'approprier.

L'éducation demeure un processus continu et sans cesse en mouvance. L'école doit s'y adapter en dépassant les méthodes traditionnelles au profit d'activités qui permettent aux enfants de participer activement et concrètement à la résolution de problèmes : « L'école doit former une communauté réelle. Il faut changer les méthodes traditionnelles pour permettre aux enfants de participer activement à la solution de problèmes par un processus d'enquête. » (Guérin, 1998, p. 95.) Pour Dewey, la pensée est issue des relations entre le milieu et l'être vivant. L'école constitue une microsociété où la pédagogie progressive donne pleins pouvoirs à la liberté dans une enceinte démocratique. Ainsi, il faut éviter les ruptures importantes en favorisant la continuité dans le développement.

4.1.13 Arnold Lucius Gesell

Psychologue et pédiatre américain, Arnold Lucius Gesell (1880-1961) assimile la maturation au développement. Ce concept de maturation, associé à l'apprentissage par âge, a profondément marqué la maternelle au Québec durant les années 1970.

En ce qui concerne la représentation de l'enfant, Gesell conserve l'image de la *plante* chère à Fröbel. À partir d'observations d'enfants, faites au moyen de la caméra, Gesell met en relief des étapes dans le développement de l'enfant, sur le plan des habiletés motrices, du comportement d'adaptation, du langage et des habiletés sociales (Guérin, 1998, p. 136). Selon lui, pour favoriser le développement de l'enfant, « une aide équilibrée est plus profitable […] qu'une trop grande liberté ou une sévérité excessive » (Guérin, 1998, p. 136).

Dans un contexte où l'on commence à comprendre l'importance de la maternelle dans le développement de l'enfant, les travaux de Gesell viennent valoriser le rôle des éducatrices, en ce qu'ils fondent l'action éducative sur une approche plus scientifique, à la différence de l'approche intuitive du modèle de Fröbel.

4.1.14 Erik H. Erikson

Psychanalyste américain, Erik Erikson (1902-1994) se démarque de Freud dans son approche qui met l'accent sur les aspects social et culturel du développement de l'enfant plutôt que sur les seuls aspects physique et organique. Selon sa théorie, la personne traverserait huit crises psychosociales, chacune caractérisant une période de la vie ; l'issue favorable ou défavorable de ces crises serait déterminante dans l'évolution de la personne. Ces crises vont de la confiance à la plénitude, en passant entre autres par l'affirmation de soi et la formation de l'identité. Durant les années 1970, la théorie d'Erikson est perçue dans les écoles comme une solution de remplacement de l'approche normative de Gesell.

D'après Erikson, l'expression créative et libre constitue un guide sûr pour comprendre les enfants. De là s'explique le recours aux dessins et aux autres réalisations des enfants pour les évaluer.

Erikson considère que l'enfance prépare l'âge adulte et n'est pas un segment de vie séparé. Selon lui, l'élément primordial de l'éducation est de faire confiance aux instincts des enfants afin d'éviter de leur créer de l'anxiété.

De trois à cinq ans, l'enfant vit une crise, la troisième selon la théorie d'Erikson, qui, selon nous, est déterminante pour le développement de l'enfant de la maternelle. Cette crise est reliée aux nombreux projets entrepris par l'enfant et qu'il faut lui laisser réaliser afin de lui permettre d'acquérir le sens de l'initiative. À l'opposé, le sentiment d'échec répété et de non-responsabilité risque de le conduire à la résignation et à la culpabilité (Erikson, 1950, p. 152).

4.1.15 Lev Semenovitch Vygotski

Le psychologue soviétique Lev Vygotski, mort précocement à 37 ans (1896-1934), marque notre siècle par ses idées pénétrantes sur les relations entre la pensée, le langage et le milieu environnant. Plus particulièrement, il se penche sur leurs origines en ce qui concerne l'enfant. Ce dernier exprime la réalité sous la forme de représentations sociales, ce qui laisse entendre que le monde des adultes médiatise et régularise au départ les modes d'expression et de communication utilisés par l'enfant. Il s'ensuit que les régulations interpersonnelles précèdent le système autorégulateur plus personnel. Dès sa naissance, l'enfant dépend donc des rapports sociaux qui, lors de son développement, prennent la forme d'un modèle ternaire mettant en jeu l'environnement, les objets rencontrés et sa propre identité. Par conséquent, les enfants ne doivent pas être formés de façon individuelle mais par le biais d'interactions sociales. Un mouvement dialectique alimente la formation du langage qui, emprunt social au départ, s'intériorise ensuite pour refléter le monde égocentrique de l'enfant tout en gardant ses fonctions socialisantes de régulation, d'organisation et de planification. Selon Vygotski, un milieu stimulant favorise l'exploration, l'adaptation des comportements et la prise de conscience des actions. Par conséquent, toute expérience devra être intériorisée. Pour ce faire, le langage, organisateur de la pensée, devient un intermédiaire incontournable.

L'origine de ce processus amène Vygotski à observer l'enfant de près lorsqu'il pense, parle et se représente la société. Ces trois démarches lui permettent de s'approprier le monde et d'intégrer ses connaissances sous la forme d'apprentissages qui pilotent son développement. Bien entendu, cela s'effectue soit seul, en tant que «développement actuel», soit, de façon beaucoup plus fondamentale, avec l'aide d'autrui, en tant que «développement mesuré». En premier lieu, apprendre seul convient bien à l'enfant qui suit sa propre pensée selon un monologue intérieur qui organise linéairement ses expériences. Il utilise un langage au vocabulaire inexpliqué et abrégé qui deviendra plus tard un langage pour les autres. De trois à sept ans, il est dualiste, pensant d'abord pour lui-même selon un discours intérieur restitué ensuite à voix haute. De ce dualisme jaillit l'idée d'une distinction entre la pensée rationnelle et l'imagination. L'une est liée au réel, l'autre détachée et libre de créer. Vygotski considère qu'il est impossible pour ceux qui manquent d'imagination de créer des objets aux propriétés fictives. Toute perception se divise selon des sentiers sensoriels constants où s'unissent des impressions subjectives et des données objectives. La réorganisation se fait en fonction des besoins attachés aux expériences. Cela implique donc que le développement soit le fruit du vécu expérientiel et d'interactions sociales passant par le langage.

Ainsi, Vygotski dévoile son socioconstructivisme latent, théorie selon laquelle cette intériorisation d'expériences s'organise dans un contexte social qui donne lieu à des apprentissages, ce qui revient à dire que l'enfant ne peut construire sa réalité qu'en fonction de ce que la société lui fournit. Par ses discussions et ses échanges avec autrui, l'enfant intègre des connaissances qu'il intériorise, transforme et ajuste en fonction de son vécu et de ses expériences antérieures. La meilleure façon d'aider un enfant à apprendre est de découvrir les avenues propres à son développement et de les exploiter en tant que sources potentielles de concepts à maîtriser. Pour le faire avancer, il faut le rendre prêt à agir en fonction de l'avenir et non simplement en fonction de ses acquis. L'enseignant ne transmet pas simplement ses idées, car l'enfant peut atteindre de lui-même un niveau souhaité au lieu de s'y conformer.

D'après Vygotski, imaginer les choses de manière étayée exige une solide conceptualisation. L'enfant devra donc s'éloigner des contacts directs perceptuels pour imaginer toutes les nuances possibles des objets et en conceptualiser les propriétés. Comprendre la réalité, c'est la mettre à distance, ne pas trop s'y coller. D'où le rôle important du langage qui provoque l'imagination à travers les interactions sociales servant à consolider l'usage des concepts. Cette idée que la maîtrise conceptuelle est tributaire des représentations sociales, donc langagières, découle d'une pensée marxiste-léniniste chez Vygotski. De plus, offrir des choix à ce qui est réellement présenté exige une stimulation affective ainsi que la pleine conscience d'un fait concret.

D'un point de vue éducatif, l'enseignant doit toujours baigner dans une réalité dont l'atmosphère émotive se teinte de subjectivité aussi bien que d'objectivité. La conscience est donc redevable à l'affectivité de par les désirs et les besoins qui l'animent. Cette idée devrait guider le pédagogue averti. On retrouve là l'équilibre entre la logique et l'imagination, traduit, selon Vygotski, par l'idée qu'il faut pouvoir abstraire pour apprécier et créer un poème. Il surenchérit en insistant sur le danger de se détacher de la réalité concrète qui risque de réduire à néant l'imagination. Ce contact est nécessaire pour se sentir libre, être motivé, voir le sens des choses, envisager l'avenir et s'élancer hors du temps présent.

Bref, selon Vygotski, imaginer est une fonction essentielle de la représentation sociale et constructive qui détermine tout l'être. Là encore se trouvent les bases du socioconstructivisme.

4.1.16 Jean Piaget

Psychologue suisse, Jean Piaget (1896-1980) s'intéresse au développement des diverses formes de connaissances qui constituent l'essentiel de l'épistémologie génétique. Sa thèse centrale situe l'organisme biologique plongé dans l'environnement à l'orée de l'être humain qui ultimement devient une personne autonome intégrant son milieu ambiant.

Pour ce faire, il doit **agir, penser** et **savoir**. Cela signifie qu'en agissant il s'approprie l'environnement tout en se transformant à son contact. Cette double fonction innée, que Piaget a identifiée sous les vocables d'*assimilation* et d'*accommodation,* est le résultat d'une organisation mentale et d'une adaptation corporelle. Mieux organiser et mieux s'adapter amènent des équilibres progressifs qui constituent le développement. Cela facilite la reconnaissance des objets, l'élargissement des actions et la reproduction des concepts. Apprendre s'inscrit donc ponctuellement au sein du développement.

De là proviennent la stabilité, l'anticipation et la conservation des propriétés qui, en devenant invariantes, établissent fermement la pensée scientifique destinée à prévoir. Piaget met ainsi de l'avant son approche biologique axée sur une intelligence qui se met au service de la survie des êtres humains et qui évolue à travers quatre stades.

Jusqu'à 18 mois, le bébé se soumet à tout ce que ses sens lui offrent au contact de l'environnement. C'est le stade *sensorimoteur,* où les tableaux sensoriels lui sont rendus accessibles par ses mouvements. Rien n'existe qui ne soit perçu ou senti à travers ses contacts corporels. Les choses apparaissent et disparaissent dépendant de l'instant présent.

Ensuite, de deux à sept ans, l'enfant s'attache intuitivement aux objets présentés avec un début de symbolisme, d'où le *stade de la pensée symbolique ou préconceptuelle.* Ce qu'il voit est ce qui est. Piaget y voit une phase préopératoire où, par exemple, la saucisse allongée devant les yeux de l'enfant lui paraîtra plus lourde.

On arrive alors au stade de la *pensée opératoire concrète,* qui prend place de 7 à 12 ans. Les objets transformés retrouvent leurs qualités de départ préservées, par réversibilité et inversion formant ensemble une structure d'actions. C'est ce qu'on appelle le concept de conservation piagétienne, la compréhension des propriétés invariantes des objets.

Enfin, de 12 à 15 ans, le *stade des opérations formelles* révèle le raisonnement hypothético-déductif permettant les procédures scientifiques sur lesquelles Piaget s'appuie pour mettre de l'avant les concepts de longueur, de poids, de durée et d'espace, entre autres.

Sur la base de ces quatre stades s'articule le **savoir** au sein duquel Piaget inscrit les réalisations intellectuelles qui filtrent la réalité successivement au travers des objets, de leurs propriétés et de leurs actions possibles.

Cette genèse progressive de l'intelligence et des connaissances s'opère dans une certaine mouvance, de sorte qu'on ne peut parler d'un état final du développement cognitif. De plus, Piaget a fait ressortir le lien étroit qui existe entre la complexité du geste et la prise de conscience du corps.

Pour lui, la maturation physiologique affine la vision et la préhension qui se coordonnent pour produire des gestes de plus en plus volontaires et précis.

4.1.17 Abraham H. Maslow

Philosophe et psychologue américain, Abraham H. Maslow (1908-1970) est connu surtout pour sa théorie psychologique d'actualisation du Moi (*Self*). D'après lui, «toute personne a une hiérarchie de besoins allant des besoins psysiologiques à l'amour, à l'estime de soi et, finalement, à l'actualisation de son Moi. La conscience peut être troublée par l'émotion si les besoins primaires ne sont pas satisfaits» (Guérin, 1998, p. 218).

Selon la théorie de Maslow, la personne cherche à satisfaire les besoins d'une catégorie supérieure une fois que les besoins de la catégorie inférieure ont été comblés. En fait, la satisfaction des besoins amène la personne à adopter de nouvelles attitudes qu'il lui aurait été impossible d'adopter autrement. Évidemment, cela implique l'écoute de ses propres sentiments. Par exemple, la sécurité affective acquise, la personne sera tentée de se lancer dans de nouvelles explorations, de faire d'autres expériences et de relever de nouveaux défis. Parallèlement, en effectuant des tâches de plus en plus complexes, elle se réalise elle-même.

Par sa théorie de la satisfaction des besoins allant des plus primitifs aux plus élevés, Maslow appuie l'idée d'épanouissement, chère à l'éducation préscolaire.

Si la personne se sent acceptée comme elle est, en tenant compte du regard positif inconditionnel que les autres posent sur ses façons de se comporter, elle aura ainsi tendance à développer les émotions, les sentiments et les pensées qui lui sont propres. La personnalité d'un individu sera donc d'autant plus équilibrée qu'il règne un accord, ou congruence, entre son soi réel et ses sentiments, ses pensées et ses comportements, lui permettant ainsi de tendre vers le soi idéal qui constitue la clé de l'actualisation. (Godefroid, 1987, p. 206.)

4.1.18 Carl Rogers

Psychothérapeute et analyste de l'éducation américain, Carl Rogers (1902-1987) a travaillé sous la direction de Kilpatrick tout en s'initiant à la pensée de Dewey et de Rousseau. Il fut influencé également par l'approche thérapeutique du psychanalyste Otto Rank. Sa méthode non directive et centrée sur la personne l'amène à parler de relation interpersonnelle, de relation d'aide et d'autoréalisation de l'être. Il va à l'encontre des règles traditionnelles, définies en vertu d'un modèle stéréotypé, et opte pour une approche selon laquelle la personne établit des relations empathiques dans ses rapports personnels. À l'opposé de Skinner, pour qui le comportement humain est déterminé par l'environnement, Rogers se range du côté des humanistes qui reconnaissent à l'individu la possibilité de satisfaire ses besoins d'actualisation afin d'en arriver à développer pleinement sa personnalité.

Rogers soutient une thèse fondamentale : on ne peut pas directement enseigner à personne, on ne peut que lui faciliter l'apprentissage. Il estime que le thérapeute et le client doivent rester en contact de sorte que, d'une part, le client puisse trouver un accord interne, tandis que, d'autre part, le thérapeute puisse s'employer à découvrir les points vulnérables qui orientent les discussions. Essentiellement axée sur le développement de la personne, la conception rogérienne vise l'autoréalisation et l'épanouissement qui font progresser la personne vers son autonomie. De là vient l'intérêt pour la conscience individuelle. Chaque être posséderait en lui, quels que soient l'hérédité et le milieu, les forces nécessaires pour l'aider à se créer, à se comprendre et à agir sur lui-même, sur les autres et sur l'environnement. D'emblée, disons que l'éducation préscolaire a intégré ces éléments dans ses objectifs : l'enfant doit apprendre à se connaître, à entrer en relation avec les autres et à interagir avec l'environnement.

En ce qui concerne l'apprentissage, Rogers (1973, p. 110) avance l'idée suivante :

> La compréhension empathique est un [...] facteur qui favorise l'instauration d'un climat d'enseignement autodéterminé (*self-directed*), expérientiel. Lorsque le professeur est capable de comprendre de l'intérieur les réactions d'un étudiant ou qu'il est conscient d'une manière vécue de la façon dont l'étudiant perçoit les processus de formation et d'apprentissage, alors aussi les chances augmentent de se trouver en présence d'un apprentissage significatif.

4.1.19 Burrhus Frederic Skinner

Psychologue behavioriste américain, Burrhus Frederic Skinner (1904-1990) s'est intéressé aux travaux du physiologiste russe Pavlov, du neurophysiologiste britannique Sherrington et du psychologue américain Watson, père du behaviorisme.

Convaincu qu'une psychologie scientifique exige une observation des plus rigoureuses, Skinner rejette tout appel à des variables dites théoriques, c'est-à-dire à des variables qui ne peuvent être directement observées, tels les pensées, la conscience, l'inconscient, le subconscient, ainsi que les besoins (faim, soif, etc.) admis par certains behavioristes instrumentaux (Hull, Thorndike, etc.). Contrairement au modèle théorique fondé sur le renforcement des connexions neurophysiologiques entre un stimulus et une réponse par la satisfaction d'un besoin, le modèle proposé par Skinner est empirique et se fonde sur l'idée de répertoire de comportements dont la fréquence augmente en fonction de conditions environnementales favorables appelées renforcements. Notons que ce répertoire ne se révèle qu'après coup, lorsque la probabilité d'un comportement est modifiée et que ce dernier inspire ensuite les activités subséquentes.

Le conditionnement, ou apprentissage, consiste donc à modifier la probabilité des comportements à l'aide de renforcements.

Skinner imagina des appareils d'expérimentation en laboratoire qui lui valurent la célébrité. Aussi, il peut enseigner à un pigeon à jouer au tennis de table. Une de ses inventions les plus connues est la boîte de Skinner qui permet d'observer les réactions des animaux à l'usage des drogues. [...] Skinner en vient à concevoir les avantages d'un enseignement programmé et micro-gradué à l'aide de machines à enseigner. Son idée fondamentale est celle de la récompense-renforcement. (Guérin, 1998, p. 300.)

Skinner a mis en relief le principe suivant: les actions de l'organisme peuvent être renforcées par le milieu, ce qui accroît la probabilité de leur répétition (Gauthier et Tardif, 1996, p. 224).

C'est avec ce dernier auteur que nous achevons notre survol des influences théoriques qui ont modelé la maternelle au Québec. Le tableau 4.1 présente un résumé de ces sources théoriques. Ce tableau permet de trouver l'essentiel des informations se rapportant à chacun des auteurs, à la pédagogie en regard de leurs représentations de l'enfant et de son développement, de même que les principes directeurs qui ont caractérisé leurs travaux. Il indique, s'il y a lieu, le nom donné par l'auteur à la classe accueillant les jeunes enfants.

Tableau 4.1	Synthèse des auteurs et principes clés de leur pédagogie
Auteur	**Comenius** Pédagogue tchèque (1592-1670)
Représentation de l'enfant et du développement	L'enfant est un être universel qui participe à la structure de la société. Développement: progression naturelle, innéiste
Principes directeurs et caractéristiques	• Publication du premier traité sur l'éducation préscolaire: *Directoire pour l'école maternelle* • Laïcisation • Intérêt général contre égoïsme et individualisme • Primauté des choses sur les mots (réalisme pédagogique) • Stratégies éducationnelles étape par étape soigneusement graduées, allant du simple au complexe et du connu à l'inconnu • Attention marquée pour les locaux • Contacts humains
Classe	*Schola infantiae*
Auteur	**Rousseau** Philosophe suisse (1712-1778)
Représentation de l'enfant et du développement	L'enfant est un être bon naturellement parce qu'innocent. Développement: naturalisme ou réalisation spontanée et harmonieuse des potentialités uniques, sans comparaison avec autrui
Principes directeurs et caractéristiques	• Romantisme • Liberté d'action, spontanéité (exploration active) • Droit au bonheur • Anti-intellectualisme: futilité de la raison pour elle-même; absence de livres jusqu'à l'âge de 12 ans; apprendre à apprendre contre accumulation de connaissances pour elles-mêmes; priorité aux émotions et à l'éducation purement physique et sensorielle; *retour à la nature* • Intérêts • Jeu = travail • *Émile* (jeune noble): l'enfant doit être protégé de la société • Enseignant: tuteur, guide, précepteur
Auteur	**Pestalozzi** Pédagogue suisse (1746-1827)
Représentation de l'enfant et du développement	L'enfant est un être unique à l'image de Dieu. Développement: accomplissement des habiletés propres à chacun et art de penser par soi-même
Principes directeurs et caractéristiques	• Transformation de la société • Leçons de choses

• • •

Principes directeurs et caractéristiques (*suite*)	• Égalité (non pas dans l'uniformité, mais dans la diversité) • Objets naturels et concrets • Climat familial • Regroupement par habiletés plutôt que par groupes d'âge • Indépendance
Auteur	**Herbart** Pédagogue allemand (1776-1841)
Représentation de l'enfant et du développement	L'enfant est un être qui s'approprie des connaissances. Développement : une dynamique qui implique l'interaction de *forces mentales*
Principes directeurs et caractéristiques	• Psychologue de l'esprit • Pédagogie scientifique • Enseignement universitaire de la pédagogie • La vie mentale est la manifestation d'unités sensorielles élémentaires. • Cinq étapes définies dans la préparation d'une leçon (enseignement)
Auteur	**Fröbel** Pédagogue allemand (1782-1852)
Représentation de l'enfant et du développement	L'enfant est une fleur. Développement : épanouissement des qualités innées de l'individu
Principes directeurs et caractéristiques	• Premier programme à l'intention de l'enfant de maternelle • Idéalisme philosophique contre rationalisme scientifique • Sens de l'unité dans toute chose • Objets comme symboles • Intuition personnelle • Auto-activité (expression externe du Moi interne) • Occupations : couture, pliage de papier, tissage, modelage, jardinage, soins aux petits animaux • Roches et minéraux • Jeu : rencontre du réel et de l'imaginaire • Éducateur : jardinière qui suit, garde et protège
Classe	Jardin d'enfants (Kindergarten)
Auteur	**Pape-Carpantier** Pédagogue française (1815-1878)
Représentation de l'enfant et du développement	L'enfant est un être essentiellement mobile. Développement : rythme d'apprentissage propre à chacun

Principes directeurs et caractéristiques	• Abri • Jeu: voie privilégiée qui mène à l'abstraction • Liens à établir entre l'enseignement primaire et l'éducation préscolaire • Éviter les changements brutaux et radicaux • Proscrire l'enseignement systématique à la maternelle
Classe	École maternelle (en remplacement de la salle d'asile)
Auteur	**Kergomard** Pédagogue française (1838-1925)
Représentation de l'enfant et du développement	L'enfant est un être qui a des besoins physiologiques et psychologiques spécifiques (et non un adulte en miniature). Développement: activité propre à l'enfant
Principes directeurs et caractéristiques	• Éducation par opposition à instruction • Spécificité de la maternelle par rapport au primaire • Vivre, observer et parler avant d'*apprendre* • Exercices intellectuels relégués au dernier rang des activités, derrière les exercices physiques • Connaissance de la famille dans son milieu • Regroupement des enfants des deux sexes • Répondre aux besoins des enfants • Jouets, choses à voir et à manier • Santé, hygiène, soins médicaux
Classe	École maternelle (en remplacement de la salle d'asile)
Auteur	**Montessori** Médecin italienne (1870-1952)
Représentation de l'enfant et du développement	L'enfant est un *bambino*. Développement: développement sensorimoteur (empirisme)
Principes directeurs et caractéristiques	• *De la sensation à l'idée*: élaboration de matériel axé sur l'éducation sensorielle • *Cadres*: laçage, boutonnage, etc., éducation des sens • Lettres et chiffres en papier d'émeri • *Leçon*, gestes utiles, discipline, exercices de vie pratique • Petites chaises, petites tables, etc., (mobilier à la taille des enfants) • Approche intuitive
Classe	Maison d'enfants (*casa dei bambini*)

• • •

Auteur	**Decroly** Médecin belge (1871-1932)
Représentation de l'enfant et du développement	L'enfant est un être vivant membre de son espèce. Développement: développement global
Principes directeurs et caractéristiques	• *L'école pour la vie par la vie,* accent sur l'agir de l'enfant • Causerie, thèmes de vie, centres d'intérêt • Approche globale • Besoins, activités
Classe	Petits ateliers
Auteur	**Kilpatrick** Pédagogue américain (1871-1965)
Représentation de l'enfant et du développement	L'enfant est un être actif. Développement: pensée traduite en action
Principes directeurs et caractéristiques	• Approche par projets ou thèmes familiers aux enfants • Enquêter ou rechercher • Outils de présentation: voyages, discussions, activités, matériels • Ni programme scolaire, ni jeu spontané, mais activités significatives ou réfléchies • Pédagogie de la réussite (Thorndike) • Pragmatisme et fonctionnalisme (James et Dewey) • Jouir ou consommer • Entraîner à une habileté déterminée • Faire ou produire • Bon sens à affronter la vie de tous les jours • Enseignant: guide et facilitateur
Classe	Classe projet
Auteur	**Freinet** Éducateur et pédagogue français (1896-1966)
Représentation de l'enfant et du développement	L'enfant est un être naturel et social. Développement: dynamisme naturel, vital (déploiement de l'élan de vie)
Principes directeurs et caractéristiques	• Éducation au travail (travail manuel) contre scolastique contre pédagogie ludique • Techniques, toujours en évolution, adaptables selon les milieux et les circonstances, par opposition à la méthode • Imprimerie (correspondance, textes libres, etc.) • Libre expression, milieu naturel

• • •

Principes directeurs et caractéristiques (*suite*)	• Charte de l'école moderne, fondée sur la réalité de la société ambiante (école du peuple, école du travail) • Partir de l'enfant • Invariants pédagogiques • Tâtonnement expérimental (expérimentation), création, documentation
Classe	Classe coopérative
Auteur	**Dewey** Philosophe et pédagogue américain (1859-1952)
Représentation de l'enfant et du développement	L'enfant est un membre d'une communauté sociale (interaction). Développement : développement intégral (instrumentalisme)
Principes directeurs et caractéristiques	• Jeux libres, essais et erreurs • Expérience concrète, matériel « pour vrai » • Collation • *Coins* : maison, épicerie, menuiserie, etc.
Classe	Classe laboratoire
Auteur	**Gesell** Psychologue et pédiatre américain (1880-1961)
Représentation de l'enfant et du développement	L'enfant est un être qui se développe comme une plante. Développement : maturation organique
Principes directeurs et caractéristiques	• Maturation • Approche scientifique, observation • Développement physique, moteur, social, mental • Norme, objectivité • Tableau de l'enfant moyen de cinq ans • Jeux de construction en bois
Classe	Préscolaire
Auteur	**Erikson** Psychanalyste américain (1902-1994)
Représentation de l'enfant et du développement	L'enfant est un enfant. Développement : créativité
Principes directeurs et caractéristiques	• Expression libre, créativité, instincts • Le Moi, la société • Comprendre les enfants

• • •

Auteur	**Vygotski** Psychologue et professeur russe (1896-1934)
Représentation de l'enfant et du développement	L'enfant est un être social. Développement : imitation
Principes directeurs et caractéristiques	• L'acquisition est une appropriation des objets. • Le langage joue un rôle important dans le développement des connaissances. • L'apprentissage pilote le développement. • L'enfant apprend à accomplir des choses seul et avec l'appui des autres. • La *capacité potentielle de développement* • La *Zone proximale de développement* (ZPD) • La pédagogie de la médiation
Classe	Classe interactive

Auteur	**Piaget** Psychologue suisse (1896-1980)
Représentation de l'enfant et du développement	L'enfant est un sujet épistémique. Développement : construction de structures et de schèmes de pensée
Principes directeurs et caractéristiques	• Cognitif, rationnel, structure, stade • Schèmes de pensée • Construction, évolution • Sujet, objet • Processus • Interaction avec l'environnement

Auteur	**Maslow** Philosophe et psychologue américain (1908-1970)
Représentation de l'enfant et du développement	L'enfant est un être qui satisfait ses besoins primaires. Développement : actualisation de soi
Principes directeurs et caractéristiques	• Intégration du Moi • Hiérarchisation des besoins, allant des besoins physiologiques, aux besoins d'amour, d'estime de soi et d'actualisation de soi • Confiance en ses propres habiletés, sensibilité à l'expérience

Auteur	**Rogers** Psychothérapeute américain (1902-1987)
Représentation de l'enfant et du développement	L'enfant est une personne avec une identité qui lui est propre. Développement : développement harmonieux

Principes directeurs et caractéristiques	• Approche psychanalytique et clinique • Relation d'aide • Congruence, authenticité, vécu • Affectivité • Climat de confiance, respect, empathie • Liberté et non-déterminisme • Liberté pour apprendre (non-directivité) • Fonctionner pleinement • Personnalité
Auteur	**Skinner** Psychologue behavioriste américain (1904-1990)
Représentation de l'enfant et du développement	L'enfant est un être neutre, passif, gouverné par des stimuli externes. Développement : arrangement comportemental, renforcement
Principes directeurs et caractéristiques	• Behaviorisme (prédiction et contrôle du comportement) • Déterminisme environnemento-socio-culturel • Négation du comportement intentionnel (l'être autonome n'existe pas) : tout comportement est appris, donc tout comportement peut être modifié • But, renforcement, conditionnement opérant • Contrôle positif contre aversif (la punition est inefficace) • Mécaniste, moléculaire • Machines à enseigner, instruction programmée • Accent mis sur la réponse plutôt que sur la question
Classe	Classe « machine à enseigner » (qui sera remplacée par la classe APO [applications pédagogiques des ordinateurs])

4.2 L'ÉDUCATION

Selon Hadji (1992), l'éducation a une double dimension. De façon générale, elle peut être comprise comme une démarche en vue de favoriser le développement positif de la personne. En ce sens et d'un point de vue culturel, elle se transmet de génération en génération. Analysée plus spécifiquement, elle modèle ou oriente le développement, selon des normes sociales ou d'éthique.

L'éducation, dans notre optique, accorde de l'importance aux valeurs et aux attitudes et développe le système de connaissances qui sert à expliquer, à évaluer, à juger et à diriger. En fin de compte, l'éducation vise la performance par la planification, l'appréciation, la prise de décision et l'engagement.

4.2.1 La théorie éducationnelle

Sauf exception, les auteurs répertoriés au tableau 4.1 ne sont pas des éducateurs au sens strict du terme. La plupart sont des psychologues, des médecins ou des philosophes, ce qui explique la nature descriptive, normative ou thérapeutique de leurs théories. Par exemple, le psychologue cherche, à partir de tableaux normatifs, à décrire, à comparer et à classer l'enfant selon son degré de maturité, tandis que l'éducateur, dans un esprit de développement intégral, prend des décisions sur le vif, c'est-à-dire au moment où les situations l'exigent. Cela peut se produire dans un contexte d'éducation spécialisée, d'éducation préscolaire ou autre. En ce qui concerne plus spécifiquement l'éducatrice à la maternelle, on peut dire qu'elle correspond à la personne qui intervient quotidiennement auprès de l'enfant, à travers les actions qu'il vit (présent) et toujours en appui sur l'expérience de l'enfant (passé) afin de le conduire vers des actions conséquentes (avenir). En d'autres mots, l'éducatrice se soucie du passé, du présent et de l'avenir de la personne individuelle à travers le savoir-être, le savoir-faire et le savoir-devenir (développement intégral).

Pour Kohlberg et Mayer (1972, p. 463), une théorie véritablement éducationnelle implique nécessairement des énoncés qui permettent de porter des jugements de valeur, de se prononcer sur ce qui est bon ou louable. Selon ce point de vue, la façon dont *l'enfant apprend et se développe* devient capitale. À leur avis, une théorie éducationnelle est forcément centrée sur le développement. Pour Morin et Brief (1995), une théorie éducationnelle doit obligatoirement tenir compte du développement intégral de la personne, où interviennent la prise de décision, le réel et le contextuel plutôt que la description, l'abstrait et le normatif. En effet, chaque instant reste un moment privilégié pour décider *quoi, comment* et *quand* enseigner à *tel* enfant dans *telle* situation particulière.

Cela étant dit, on ne peut ignorer le fait que ces choix complexes, reliés aux valeurs morales et éducatives propres à chaque éducatrice, s'inscrivent dans un contexte plus global qui inclut les normes et les valeurs de la société en général ainsi que celles du *système* d'éducation en particulier. Si l'on tient compte des contraintes multiples auxquelles les éducatrices sont en général soumises, qu'elles soient d'ordre financier, administratif ou autre, on comprend plus facilement pourquoi même les mieux intentionnées peuvent trouver ardue, dans leur pratique quotidienne, l'application d'une théorie éducationnelle fondée sur le développement intégral de la personne. Qui plus est, une théorie éducationnelle impliquant la reconnaissance du développement n'apporte pas d'emblée toutes les stratégies éducatives.

4.2.2 Les stratégies éducatives

Le tableau 4.1 met en lumière le foisonnement d'éléments et de dimensions qui entrent en jeu quand il est question de pédagogie préscolaire. Dans la pratique, les stratégies éducatives s'inspirent le plus souvent des idées développées par les auteurs. Toutefois, ces stratégies ne sont pas nécessairement le pur résultat d'une théorie fondée sur des choix axiologiques et circonscrite dans un cadre limitatif; elles dérivent plutôt de l'intuition de l'éducatrice, qui sent ce qu'il faut faire et quand il faut le faire. Évidemment, cela met en jeu le programme d'activités, le contexte de la classe maternelle et l'organisation pédagogique.

Par définition, la stratégie éducative englobe un ensemble d'éléments qualitatifs qui puisent à même le développement personnel, au regard de la situation particulière vécue à *ce* moment-là et par *cette* personne-là.

Selon Morin et Brief (1995, p. 191), pour *intervenir de façon appropriée* et aider l'enfant à poursuivre son cheminement, les stratégies utilisées impliquent que l'on *s'insère dans l'univers de l'enfant* et non qu'on *l'enferme dans un modèle stéréotypé*. L'éducatrice doit offrir des activités *pertinentes,* ce qui signifie qu'il lui faut tenir compte de l'expérience de l'enfant tout en variant les activités. Elle l'amène ainsi à se *décentrer* pour aller vers d'autres réalités, ce qui constituera une nouvelle base d'expériences à partir de laquelle, dans un processus continu d'adaptation liant l'affectif et le cognitif, l'enfant continuera à se développer, à progresser vers de nouvelles constructions de la réalité de mieux en mieux intégrées.

4.3 LE DÉVELOPPEMENT

Les dictionnaires et les auteurs associent au développement l'idée de progression, d'évolution et de transformation. Le développement est foncièrement lié à l'idéologie éducationnelle dans une optique de progression vers le mieux, de changement graduel et continu. Pour donner tout son sens au concept de développement, il convient de l'associer à la personne individuelle vivant une situation particulière dans un contexte donné.

L'idée de *développement* peut paraître simple, mais il suffit de se reporter aux différentes conceptions, présentées de manière schématique dans le tableau 4.1, pour constater que tout est en réalité beaucoup plus compliqué. En effet, chacun des auteurs donne une signification particulière au concept de développement, ce qui, en soi, est tout à fait compréhensible, compte tenu des époques, des disciplines et des contextes socioculturels différents. Toutefois, ce manque de cohésion apparent contribue à créer de la confusion dans le milieu de l'éducation. Dans les faits, il arrive trop souvent que l'on emprunte des éléments à l'une ou l'autre des théories en fonction des courants et des modes, sans se soucier du développement individuel de la personne.

Pour résumer, d'un point de vue fonctionnel, le développement pourrait se traduire par des actions de mieux en mieux adaptées aux circonstances. D'un point de vue général, il s'agit d'un processus continu plutôt que d'un état arrêté. Il entraîne continuellement une réorganisation plutôt qu'une simple reproduction. Pour Morin et Brief (1995, p. 200), «le développement est synonyme de construire sa réalité sans attendre qu'elle soit imposée. Sur le plan pratique, cela veut dire aider l'enfant à s'équiper de moyens, de techniques, de stratégies pour progresser dans son développement».

Ainsi, le développement d'un enfant ne se mesure pas d'après la réussite ou la performance à des tests; il se révèle plutôt par son investissement dans une activité et par le degré de son engagement envers les autres.

4.3.1 L'approche développementale

L'ambiguïté de l'approche développementale tient à l'adhésion des auteurs à différentes écoles de pensée. À titre d'exemple, Rousseau, Gesell et Erikson, tenants d'une conception organique ou interne du développement, sont considérés comme des *romantiques*. Skinner, qui adopte une approche externe du développement, s'oriente plutôt vers le *culturalisme*. Quant à Dewey et Piaget, qui optent pour l'interaction fonctionnelle de l'interne et de l'externe, ils vont du côté *progressiviste*. Le concept d'interaction fonctionnelle ou *dialogue interactif* est au cœur même de l'approche cognitive ou constructiviste de Piaget, approche s'articulant autour de stades qualitativement différents, mais qui se déroulent selon un ordre invariable pour chacun des êtres. Chaque stade piagétien comporte une structure complète en soi, qui ne constitue toutefois pas un état arrêté du point de vue des connaissances; il s'agit plutôt d'une forme d'organisation de la pensée à un moment donné dans la progression du développement. L'idée de progression n'est pas associée ici à un plus quantitatif, mais bien à une évolution de nature qualitative, impliquant une réorganisation de mieux en mieux intégrée et de mieux en mieux adaptée à la réalité.

La clé du passage d'un stade à un autre se trouve dans l'expérience. Par son action répétée sur les objets, l'enfant intègre les propriétés de ces objets, ce qui est en soi différent du fait de recevoir un enseignement sur ces objets. L'agir se trouve immanquablement au cœur d'une approche développementale.

A priori, on pourrait affirmer que le développement humain est purement cognitiviste ou constructiviste, mais ce serait exclure l'affectivité, qui en est garante. Même si on a reproché à Piaget d'avoir ignoré cet aspect, ce qui lui a valu d'être boudé par les éducatrices, il n'en demeure pas moins qu'il considérait bel et bien l'affectivité comme une énergie amenant l'être à s'investir dans la réalité.

Une approche qui se veut développementale tient compte de la personne dans toutes ses dimensions, sans morcellement. Au fil de l'action se tisse, se lie et se construit une certaine logique qui prend sa source dans l'affectivité. Cela signifie qu'une approche développementale s'inscrit dans une perspective à long terme, sans jamais perdre de vue le type d'être humain qu'elle vise.

4.3.2 Les stratégies développementales

Élaborer des stratégies développementales consiste à fournir à l'enfant un ensemble d'outils et de moyens pour le faire progresser, compte tenu de sa propre évolution. Cela veut dire, d'une part, qu'on laisse la possibilité à l'enfant de choisir ses activités, de nature et de complexité variables, afin de répondre à son besoin d'action et, d'autre part, qu'on a une certaine vision du développement de cet enfant, sur laquelle on se fondera pour mieux l'aiguiller.

4.4 LA PÉDAGOGIE NOUVELLE

Nous avons vu précédemment quelques auteurs qui se sont intéressés à l'éducation préscolaire et qui, par conséquent, ont contribué à la pédagogie nouvelle. En effet, l'intérêt pour l'éducation des petits a fourni l'occasion de concevoir d'autres modèles et d'autres formes d'interventions mieux appropriés au développement de l'enfant. À son tour, cette pédagogie dite nouvelle s'est elle-même répercutée sur l'éducation en général. Deux tendances bien définies ressortent en éducation : une première qui privilégie une approche traditionnelle axée sur l'apprentissage et une autre, plus récente, centrée sur le développement.

Decroly, à l'instar de Montessori et de Dewey, rapproche l'école de la vie. Il est considéré en Europe comme l'un des promoteurs de l'éducation nouvelle. Ce courant, très «puérocentriste», qui met au premier plan la place et le rôle actif de l'enfant dans le processus éducatif, est lié aux «méthodes actives», elles-mêmes centrées sur le respect de la fonction interne du développement.

Aux États-Unis, l'*open education* a été influencée par les recherches sur l'environnement. Anjou (1979, p. 196) souligne le fait suivant:

> La notion a cependant été enrichie au moment où les psychologues de l'éducation tels que Bruner, Elkin, Inhelder, Flavell, Weikhart, Kamii, etc., dans un mouvement de retour aux sources, à savoir les travaux de Piaget, ont exploré la notion de circularité propre aux stades pour aborder l'étude de la notion d'ouverture et de ses implications sur la situation éducative.

Plus près de nous, au Québec, Angers, Paré et Paquette sont les maîtres à penser de la «pédagogie ouverte». Angers se distingue par sa conception organique de l'éducation; Paré traite du processus créateur; Paquette insiste sur le développement des talents, en partant du principe que chaque personne en possède *a priori*. En dépit de leurs différences, ces trois auteurs ont une perception commune de l'éducation: ils soutiennent qu'elle doit être centrée sur le développement de l'enfant et non pas sur l'accumulation de connaissances qui ne tiennent pas compte de l'expérience et du vécu.

Gauthier et Tardif (1996, p. 149) soulignent le fait que la pédagogie nouvelle emprunte diverses appellations, dont les suivantes: «pédagogie nouvelle, école active, éducation fonctionnelle, approche organique, pédagogie ouverte et informelle, école nouvelle (*New School*), éducation puérocentrique (pédagogie centrée sur l'enfant)».

Sans vouloir alimenter le débat amorcé, il y a déjà longtemps, sur la pédagogie nouvelle ou sur la pédagogie traditionnelle, nous désirons attirer l'attention du lecteur sur quelques traits caractéristiques distinguant les deux approches l'une de l'autre, au regard des paramètres *enfant, programme, éducatrice* et *milieu*. Le tableau 4.2 résume ces traits.

Tableau 4.2	Les caractéristiques de la pédagogie traditionnelle et de la pédagogie nouvelle	
Paramètre	**Pédagogie traditionnelle**	**Pédagogie nouvelle**
Enfant	Rendre l'enfant capable de...	L'enfant est capable de...
Programme	Contrôler l'atteinte des objectifs formulés de façon univoque.	Formuler les objectifs en termes d'objectifs développementaux ou de compétences transversales.
Éducatrice	Évaluer les apprentissages de manière rationnelle et efficace en vue de l'acquisition d'un plus grand nombre de connaissances (productivité). Soumettre des objectifs ponctuels d'apprentissage.	Intervenir de différentes façons selon les situations et souvent de manière informelle. Offrir des choix d'activités.
Milieu	Imposer un environnement en fonction des exigences liées à l'atteinte des objectifs ponctuels prescrits.	Varier et enrichir l'environnement pour favoriser plusieurs apprentissages et permettre des collaborations diverses.

RÉSUMÉ

La maternelle au Québec est centrée sur le développement de l'enfant et non sur la matière. Elle se situe donc dans un contexte éducationnel impliquant un système de valeurs et des stratégies conséquentes. L'enfant n'est pas divisé en parties observables ; il est vu comme un tout intégral. L'approche développementale se distingue de l'approche axée sur la matière par son souci constant d'adapter le contenu à l'enfant et non l'inverse.

Plusieurs auteurs ont élaboré une théorie ou un modèle fondés sur la représentation qu'ils avaient de l'enfant et sur la conception qu'ils se faisaient du développement. La maternelle au Québec leur en est redevable.

Questions

1. Identifiez certains auteurs qui ont marqué l'éducation préscolaire et expliquez les principes pédagogiques qui sous-tendent leur approche.

2. Au cours de son évolution, la maternelle a subi des transformations. Dites comment elles se sont actualisées sur le plan du développement de l'enfant et quels ont été leurs effets sur l'organisation des maternelles.

3. Sur la base de quels critères peut-on affirmer qu'une théorie est véritablement éducationnelle par opposition à celle qui ne le serait pas ?

4. Que signifie le mot *développement* en éducation ?

5. Quelles sont les conséquences concrètes d'une approche développementale en éducation ?

Mises en situation

1. Un stage à la maternelle

En tant qu'étudiante en éducation à l'université, vous vous apprêtez à entreprendre votre stage obligatoire à la maternelle. Vous avez en mémoire les influences diverses qui ont marqué l'histoire de la maternelle. Au cours de votre visite de familiarisation avec ce milieu, qui sera un peu le vôtre durant le prochain mois, vous voulez savoir si Montessori, Decroly, Gesell et d'autres (*voir le tableau 4.1*) y ont laissé leurs traces. Que rechercherez-vous pour avoir la réponse à vos questions ?

Pistes d'exploration

– Quels éléments vous ont le plus frappée chez les auteurs présentés dans la première partie du chapitre ?

– Qu'allez-vous observer dans la classe en ce qui concerne : 1) le programme d'activités ? 2) l'aménagement physique et le matériel ? 3) le fonctionnement ? 4) les jeux ?

– Comment pensez-vous mettre en pratique vos observations lorsque vous devrez prendre la classe en charge ?

Mises en situation (*suite*)

Présentation

Vous avez à présenter comment vous comptez tirer profit, dans votre pratique, des théories et des modèles élaborés par les auteurs qui ont influencé l'éducation préscolaire. Les moyens que vous pouvez utiliser sont la conférence, l'affiche, ou tout autre moyen qui vous semble pertinent.

2. Le développement et l'instruction

Votre stagiaire, par ailleurs pleine d'enthousiasme et de bonne volonté, ne saisit pas très bien l'insistance que vous mettez à parler du développement de l'enfant plutôt que d'instruction quand il s'agit de l'enfant de la maternelle. Comment parviendrez-vous à lui faire saisir concrètement la distinction entre les deux notions ?

Pistes d'exploration

– Quelle différence faites-vous entre le développement et l'instruction ?

– Y a-t-il une approche que vous privilégiez dans votre classe ? Si oui, en quoi consiste-t-elle et pourquoi l'avez-vous adoptée ?

Présentation

Vous devez montrer comment vous amènerez votre stagiaire à comprendre la différence qui existe entre le développement et l'instruction et comment elle pourra en tenir compte dans sa pratique de classe. Les moyens que vous pouvez utiliser sont le jeu de rôle, la table ronde, ou tout autre moyen qui vous semble pertinent.

Lectures suggérées

GAUTHIER, C., et M. TARDIF. (1996). *La pédagogie. Théories et pratiques de l'Antiquité à nos jours,* Montréal, Gaëtan Morin Éditeur.

GRÉGOIRE, H. (1965). *Le livre de l'Occident,* Genève, Éditions Kister, t. 3.

GUÉRIN, M.-A. (1998). *Dictionnaire des penseurs pédagogiques,* Montréal, Guérin.

CHAPITRE 5

L'enfant

Objectifs

Au terme de ce chapitre, le lecteur devrait pouvoir :

- définir le mot *enfant* et décrire les effets de cette définition sur la démarche éducative ;

- résumer l'évolution du statut de l'enfant en Occident en mettant l'accent sur le statut particulier du *petit* enfant.

Comme nous l'avons souligné dans le chapitre précédent, la maternelle privilégie une approche développementale. Celle-ci, contrairement à une démarche fondée exclusivement sur les savoirs, est centrée sur l'enfant. Mais qu'entend-on au juste par «enfant»?

Selon les époques, les valeurs, les symboles et les normes déterminent les représentations de l'enfant. Plus précisément, les moralistes verront dans l'enfant un être imparfait; les juristes le considéreront comme un être incapable et irresponsable; les médecins l'évalueront sous l'angle de la croissance; les psychologues évoqueront son degré de maturité.

Dans notre optique, l'éducatrice soucieuse du développement de l'enfant analyse plutôt chaque enfant à partir de sa conduite dans toutes sortes de situations quotidiennes. Pour elle, les expériences que vit l'enfant forment la trame de l'être individuel.

On ne peut éduquer sans avoir une vision préalable de ce qu'est ou de ce que va devenir l'enfant. L'éducation nous oblige à réaliser cette vision en mettant en place un réseau d'activités qui permettront à l'enfant de s'organiser, de faire des choix, de discuter, d'échanger des idées et de s'engager vis-à-vis des autres. Éduquer n'est absolument pas une activité à sens unique; c'est une activité complexe impliquant l'enfant, l'éducatrice et les parents, qui s'unissent dans un même processus de *développement-enseignement-apprentissage*.

5.1 LA REPRÉSENTATION DE L'ENFANT

On a vu au chapitre 4, dans le tableau 4.1, que la signification du concept de développement et la représentation de l'enfant varient selon les auteurs, lesquels subissent l'influence d'idéologies ou de systèmes de croyances et de valeurs ayant des racines historiques très anciennes. Parfois nettement métaphoriques, telles la «fleur» de Fröbel ou la «plante» de Gesell, ces représentations n'en demeurent pas moins déterminantes pour comprendre le rôle qu'a joué chacun des spécialistes en vertu des conceptions du développement de l'enfant. L'extrait suivant d'Hameline (1986, p. 122) est révélateur à cet égard:

> Le passage par l'imaginaire est constitutif de l'objet même de toute démarche éducative, à commencer par les métaphores mortes et les lieux communs. Il n'est pas du tout indifférent que l'élève soit comparé à un récipient que l'on remplit ou à une plante qui croît.

En comparant l'enfant à une fleur, Fröbel veut signifier qu'il possède en lui, de façon innée, le germe de son développement qui est appelé à croître et à s'épanouir. C'est là le caractère innéiste ou organique de l'idéologie *romantique* telle que l'ont décrite Kohlberg et Mayer (1972).

En ce qui a trait à l'idéologie *culturaliste,* qui favorise l'assimilation et la reproduction exacte des connaissances sans intervention du Moi, ces mêmes auteurs y associent la métaphore privilégiée de Skinner, soit celle de l'enfant *machine.*

Quant à l'idéologie *progressiviste,* toujours selon Kohlberg et Mayer (1972), elle conçoit l'enfant comme un être qui s'adonne à des tâches et qui améliore progressivement sa condition.

Cette représentation progressiviste de l'enfant s'allie dans un mouvement contemporain à la théorie *constructiviste* du développement humain. À l'instar de Furth (1969), de Von Cranach (1976), de Cowan (1978) et de Morin et Brief (1995), nous croyons que ce constructivisme trouve son origine dans *l'action* qui constitue *le pivot du développement de l'enfant* et, donc, de son progrès. L'enfant est *un être agissant qui prend des initiatives, se développe,* et il n'est pas inférieur à l'adulte ni différent de lui ; il est simplement un être humain à un stade donné de son évolution, appelé à progresser et à devenir de mieux en mieux organisé et structuré, de plus en plus conscient. C'est ainsi qu'il construit sa propre histoire, en tant qu'être singulier.

Au-delà de cette évolution de l'enfant en tant qu'être singulier, il y a aussi celle de l'enfant considéré sous l'angle de son statut en tant que membre d'une catégorie sociale à laquelle appartiennent tous les enfants du même âge dans une même société. L'évolution du statut de l'enfant fait partie de l'histoire plus globale de l'être humain et mérite également qu'on s'y attarde.

5.2 L'ÉVOLUTION DU STATUT DE L'ENFANT

Les termes *enfant* et *période de l'enfance* restent ambigus à bien des égards. Cela est dû en partie aux nombreux facteurs biologiques qui déterminent les changements physiques et la maturation. Bien que les influences sociales entrent aussi en jeu, l'aspect historique de l'évolution du statut de l'enfant retient pour l'instant notre attention.

5.2.1 Une définition de l'enfant

Très simplement, les dictionnaires définissent l'enfant comme un « être humain dans l'âge de l'enfance » (*Petit Robert*). Cela étant dit, les auteurs ne s'entendent pas sur le temps que dure l'enfance dans l'évolution de l'être humain. Par conséquent, la définition même du mot *enfant* s'en trouve affectée et demeure ambiguë.

En ce qui concerne l'enfance, les dictionnaires sont parfois plus précis, la définissant comme la « première période de la vie humaine, de la naissance à l'adolescence ». Nous éviterons d'entrer dans les discussions sur la vie intra-utérine, même si nous souscrivons d'emblée à l'idée selon laquelle l'être a déjà accompli un chemin considérable avant sa naissance.

Le mot *enfant* date du XIe siècle et vient du mot latin *infans* qui signifie « qui ne parle pas ». Comme le souligne Ariès (1973, p. 37), l'enfant « ne peut pas bien parler ni parfaitement former ses paroles, car il n'a pas encore ses dents bien ordonnées ni affermies ». Il faut dire que, à cette époque, on a tendance à mettre en relation les facteurs biologiques et la vulnérabilité de l'enfant. Celui-ci est défini sous l'angle des incapacités qui l'affligent, et on ne lui reconnaît aucune autonomie, aucune habileté à prendre des décisions, à agir. Il est tout entier sous la dépendance des adultes, qui le voient à la lumière de leur réalité et qui le plient aux valeurs qu'ils prônent. Selon cette perspective, l'enfant est un être qu'il faut « dompter », tel un animal ; perçu comme un adulte en devenir, il n'a aucune identité propre.

Au XVIIIe siècle, Rousseau changera cette vision en reconnaissant l'enfance en tant que réalité concrète attachée à des valeurs particulières qui la distinguent de l'adolescence et de l'âge adulte. Selon Rousseau, l'être humain est naturellement bon, et l'enfant possède en lui un fonds de principes et de bonnes dispositions dont l'a doté la nature. De ce fait, l'éducation ne doit pas viser à façonner l'enfant à l'image de l'adulte, mais bien chercher à lui faire tirer profit de ses talents innés. À partir de cette période, l'enfant prend une nouvelle importance, tant sur le plan moral que sur le plan social.

Aujourd'hui, l'enfant est vu comme un être à part entière appelé à grandir et à se développer, un être qui possède son identité propre et qu'il importe de respecter.

Cette façon proprement occidentale de considérer l'enfant découle pour une bonne part de l'amélioration générale des conditions de vie qui a fait en sorte qu'on a pu lui accorder plus d'attention. C'est du moins ce qui ressort des études historiques concernant l'évolution de l'enfant dans la société, évolution qui se rattache nettement à une meilleure qualité de vie. Le survol historique qui suit montre les changements qui ont touché, au fil du temps, le statut de l'enfant, et dont une des conséquences pédagogiques réside dans l'émergence du besoin de créer des maternelles pour favoriser son développement.

5.2.2 Un survol historique

Jusqu'au XVIIIe siècle, peu d'enfants atteignent l'âge de cinq ans. À cette époque, une combinaison de facteurs, dont les conditions d'accouchement, le grand nombre de maladies infectieuses ainsi que le haut taux d'abandon à la naissance, diminue de beaucoup les chances de survie des nouveaunés. Pour le protéger du froid et assurer la tranquillité de la nourrice, l'enfant est emmailloté des épaules aux pieds de manière qu'il ne puisse bouger. Lorsqu'ils quittent les langes, garçons et filles ne peuvent être différenciés sur le critère de l'habillement. En effet, jusqu'à quatre ou cinq ans, les garçons, assimilés aux filles, sont vêtus d'une robe. La précarité de leur survie et le peu de considération accordée par l'Église effacent tout besoin de les distinguer.

Au XVIIIe siècle, la situation s'améliore à la suite de la publication, en 1762, d'*Émile* de Rousseau, qui envisage l'enfance dans une nouvelle perspective. On libère le corps des langes trop serrés, on encourage l'enfant à se mouvoir librement. En fait, cette époque voue à l'enfant un véritable culte. On intensifie les soins aux nourrissons, ce qui augmente leur taux de survie. La découverte de la vaccination contre la variole, en 1796, marque un tournant, les maladies perdant du terrain. Toutefois, ces pratiques ne touchent encore que les milieux aisés mieux informés et n'atteignent malheureusement pas les milieux populaires urbains ni les zones rurales.

À la fin du XVIIIe siècle s'amorce l'ère de l'industrialisation. Plusieurs mères travaillent et confient leurs enfants à une nourrice. Dans les campagnes, on continue à emmailloter les nourrissons et à les garder immobiles. Plus tard, les jeunes enfants se retrouvent nombreux à travailler dans les usines. Plusieurs sont d'avis que l'enfance a été exploitée comme jamais à cette époque.

Le XIXe siècle est caractérisé par l'intervention de plus en plus grande de l'État dans la vie des familles et dans l'existence des enfants. On reconnaît l'enfant comme être social ; dès lors, il n'est plus un être appartenant exclusivement à la famille. L'influence rousseauiste persistante entraîne une valorisation de l'enfant, ce qui amène des pratiques différentes. Entre autres, des chercheurs (Egger, 1870 ; Darwin, 1877 ; Pollock, 1878) observent les comportements des enfants afin de déceler les progrès qu'ils accomplissent et ainsi de mieux comprendre les difficultés qu'ils éprouvent. Cette époque voit naître une nouvelle société dans laquelle l'enfant se démarque à travers une littérature et des jeux éducatifs qui lui sont propres.

Au même moment, dans le contexte d'une industrialisation en plein essor, on fait preuve d'une dureté extrême à l'égard des enfants démunis, dont on exploite le travail dans les usines et dans les mines. Les enfants handicapés sont cachés afin de protéger l'image de la famille. Ils révèlent une tare qui, dans la mentalité judéo-chrétienne, correspond à une punition divine. Par exemple, un enfant épileptique est ni plus ni moins considéré comme « un enfant possédé du diable ».

Le XXe siècle correspond au *siècle de l'enfance.* Jusqu'alors oublié ou adulé, l'enfant se voit attribuer des caractéristiques particulières reliées à une certaine authenticité qui découle de sa spontanéité dans sa liberté d'action. La protection qu'il faut lui accorder repose moins sur sa vulnérabilité que sur une volonté de lui permettre de vivre pleinement son enfance. C'est dans cette perspective que, en 1959, l'Organisation des Nations unies adopte la Déclaration des droits de l'enfant, « afin qu'il ait une enfance heureuse et bénéficie, dans son intérêt comme dans l'intérêt de la société, des droits et libertés qui y sont énoncés ». Deux des considérants que contient cette déclaration sont particulièrement révélateurs des motifs qui la fondent :

> Considérant que l'enfant, en raison de son manque de maturité physique et intellectuelle, a besoin d'une protection spéciale et de soins spéciaux, notamment d'une protection juridique appropriée, avant comme après la naissance,
>
> [...]
>
> Considérant que l'humanité se doit de donner à l'enfant le meilleur d'elle-même...

L'Assemblée générale de l'Organisation des Nations unies pose 10 principes, qu'on peut résumer ainsi :

1. L'enfant doit jouir de tous les droits énoncés dans la Déclaration.
2. L'enfant doit bénéficier d'une protection spéciale pour qu'il puisse se développer d'une façon saine et normale sur les plans physique, intellectuel, moral, spirituel et social, dans des conditions de liberté et de dignité.
3. L'enfant a droit, dès sa naissance, à un nom et à une nationalité.

4. L'enfant a droit à la sécurité sociale ainsi qu'à l'alimentation, au logement, aux loisirs et aux soins médicaux adéquats.

5. L'enfant désavantagé doit recevoir le traitement, l'éducation et les soins spéciaux que nécessite son état ou sa situation.

6. L'enfant doit, autant que possible, grandir sous la sauvegarde et sous la responsabilité de ses parents. L'enfant en bas âge ne doit pas, sauf circonstances exceptionnelles, être séparé de sa mère.

7. L'enfant a droit à une éducation qui doit être gratuite et obligatoire au moins aux niveaux élémentaires. La société doit favoriser la jouissance de son droit à se livrer à des jeux et à des activités récréatives.

8. L'enfant doit toujours être parmi les premiers à recevoir protection et secours.

9. L'enfant doit être protégé contre toute forme de négligence, de cruauté et d'exploitation. Il ne doit pas être soumis à la traite, sous quelque forme que ce soit. Il ne doit pas être admis à l'emploi avant d'avoir atteint un âge minimum approprié.

10. L'enfant doit être protégé contre les pratiques qui peuvent pousser à la discrimination. Il doit être élevé dans un esprit de compréhension, de tolérance, d'amitié entre les peuples, de paix et de fraternité universelle, et dans le sentiment qu'il lui appartient de consacrer son énergie et ses talents au service de ses semblables.

Dans la seconde moitié du XIXe siècle, les découvertes de Pasteur ont aussi influé sur la place accordée à l'enfant. En effet, grâce à lui, l'asepsie fait d'énormes progrès, ce qui a pour résultat une diminution du taux de mortalité infantile. Après la Seconde Guerre mondiale, l'idée d'une jeunesse qui prolonge l'enfance se fait jour.

En effet, auparavant, on sortait très tôt de l'enfance pour se donner directement une identité de jeune travailleur dans le monde socio-économique adulte. Désormais, l'adolescent peut s'attarder dans un univers qui lui est propre, où il peut même être désœuvré. Ainsi, l'appellation *jeune* remplace fréquemment le mot *enfant*.

Cette évolution allant de l'enfance à la jeunesse s'harmonise bien avec l'allongement de l'espérance de vie. Ce dernier progrès fait en sorte que la maternité survient souvent plus tardivement qu'autrefois dans la vie de la femme. Par conséquent, l'enfant est de plus en plus attendu et désiré, avec tout ce que cela entraîne de préparatifs, d'espérance et de satisfaction le jour de sa naissance.

L'importance accordée à chaque enfant lui donne un statut très spécial qui se traduit par l'augmentation du nombre d'enfants uniques. L'enfant devient le centre d'intérêt de ses parents, qui misent beaucoup sur lui, allant parfois jusqu'à le vouloir parfait. En contrepartie, tout lui semble possible, permis, d'où l'émergence de l'enfant-roi.

Dans la société en général, l'enfant est choyé, entouré, sollicité de multiples manières; des produits et des services sont conçus expressément pour lui. En 1979, on lui consacre l'Année internationale de l'enfance, dont l'objectif premier est l'amélioration des conditions de vie des enfants dans le monde entier. La pauvreté, les maladies, la faim, les conditions sanitaires sont autant de facteurs sur lesquels la population et les associations humanitaires sont appelées à réfléchir.

Au Québec, comme dans bien d'autres pays industrialisés, l'enfant a un pouvoir économique accru au sein de la société de consommation. Il subit la pression de groupes qui vont jusqu'à se substituer aux parents. La vie de l'enfant se trouve largement influencée par la science et la technologie, par exemple la radio, la télévision et l'ordinateur. De plus, les parents, prenant conscience du fait que leur petit apprend rapidement et qu'il peut acquérir des connaissances assez aisément, désirent lui offrir toutes les chances de réussite. C'est ainsi qu'on assiste souvent, de façon de plus en plus précoce, à l'inscription de l'enfant à des cours d'initiation dans toutes sortes de disciplines sportives ou artistiques. La performance et la compétition prédominent et font oublier que l'enfant peut agir et se développer sans objectifs prédéterminés.

On ne peut passer sous silence le foisonnement de projets en éducation préscolaire qui ont cours depuis quelques décennies et, plus précisément, depuis l'adoption du programme officiel d'éducation préscolaire en 1981. En effet, les projets pour les jeunes enfants se sont multipliés dans les classes. À ce propos, la *Revue préscolaire* publiée par l'Association d'éducation préscolaire du Québec (AEPQ) mentionne plusieurs activités mises en place dans les classes maternelles, qui servent d'inspiration à d'autres projets, voire à des recherches de maîtrise et de doctorat. Pour n'en citer que quelques-unes: la coopération en classe, le livre comme objet culturel (littérature jeunesse), les mathématiques dans la vie quotidienne, l'intégration scolaire, la prévention, les intelligences multiples, l'intelligence émotionnelle, le développement socio-affectif (émotion, empathie, etc.), les partenariats, l'entrée progressive à la maternelle, la pédagogie de projet, le jeu, la diversité linguistique, l'émergence de l'écrit, l'estime de soi, l'intégration des garçons, etc.

Bref, si l'on se réfère à notre point de départ, on constate que la situation de l'enfant dans la société a grandement évolué. Ce progrès est en relation avec les transformations que connaissent la famille et la société dans son ensemble. De l'enfant dont l'être même est presque ignoré à l'enfant-roi, en passant par l'enfant comme main-d'œuvre à bon marché qu'on peut exploiter, la conception de l'enfant et, corollairement, la façon dont la société le traite ont bien changé à travers les siècles. De nos jours, l'enfant a une grande importance en tant qu'individu singulier, et le bien-être de chacun de même que son plein épanouissement sont au centre des préoccupations sociales. D'un point de vue éducationnel, et considérant que le développement de la personne n'est jamais accompli une fois pour toutes, l'œil inquisiteur et les attitudes bienveillantes de l'adulte sont des atouts indispensables pour aider l'enfant à s'engager à petits pas dans des avenues qui lui conviennent. De ce fait, dans un esprit contemporain, il est essentiel pour l'éducatrice de la maternelle de connaître les caractéristiques de l'ensemble des enfants âgés de quatre à six ans, mais aussi d'être en mesure d'apprécier les caractéristiques de l'enfant considéré individuellement. Cela signifie qu'elle doit favoriser son développement global, qui est défini, selon le Référentiel réalisé par la table régionale de l'éducation préscolaire (2006, p. 5), comme «une approche de l'enseignement qui postule que l'enfant perçoit toute nouvelle connaissance avec la totalité de son être. Les potentialités sont les ressources en puissance d'un individu». Ces potentialités touchent ce qu'il est en mesure de faire maintenant en vue d'actions futures plus complexes.

Résumé

De l'être ignoré à l'être adulé, l'enfant connaît, à travers les siècles, une évolution marquée de son statut, modulée autant par les contextes socio-économiques que par les découvertes scientifiques.

Dans une perspective pédagogique, l'éducatrice de la classe maternelle ne doit pas perdre de vue cette évolution. La position actuelle veut qu'elle concentre son attention sur l'être individuel dont elle favorisera le développement en vue de le rendre apte à prendre des décisions et à assumer des responsabilités.

Questions

1. Nommez les angles ou les perspectives selon lesquels l'enfant peut être défini.

2. Parmi les différentes représentations de l'enfant, qu'est-ce qui distingue la perspective éducationnelle de la perspective psychologique et de la perspective juridique ?

3. Quel est le pivot du développement de l'enfant selon l'idéologie progressiviste ?

Mise en situation

Le droit de l'enfant à l'enfance

Vous faites partie d'un comité voué à la défense du droit à l'enfance. Vous trouvez que, trop souvent dans notre société, l'enfant est bousculé et qu'on organise tous ses temps libres, ce qui l'empêche de vivre pleinement son enfance.

Pistes d'exploration

– Que signifie pour vous la période de l'enfance ?

– Qu'entendez-vous par l'expression *vivre pleinement son enfance* ?

– Essayez de construire, pour un enfant qui fréquente la maternelle et le service de garde, l'horaire d'une journée de la semaine et d'une journée de la fin de semaine, en y incluant des activités sociales ou artistiques organisées.

Présentation

Vous avez à présenter les actions que pourraient entreprendre les parents, les éducateurs et les enseignants afin de permettre à l'enfant de vivre pleinement son enfance. Les moyens que vous pouvez utiliser sont la table ronde, le jeu de rôle, la conférence, ou tout autre moyen qui vous semble pertinent.

Lectures suggérées

ARIÈS, P. (1973). *L'enfant et la vie familiale sous l'Ancien Régime,* Paris, Plon.

BECCHI, E., et D. JULIA (dir.). (1998). *Histoire de l'enfance en Occident,* Paris, Seuil.

HURTIG, M., et J.-A. RONDAL (dir.). (1980). *Introduction à la psychologie de l'enfant,* 3e éd., Bruxelles, Pierre Mardaga éditeur, t. 1.

TROISIÈME PARTIE
Les pratiques en éducation préscolaire

CHAPITRE 6

L'enfant et la relation pédagogique

Objectifs

Au terme de ce chapitre, le lecteur devrait pouvoir :

- distinguer les différentes perceptions de l'enfant de cinq ans ;

- comprendre les valeurs associées à l'enfant de cinq ans selon le *Programme d'éducation préscolaire* du ministère de l'Éducation du Québec (1981) ;

- décrire les principales caractéristiques de l'enfant de la maternelle ;

- comprendre les différences entre les comportements des filles et ceux des garçons de la maternelle ;

- identifier certains facteurs de risque chez les enfants de la maternelle ;

- indiquer ce qui différencie les enfants de quatre, cinq et six ans quant à la connaissance de soi, à la relation avec les autres et à l'interaction avec l'environnement.

*D*ans ce chapitre, nous traiterons de l'enfant comme sujet de la relation pédagogique. Nous présenterons les diverses perceptions de l'éducatrice envers l'enfant et aborderons les valeurs associées à l'enfant en tant que sujet dans le *Programme d'éducation préscolaire* publié par le ministère de l'Éducation du Québec (MEQ) en 1981. Par la suite, nous ferons état des comportements observables de l'enfant de quatre, cinq et six ans en fonction des trois objectifs du programme de 1981, lesquels ont été reconduits dans le programme du MEQ de 1997 et ont ensuite structuré le contenu du programme de 2001 dans la perspective du développement des compétences. Nous examinerons aussi les caractéristiques de l'enfant de cinq ans en considérant s'il est un garçon ou une fille et s'il présente des défis particuliers.

6.1 L'ENFANT DE LA MATERNELLE

Quand vient le temps de concevoir des pratiques pour la classe maternelle, les perceptions individuelles relativement au développement de l'enfant de cinq ans et au rôle de l'éducatrice dans l'évolution de celui-ci ont leur importance. Ainsi, le type de relation pédagogique valorisé est un facteur qui intervient dans l'établissement d'un climat harmonieux dans la classe.

La perception qu'a l'éducatrice du développement d'un enfant se reflète dans sa conception de l'apprentissage et de l'enseignement. Rappelons ici que l'enfant de cinq ans se situe à la porte d'entrée du système scolaire, donc à la veille de devenir un élève. Cette situation de l'enfant qui se trouve en quelque sorte *entre deux mondes* pourrait bien expliquer l'existence de certaines représentations concernant cet enfant, à savoir si on le considère comme un bébé, comme un enfant, comme un écolier ou encore comme un élève. Chose certaine, toutefois, il réagit différemment selon qu'il est un garçon ou une fille et selon qu'il présente des difficultés qui entraîneront pour lui des défis particuliers à relever.

6.1.1 L'enfant de la maternelle est un bébé

Considérer l'enfant de la maternelle comme un bébé suppose une certaine forme de maternage. Il en découle une attention particulière qui se manifeste par des gestes affectueux à l'endroit de l'enfant, tels que le prendre, le caresser, le chouchouter ou, de façon plus globale, *en prendre soin.*

Si cette attitude persiste à la maternelle sans ajustements graduels, on risque de créer des lacunes importantes au regard de la prise en charge de l'enfant par lui-même, ce qui l'empêchera de tenter de combler lui-même ses propres besoins. Or, apprendre à se débrouiller tout seul est un facteur essentiel à l'acquisition de l'autonomie. Restreindre cet apprentissage nuit à la quête d'identité de l'enfant, ce qui, inévitablement, se répercutera sur sa confiance en lui et, en définitive, sur son estime de soi.

6.1.2 L'enfant de la maternelle est un enfant

Considérer l'enfant de la maternelle comme un enfant suppose d'emblée qu'on accepte son besoin de bouger. Ce besoin, signe d'énergie vitale, l'incite à aller et venir, sans nécessairement savoir pourquoi. Par sa nature, l'enfant aime fureter, faire des essais, se tromper, recommencer, imiter des gestes, tout en sachant que l'adulte le regarde et l'encourage dans cette liberté d'action. Avec le temps, la répétition des actions l'amènera à se connaître lui-même, à se reconnaître parmi les autres et à se réaliser.

Contrarier ce besoin d'agir peut nuire aux relations de l'enfant avec ses pairs et entraver ainsi sa socialisation.

6.1.3 L'enfant de la maternelle est un écolier

Voir l'enfant de la maternelle comme un écolier, c'est avoir en tête le tracé d'un parcours scolaire dont la maternelle serait la première étape. Ne pas admettre l'importance de cette phase initiale, qui somme toute s'avère cruciale dans le développement de l'enfant, pourrait influer sur sa réussite scolaire actuelle et future.

En effet, traiter l'enfant en tant qu'écolier suppose qu'on reconnaît qu'il est capable d'accomplir des tâches dans sa classe, de prendre des décisions et de s'acquitter des responsabilités qui lui incombent par rapport à l'environnement scolaire. Faire obstacle à cette démarche est susceptible de l'empêcher de se prendre en charge et de nuire à la recherche de son identité personnelle.

6.1.4 L'enfant de la maternelle est un élève

Considérer l'enfant de la maternelle comme un élève implique une intervention qui vise à amener l'enfant à des exercices suivis d'apprentissage en lecture, en écriture et en calcul. Cela signifie que l'élève réalise des travaux ponctuels selon un ordre établi et dans une discipline donnée. Par exemple, le cahier d'exercices lui permet de réaliser des choses sans qu'il ait nécessairement recours à l'adulte. L'élève réussit seul certains apprentissages simples qui le conduiront graduellement à d'autres, plus complexes, tout en faisant ses preuves par rapport à ses pairs.

6.1.5 L'enfant de la maternelle est un garçon

La recherche (Conseil supérieur de l'éducation, 1999) montre que l'écart de réussite entre le garçon et la fille n'est pas nécessairement lié au potentiel intellectuel mais plutôt à l'intérêt, à la motivation et aux influences sociales. Indéniablement, l'attitude des enseignantes, les stratégies d'enseignement et les modèles différents proposés aux garçons et aux filles jouent un rôle dans la réussite ou l'échec. En principe, comparés aux filles, les garçons ont des façons différentes de jouer et d'aborder la réalité. Par exemple, ils aiment se tirailler, se bagarrer, se rebeller, parler fort et montrer qu'ils sont des hommes et non des mauviettes. Cela fait sans doute partie de leur génétique mais aussi de l'héritage culturel. Ainsi, il leur arrive de vouloir établir un rapport de force avec l'enseignante pour montrer qu'ils sont fonceurs et n'acceptent pas de se plier à l'autorité féminine.

À la maternelle, les garçons sont attirés par des activités compétitives qui les amènent à prouver qu'ils peuvent faire les choses sans aide et qu'ils sont les plus forts. Ils aiment bouger, avoir du plaisir, laisser libre cours à leurs impulsions, relever des défis et remporter des victoires. Leurs comportements impulsifs, l'excitation, le refus de se plier aux demandes, l'exubérance, voire l'agressivité leur occasionnent souvent des punitions, des évaluations négatives ou encore les entraînent au bas de l'échelle d'un système d'émulation conçu pour contrôler les comportements dérangeants dans la classe. Tous ces éléments influent sur l'image que le garçon a de lui-même et cela se répercute indéniablement sur la vision que le parent peut avoir de son enfant. De fil en aiguille, son goût et sa motivation pour aller à l'école diminuent au profit d'une sous-estime de lui-même qui alimente l'idée qu'il est médiocre et incapable de réussir.

Devant ce constat, on peut se questionner sur les jeux offerts aux garçons à la maternelle. Il y a une trentaine d'années, on pouvait observer des espaces réservés aux sacs de sable ou ballons à frapper avec des gants de boxe, aux gros blocs, aux camions bruyants, etc. Malheureusement, dans le souci de contrer la violence chez les jeunes, on élimine de plus en plus les jeux qui excitent et énervent en faveur d'activités plus calmes qui obligent à rester assis et à respecter des consignes clairement établies. On va même jusqu'à réserver des places attitrées aux enfants afin d'empêcher les garçons de s'asseoir côte à côte, sous prétexte qu'ils perturbent la discipline de la classe.

6.1.6 L'enfant de la maternelle est une fille

De toute évidence, la fille diffère du garçon autant par ses traits physiques et psychologiques que par sa réceptivité et ses façons d'aborder la réalité. Les traits délicats, les gestes raffinés, le regard empathique et l'approche affectueuse de la fille incitent l'enseignante à avoir une attitude réceptive envers elle. Il se produit alors un sentiment d'attachement qui rehausse l'estime de soi de l'enfant, sa confiance en elle-même et sa motivation à faire plaisir. Habituellement, les comportements de la fille sont plus calmes et tranquilles. Elle aime prendre des responsabilités et elle s'acquitte bien des tâches qui lui sont confiées. En général, les filles sont plus performantes dans le travail intellectuel que les garçons par le fait qu'elles sont plus attentives tout en répondant davantage aux exigences demandées.

À la maternelle, lors des jeux libres, les filles choisissent souvent le coin de poupées, où elles adoptent les comportements de la mère. Elles imitent ses faits et gestes et entourent leurs *bébés* de tendresse. Elles les embrassent, les bordent, leur prodiguent les soins nécessaires en imitant les actions de leur maman. Si le garçon choisit le coin de poupées, il devra se plier aux ordres de la fille, respecter son rôle de papa et surtout éviter de créer la zizanie. Les filles sont aussi attirées par les jeux d'attention et de créativité comme les bricolages, les dessins, les marionnettes. Elles sont soucieuses de bien se comporter pour faire plaisir à l'enseignante. En l'occurrence, elles rangent correctement leur matériel et aident leurs camarades au besoin. Elles évitent les gestes violents et se plaignent des attaques ou des brutalités plutôt que de se défendre et de contre-attaquer.

Sur le plan intellectuel, les filles aiment performer et trouver les réponses. Elles sont même offusquées si elles ne sont pas les meilleures. Elles se réjouissent lorsqu'elles reçoivent une évaluation positive et vont jusqu'à bouder si elle s'avère négative. En général, ces attitudes propres aux filles ne sont pas exclusives au préscolaire, car elles ont souvent commencé en garderie pour se poursuivre en maternelle et se renforcer au primaire.

6.1.7 L'élève à défis particuliers

Dès sa rentrée à la maternelle, l'observation amène l'enseignante à identifier les enfants qui présentent des difficultés d'adaptation et d'apprentissage, donc ceux qui auront des défis particuliers à relever en vue d'atteindre les compétences attendues à la fin de leur maternelle. Qui dit difficulté dit aussi retard scolaire. Comme l'enfant de la maternelle est au premier échelon du système scolaire, il ne devrait pas présenter des retards scolaires. Néanmoins, plusieurs enfants arrivent à la maternelle avec des écarts importants dans leur développement affectif, psychomoteur, social et cognitif, ce qui occasionne des retards dans leurs apprentissages. Par exemple, un enfant mal aimé manquera de la confiance nécessaire pour explorer et découvrir le monde qui l'entoure ; un enfant qui a peu manipulé les objets présentera des difficultés en motricité fine, donc des difficultés à tenir un crayon, à manipuler des ciseaux, à s'habiller seul ; un enfant qui s'est peu mêlé à des pairs aura de la difficulté à s'adapter aux autres, à partager et à jouer avec ses camarades ; un enfant peu stimulé par le milieu, par exemple un enfant laissé de longues heures sans accompagnement, devant le téléviseur, pourrait avoir de la difficulté sur le plan intellectuel.

Les trois objectifs du programme d'éducation préscolaire (1981) permettent d'organiser dans un tout cohérent les principales difficultés que peut éprouver l'enfant au préscolaire. Il s'agit, premièrement, d'*apprendre à se connaître soi-même,* un objectif qui s'intéresse de près au développement personnel. Le deuxième objectif touche à la socialisation : *apprendre à entrer en relation avec les autres.* Finalement, *apprendre à interagir avec l'environnement* concerne l'interaction de l'enfant avec le milieu. Reprenons ces idées en relation avec l'enfant à défis particuliers.

Le développement personnel est d'abord lié à l'hérédité de l'être. D'entrée de jeu, l'héritage biologique ou génétique joue un rôle déterminant dans les fonctions vitales. Sans vouloir ouvrir un débat sur la survie de l'organisme, on peut dire que l'individu qui présente des défaillances organiques se trouve affligé de manques sur le plan de l'apprentissage. On doit également tenir compte de l'acceptation de l'être dès sa conception et de la qualité de l'attachement qu'on lui porte. Ces deux facteurs ont un impact majeur sur le développement, la prise en charge personnelle, la confiance en soi et l'estime de soi. De prime abord, les enfants rejetés et ceux qui subissent de la violence verbale, physique ou psychologique sont plus enclins à reproduire des comportements agressifs (Hébert, 1991 ; Viemerö, 1996). De plus, la discipline permissive, sévère ou protectrice influe également sur les comportements de l'enfant, qui se traduisent fréquemment à la maternelle par de l'*hyperactivité* et de l'*agressivité.* Que signifient ces deux mots dans le contexte du milieu éducatif ?

D'une part, l'hyperactivité se caractérise par des débordements d'énergie, de l'impulsivité et une motricité fébrile qui diminuent l'attention de l'enfant. Les manifestations qui s'ensuivent sont la bougeotte constante, l'incapacité à demeurer assis et à respecter les consignes. Souvent, l'enseignante devra asseoir à côté d'elle l'enfant hyperactif pour s'assurer qu'il ne dérange pas les autres ou encore elle essayera de trouver des stratégies pour le maintenir assis et à l'écoute comme lui caresser le dos, lui faire des massages, etc. Signalons que le *Plan d'action : Agir ensemble pour mieux soutenir les jeunes* (2000), publié par le gouvernement du Québec, mentionne que les garçons présentent dans une plus grande proportion que les filles le trouble du déficit d'attention avec ou sans hyperactivité (TDAH).

D'autre part, l'agressivité se caractérise par des comportements violents, hostiles, voire destructeurs, souvent en réaction à une frustration, d'où la nécessité d'une surveillance accrue de la part de l'adulte, car ces pulsions agressives peuvent survenir abruptement et sans raisons apparentes. De surcroît, le climat de la classe s'en trouve perturbé et parfois cela entraîne le rejet de l'enfant par ses camarades. S'installent alors le mépris, le manque de confiance, le désintérêt et la baisse de l'estime de soi. Donc, tout le développement s'en trouve touché à travers les difficultés à s'accepter soi-même, à se maîtriser, à être attentif, à respecter les camarades et les règles. Par ailleurs, les stratégies pour atténuer les comportements agressifs varient d'une enseignante à l'autre et selon les types d'enfants. Se servir d'un système d'émulation ou isoler l'enfant font partie des stratégies dont elle se servira pour inciter l'enfant à faire ce qui est demandé. Bien entendu, il sera toujours amené à réfléchir sur les conséquences de ses actions et parfois même à trouver les solutions aux problèmes qu'il a engendrés. Il faut dire que l'enfant qui ne connaît pas ses possibilités, ses forces et ses faiblesses est peu conscient de son identité, donc plus vulnérable et plus facilement manipulable.

La socialisation reste un aspect déterminant dans la vie de l'être humain afin de se construire comme individu unique et indépendant apte à entrer en communication avec autrui, que ce soit un des pairs ou des adultes qu'il côtoie. Plus l'enfant structure sa compréhension des événements par l'action, plus il est en mesure d'intégrer les situations et les relations sociales. Par ailleurs, les manifestations comportementales reliées à l'hyperactivité et à l'agressivité peuvent entacher les relations positives que l'enfant pourrait avoir avec son entourage. De plus, ces dernières années, l'enfant-roi pour qui tout est permis sans faire le moindre effort et l'enfant tyran qui harcèle ses camarades monopolisent l'attention dans les classes et exigent des interventions particulières de la part des adultes.

À la maternelle, les difficultés sur le plan social peuvent aussi être attribuées à un retard langagier. Malgré le fait que la majorité des enfants possèdent déjà une certaine aisance dans leur communication verbale à leur arrivée à la maternelle, cela n'empêche pas que certains ont beaucoup de peine à s'exprimer et évitent de formuler leurs idées de peur d'être rejetés, ridiculisés ou de recevoir des commentaires désobligeants de la part de leurs camarades à propos de leur langage peu développé. En fait, il faut prendre le temps de bien cerner le problème afin d'apporter l'aide requise, et ce, avec des spécialistes en orthophonie au besoin. L'important est d'amener graduellement l'enfant à faire face à ses difficultés et à trouver des solutions. Selon le type d'enfant, divers moyens peuvent être mis en œuvre : le jumelage avec un pair, le retrait dans un espace réservé à la réflexion (surtout pas un coin pénitence), l'utilisation du bâton de la parole, qui identifie l'enfant qui s'exprime par rapport à ceux qui écoutent, la discussion sur le thème des sentiments (agréables, désagréables et ambivalents), l'écoute d'une histoire adaptée à une situation particulière, la valorisation des comportements adéquats, les contacts empathiques avec l'enfant (une caresse, un regard appréciatif), etc.

L'interaction avec le milieu concerne l'environnement, c'est-à-dire le milieu socio-économique dans lequel vit l'enfant. Ce milieu est quelquefois marqué par des conditions d'existence difficiles incluant le manque d'emploi, le logement inadéquat, les difficultés financières et la pauvreté, l'absence de soutien et l'incapacité des parents à assumer leur rôle. Ce sont autant de facteurs qui se répercutent sur le développement de l'enfant et sa réussite scolaire. L'environnement dans lequel baigne l'enfant est évidemment celui de la famille mais aussi celui de la garderie. D'emblée, plusieurs études font ressortir des facteurs à retenir lorsqu'il est question de la qualité des services de garde : le nombre d'enfants dans chacun des groupes, l'attitude des éducatrices, la stabilité et la formation du personnel, les normes de sécurité, les jeux éducatifs, le programme d'activités, l'organisation du milieu, l'observation de l'enfant, la rétroaction avec le parent. Pour sa part, la classe maternelle se trouve à mi-chemin entre les activités de jeux et les activités dites plus scolaires. L'enfant apprivoise graduellement un environnement d'objets réels à travers les jeux pour alimenter un désir d'apprentissage plus abstrait qui l'amène à intégrer des concepts qui touchent la lecture, l'écriture, les mathématiques, etc. Encore là, il faut trouver les bonnes stratégies pour amener l'enfant à s'immiscer graduellement dans cet univers plus abstrait. Évidemment, le jeu reste l'élément clé pour pénétrer cet univers.

Le manque de ressources, dans les écoles, pour intervenir auprès des jeunes présentant un déficit de l'attention avec ou sans hyperactivité (TDAH) et auprès des enfants agressifs est souvent évoqué dans les médias, par les organismes et par les enseignants. Quelquefois, il est difficile de reconnaître ces troubles et d'intervenir efficacement auprès de la clientèle visée. Les délais sont parfois longs avant d'obtenir de l'aide, surtout si l'enfant n'a jamais été identifié comme tel. La solution ne réside pas uniquement dans l'aide d'intervenants spécialisés extérieurs, mais aussi dans la formation du personnel qui œuvre quotidiennement et régulièrement auprès de ces jeunes. Encore là, il faudra s'assurer d'établir un consensus entre les agents de leur éducation : la famille, l'école, le réseau de la santé et les services sociaux.

Dans le plan stratégique 2005-2008 du ministère de l'Éducation, du Loisir et du Sport, il est prévu que l'on poursuive jusqu'en 2008 la mise en œuvre du plan d'action en matière d'intégration scolaire et d'éducation interculturelle afin d'en faire le bilan. Cela signifie que les moyens mis en place pour intégrer des enfants en difficulté devront se poursuivre dans l'optique d'une plus grande réussite pour tous.

Cette revue de certaines des représentations de l'enfant de la maternelle met en évidence la façon dont chacune peut influer sur la démarche pédagogique. Mais au-delà de ces représentations, il faut encore que l'enfant lui-même soit prêt à affronter les nouveaux rôles qui lui sont attribués. En effet, peu importent les diverses conceptions de l'enfant en tant que sujet, celui-ci demeure le centre de la situation pédagogique. La finalité incontournable de toute situation pédagogique est le développement harmonieux et intégral de l'enfant. À cet effet, le *Programme d'éducation préscolaire* (Ministère de l'Éducation du Québec, 1981b, p. 9) a énoncé, dans ses principes fondamentaux, les valeurs suivantes associées à l'enfant en tant que sujet.

- La personne, quel que soit son âge, est digne de respect.

- L'enfant est un ensemble unique d'éléments avec des besoins, des qualités, des moyens, des approches qui lui sont propres.

- La richesse d'une collectivité réside dans la multiplicité des diversités et dans l'unicité des individus qui la composent.

- La personne est plus que la somme de ses constituantes physiques, psychologiques, intellectuelles, sociales et spirituelles.

- L'enfant est une personne engagée dans un processus de développement ; cette croissance est orientée par son milieu et tend à être harmonieuse.

- La maturité est le résultat d'un processus qui s'étale dans le temps et qui est toujours perfectible.

- L'être humain jouit d'une tendance innée à connaître, à apprendre et à comprendre.

- L'enfant a un dynamisme interne qui le pousse à chercher ce dont il a besoin.

- L'enfant a besoin d'être nourri et stimulé ; il a besoin d'aide, de support et d'exemples.

- L'enfant de quatre et cinq ans est capable de gestes autonomes; il est le premier agent de son développement.

- La connaissance est plus que l'acquisition de connaissances: elle est le résultat d'une interaction active et intégrée de l'individu et de l'environnement.

- Chaque enfant a droit à ses expériences: réinventer le monde est une nécessité de croissance.

- Les différentes dimensions de la personne sont en relation dynamique.

- Le développement de la personne n'est pas nécessairement assuré par des interventions *hermétiques* sur chacun des éléments de l'être humain.

- La personne a besoin, pour mieux se réaliser, d'une qualité et d'un mode de vie satisfaisants.

- Les parents sont les premiers éducateurs de leurs enfants; la connaissance qu'ils ont de leurs enfants est un complément essentiel à l'agir en milieu scolaire.

- L'enfant est un être essentiellement social.

- L'enfant est essentiellement ludique; le jeu est un mode d'apprentissage privilégié.

- Enfin, à la maternelle, «il ne s'agit pas d'une préparation immédiate à la première année du primaire, mais bien d'un cheminement précédant des apprentissages formels».

Toujours pertinentes, ces valeurs ont été reprises dans les programmes actuels.

6.2 LES COMPORTEMENTS OBSERVABLES DE L'ENFANT D'ÂGE PRÉSCOLAIRE

Le tableau 6.1 énumère les comportements observables chez l'enfant d'âge préscolaire, soit l'enfant de quatre, cinq et six ans, en relation avec les trois objectifs généraux du *Programme d'éducation préscolaire* (Ministère de l'Éducation du Québec, 1981b), objectifs qui concernent:

1. la connaissance de soi;

2. les relations avec les autres;

3. l'interaction avec l'environnement.

Dans le programme qu'il publiait en 1997, le MEQ reprenait ces objectifs, en y ajoutant, dans la première catégorie, «apprendre à s'estimer». Le programme approuvé de 2001 s'articule autour des mêmes dimensions, ce dont témoignent les «attentes à la fin du préscolaire».

Tableau 6.1 Les comportements observables de l'enfant d'âge préscolaire

CONNAISSANCE DE SOI

1. Découverte de son corps, de ses perceptions, de ses sentiments, de ses pensées

	4 ans	5 ans	6 ans
a) Distingue les principales parties de son corps.	• Dessine un bonhomme de façon incomplète. • Nomme et montre les principales parties du corps.	• Dessine un bonhomme de façon plus précise. • Nomme et montre les parties du corps sur soi, sur une autre personne ou sur une image.	• Dessine des personnages avec des vêtements. • Désigne la droite et la gauche sur soi.
b) Distingue les propriétés et les limites de son corps.	• Se distingue parmi les autres. • Expérimente les usages des différentes parties de son corps (main = toucher ; pied = marcher...).	• Nomme les particularités qui le distinguent des autres. • Détend différentes parties de son corps sur demande (bras, jambes...).	• Utilise les particularités (les forces et les faiblesses) qui le distinguent des autres.
c) Détermine ses goûts.	• Établit ses goûts en expérimentant (l'odorat, le goûter, le toucher, l'ouïe, la vue).	• Distingue ses goûts et fait des choix.	• Discute de ses goûts en relation avec ceux des autres.
d) Reconnaît ses besoins.	• Demande de l'aide lors d'une activité.	• Choisit le matériel requis pour réaliser une activité • Prend ou demande ce matériel.	• Propose des activités et les réalise.

2. Habileté à répondre à ses propres besoins

	4 ans	5 ans	6 ans
a) Détermine ses ressources.	• Nomme des habiletés qu'il possède ou voudrait posséder.	• Reconnaît et nomme certaines de ses habiletés.	• Démontre ses habiletés.
b) Exprime ce qu'il ressent et ce qu'il veut.	• Exprime spontanément ses sentiments. • Donne son opinion sur ses expériences.	• Utilise différents mécanismes pour exprimer ses sentiments. • Donne son opinion sur différents sujets.	• Exprime ses sentiments et en cherche occasionnellement la cause. • Manifeste de la sympathie.

2. Habileté à répondre à ses propres besoins (*suite*)

	4 ans	5 ans	6 ans
c) Exerce ses capacités personnelles.	• Utilise souvent le «je».	• Utilise le «je» • Distingue le «je» et le «tu».	• Maîtrise mieux l'emploi des pronoms.
	• S'habille et se déshabille seul (a besoin d'aide pour les boutons et les boucles).	• Choisit ses vêtements pour l'intérieur.	• Choisit ses vêtements selon la température et les activités.
	• Attache ses lacets (nœuds).	• Attache ses lacets (boucles). • Attache un vêtement muni d'une fermeture à glissière.	• Noue les cordons d'un capuchon puis fait une boucle.
	• Monte un escalier en respectant le mouvement alternatif des pieds.	• Monte et descend un escalier en respectant le mouvement alternatif des pieds.	
	• Emploie les ustensiles appropriés.	• Se sert sans aide des aliments placés sur la table. • Aide à dresser et à desservir la table.	• Prépare sa collation. • Se sert un bol de céréales.
	• Tient correctement le crayon (entre le pouce et l'index).	• Se sert d'un taille-crayon.	• Colorie en respectant les contours.
	• Exécute des dessins représentant des choses familières.	• Exécute des dessins représentant des choses simples.	• Exécute des dessins plus complexes.
	• Découpe en se servant de ciseaux.	• Découpe en suivant différentes lignes et différentes formes.	• Découpe des illustrations.
	• Attrape un ballon.	• Fait rebondir un ballon et l'attrape.	• Fait rebondir une balle et l'attrape. • Fait rebondir un ballon en marchant.

• • •

2. Habileté à répondre à ses propres besoins (*suite*)

	4 ans	5 ans	6 ans
c) Exerce ses capacités personnelles (*suite*).	• Pédale et contrôle la bicyclette avec roues d'appoint. • Reconnaît et évite les substances dangereuses. • Dit les prénoms et les noms de ses parents et de ses frères et sœurs.	• Se promène à bicyclette sans roues d'appoint. • Avertit s'il y a des situations dangereuses. • Connaît son adresse et son numéro de téléphone.	• Maîtrise sa bicyclette. • Effectue les choix qui s'imposent dans des situations dangereuses.

2. RELATIONS AVEC LES AUTRES

1. Éveil aux réalités sociales et culturelles

	4 ans	5 ans	6 ans
a) Observe les caractéristiques des individus. *b*) Compare les caractéristiques des autres avec les siennes.	• Reconnaît certains indices physiques (taille, poids, sexe...). • Développe des attitudes envers son sexe et l'autre sexe. • Reconnaît la présence d'enfants du même sexe ou de sexe opposé. • S'intéresse aux liens familiaux.	• Reconnaît certains indices émotifs (joie, tristesse...). • Observe et imite les adultes dans leurs rôles. • Se regroupe avec des enfants du même sexe. • Compare ce qu'il vit dans sa famille avec ce qu'il vit à l'école.	• Recherche les enfants du même sexe. • Élargit sa vision de la famille jusqu'aux groupes communautaires (école, paroisse, etc.).

2. Habileté à entrer en relation avec les autres

	4 ans	5 ans	6 ans
a) Apprend à respecter les règles du groupe.	• Reconnaît sa place parmi les autres.	• Prend sa place dans le groupe.	• Reconnaît et accepte la place des autres dans le groupe.

• • •

2. Habileté à entrer en relation avec les autres (*suite*)

	4 ans	5 ans	6 ans
a) Apprend à respecter les règles du groupe (*suite*).	• Partage une activité ou un jeu (jeu parallèle) avec un ou deux enfants de son âge.	• Organise des jeux avec d'autres enfants.	• Explique les règles du jeu à d'autres enfants.
	• Respecte les règles de jeux collectifs dirigés par des adultes ou par des enfants plus âgés.	• Respecte les règles de jeux collectifs dirigés par des enfants de son âge.	• Accepte de se tromper dans un jeu. • Accepte les erreurs des autres.
	• Avec l'aide de l'adulte, essaie de trouver des solutions à certains conflits.	• Avec l'aide de l'adulte, trouve une solution à un conflit.	• Trouve une solution à un conflit ou accepte de faire des compromis.
	• Accepte d'attendre son tour.	• Demande la parole.	• Écoute les autres en attendant son tour.
b) Est capable de collaboration.	• Range le matériel utilisé avec soutien verbal.	• Range le matériel utilisé à la suite d'une consigne.	• Prend et partage des responsabilités.
	• Partage ses jouets s'il y voit des avantages (gratifications...).	• Partage ses jouets sous forme d'échanges ou de prêts.	• Partage ses jouets avec une sélection d'enfants.
	• Manifeste de la timidité dans ses rapports avec les personnes qu'il ne fréquente pas régulièrement.	• Demande une courte période d'adaptation dans ses rapports avec les personnes qu'il ne fréquente pas régulièrement.	• Collabore dans ses rapports avec les personnes qu'il ne fréquente pas régulièrement.

INTERACTION AVEC L'ENVIRONNEMENT

1. Appropriation des renseignements significatifs

	4 ans	5 ans	6 ans
a) Reconnaît des ressemblances et des différences.	• Reproduit des bruits familiers.	• Reconnaît et nomme différents bruits.	

• • •

1. Appropriation des renseignements significatifs (*suite*)

	4 ans	5 ans	6 ans
a) Reconnaît des ressemblances et des différences (*suite*).	• Reconnaît les usages des objets familiers. • Classe différents objets.	• Reconnaît les usages de différents objets. • Classe différents objets selon une ou plusieurs propriétés.	• Établit des relations entre les objets. • Détermine les propriétés qui lui permettent de classer différents objets.
b) Utilise ses sens pour explorer ce qui l'entoure.	• Connaît le nom et l'utilité des parties de son corps reliées aux sens.	• Reconnaît l'utilité des sens.	• Établit des relations avec l'utilisation de ses sens.
c) Exprime des renseignements significatifs.	• Raconte une histoire simple. • Reconnaît et nomme de 5 à 10 couleurs.	• Invente une histoire à partir d'images. • Reconnaît et nomme de 10 à 12 couleurs.	• Invente une histoire réaliste ou farfelue. • Agence les couleurs.

2. Habileté à entrer en relation avec les autres

	4 ans	5 ans	6 ans
a) Ordonne son action en fonction de l'information.	• Réalise une activité planifiée par l'adulte. • Utilise correctement certains termes relatifs à l'espace (*sur, sous, en bas*). • S'interroge sur les soins à donner à une plante ou à un animal.	• Planifie et réalise une activité. • Utilise correctement certains termes relatifs au concept de temps (*hier, aujourd'hui, demain*). • Précise à quel moment de la journée certaines activités ont lieu. • Participe aux soins à donner à une plante ou à un animal.	• Exécute une activité sans surveillance constante. • Prépare ce dont il a besoin pour une activité spécifique en fonction de l'horaire.

Source : Ce tableau a été préparé par un comité composé de représentants de la Direction régionale du ministère de l'Éducation (région Bas-Saint-Laurent–Gaspésie, Îles-de-la-Madeleine) et des commissions scolaires de La Neigette, de la Vallée-de-la-Matapédia, de Grande-Hermine, de Rivière-du-Loup, de Témiscouata et de La Pocatière.

6.3 LES CARACTÉRISTIQUES DE L'ENFANT DE CINQ ANS

Généralement, avant cinq ans, l'enfant tend naturellement à aller d'une activité à une autre pour répondre à des besoins multiples plutôt qu'à maintenir son attention sur une activité précise. Il explore globalement les objets avant de découvrir leurs propriétés. Ainsi, il *manipule* les formes avant de comprendre leur unicité et leurs propriétés particulières. Par exemple, il touche un cube *quelconque* avant de le sentir *carré* et de l'utiliser comme tel.

L'enfant de la maternelle, quant à lui, utilise le matériel simple de manière appropriée. Mais encore faut-il que, à la maison ou à la garderie, on lui ait donné la possibilité de toucher et de manipuler ce matériel. Il peut reconnaître et identifier les figures simples comme le cercle, le carré, le triangle et le rectangle. Il éprouve parfois de la difficulté à différencier le tout des parties. Il fait appel à la pensée globale plutôt qu'à la pensée analytique. Cependant, peu à peu, l'enfant réussit à juxtaposer les éléments non reliés logiquement entre eux. Autre caractéristique, même s'il peut comparer deux objets entre eux, le concept de hiérarchie demeure très complexe pour lui.

Comme toute exploration entraîne une certaine évolution, l'enfant, par son agir, devient de plus en plus capable de se dissocier de l'*ici* et du *maintenant.* Il finit par se représenter mentalement des objets sans nécessairement devoir les manipuler. Dès lors, l'univers des non-objets, le monde abstrait, commence à exister pour lui. Par exemple, la couleur verte s'affirme directement, tandis que le « pas vert » doit être imaginé.

En principe, l'enfant de cinq ans, très concret, se situe dans une phase intuitive. Sans vouloir reprendre le discours « maturationnel », disons simplement que « cette étape est curieusement habitée de certitudes que l'enfant est incapable d'expliciter » (Brief, 1995, p. 78). De son point de vue, aucune justification n'est requise. Il ne vit que dans l'actuel, ce qui oblige l'éducatrice à recourir à des moyens concrets pour lui faire apprendre des notions, surtout en ce qui a trait à la compréhension des concepts de temps et d'espace, ainsi qu'à la façon générale d'aborder la réalité. On trouvera dans le tableau 6.2 diverses situations liées à la compréhension de ces concepts et des moyens pour faciliter l'apprentissage.

Tableau 6.2	Des moyens concrets pour favoriser la compréhension des concepts de temps et d'espace chez l'enfant de la maternelle

Situation	Moyen
1. L'enfant a de la difficulté à reconstituer l'ordre des événements (notions d'hier, d'aujourd'hui et de demain).	1. Expliquer le calendrier en décomposant la semaine en jours et indiquer une activité qui a eu lieu hier, qui a lieu aujourd'hui et qui aura lieu demain.
2. L'enfant ne comprend pas la notion de durée ou d'intervalle de temps.	2. Utiliser un sablier pour faire comprendre la durée d'une activité et une horloge pour situer les différentes activités d'une journée.
3. L'enfant a de la difficulté à se rappeler une suite de consignes.	3. En début d'année, annoncer *une* activité à la fois, par exemple : « Vous pouvez faire de la peinture. » Un peu plus tard dans l'année, on pourra annoncer *deux* activités à la fois, par exemple : « ... *ensuite,* vous pourrez aller prendre un jeu de table. » Et, progressivement, on pourra annoncer plusieurs activités pour donner une vue d'ensemble des activités de la journée. *Ou* Utiliser les cartes séquentielles illustrant chacune un événement appartenant à une suite, par exemple les cartes sur les étapes de la fabrication d'un bonhomme de neige.
4. L'enfant a de la difficulté à raconter une histoire selon son déroulement logique ; il est porté à en anticiper la fin.	4. D'abord demander à l'enfant de dessiner son histoire sur une feuille. Dans un deuxième temps, lui demander de décomposer son histoire en étapes à raison d'une page par étape. Finalement, la juxtaposition logique des séquences de l'histoire aboutit à la réalisation d'un livre que l'on pourra déposer au coin lecture.
5. L'enfant associe l'âge des individus à leur taille.	5. Vis-à-vis du nom de chaque enfant de la classe, inscrire sa date de naissance et indiquer sa taille. Identifier l'enfant le plus âgé et l'enfant le plus grand de manière à démontrer qu'être plus âgé ne signifie pas forcément être le plus grand.
6. L'enfant est égocentrique.	6. Amener l'enfant à reconnaître le fait qu'il existe d'autres points de vue que les siens et qu'ils sont tout aussi valables, par exemple le jeu préféré de chaque enfant.
7. L'enfant a de la difficulté à se représenter les choses.	7. Lui faire anticiper les résultats d'une expérience avant de la réaliser.

RÉSUMÉ

Dans ce chapitre, nous avons vu que l'enfant de la maternelle pouvait être perçu de façon différente par son éducatrice. Ainsi, l'enfant est perçu comme un *bébé* dont il faut prendre soin, comme un *enfant* qui profite de sa liberté pour répondre à son besoin d'agir, comme un *écolier* qui est capable d'assumer des responsabilités dans sa classe ou, enfin, comme un *élève* qui peut réaliser des exercices d'apprentissage en lecture, en écriture et en calcul. Toutefois, n'oublions pas qu'en raison de son sexe l'enfant réagit différemment aux événements. De même, celui qui présente des difficultés particulières aura des défis personnels à relever, ce qui nécessite parfois de l'aide extérieure.

Par la suite, nous avons passé en revue les valeurs associées à l'enfant qui sous-tendent le *Programme d'éducation préscolaire* du ministère de l'Éducation du Québec (1981b). Ces valeurs témoignent du fait que l'on considère l'enfant comme une personne digne de respect et comme premier agent de son développement.

Nous avons aussi accordé beaucoup d'importance à la gamme de comportements observables chez l'enfant de quatre, cinq et six ans. Cette recension de comportements nous a permis de voir comment l'enfant progresse dans sa connaissance de lui-même, dans ses relations avec les autres et dans ses interrelations avec l'environnement.

Enfin, nous avons présenté les caractéristiques de l'enfant de cinq ans, notamment en ce qui concerne sa compréhension des concepts de temps et d'espace.

Questions

1. Indiquez en quoi la représentation de l'enfant peut influer sur les interventions et les stratégies de l'éducatrice de maternelle.

2. Qu'est-ce qui, en principe, distingue un garçon d'une fille dans le contexte de la maternelle ?

3. Expliquez en vos mots trois des valeurs qui sous-tendent le *Programme d'éducation préscolaire* du MEQ.

4. Décrivez les principales caractéristiques de l'enfant de cinq ans.

Mise en situation

Claude à la maternelle

Claude est un enfant qui bouge sans arrêt dans la classe.

Pistes d'exploration

– Que signifie pour vous «bouger»?

– Qu'est-ce qu'un enfant de cinq ans?

– Est-il important de laisser Claude s'activer à la maternelle et pourquoi?

– Que ferez-vous pour amener Claude à s'asseoir calmement et à écouter les consignes?

– Quelles stratégies et interventions adopterez-vous pour aider Claude à prendre part aux activités que vous avez prévues?

Présentation

Vous avez à présenter votre façon de concevoir le besoin de bouger de l'enfant de la maternelle et à expliquer de quelle manière vous amènerez Claude à participer aux activités que vous avez planifiées. Les moyens que vous pouvez utiliser sont le jeu de rôle, la conférence, le conte ou tout autre moyen qui vous semble pertinent.

Lectures suggérées

BAULU-MACWILLIE, M., et R. SAMSON. (1990). *Apprendre... c'est un beau jeu,* Montréal, Éditions de la Chenelière.

DUCKWORTH, É. (1972). *Avoir des idées merveilleuses,* trad. par L. Lamartine et O. Bonnard, Genève, École de psychologie et des sciences de l'éducation.

HENDRICK, J. (1993). *L'enfant, une approche globale pour son développement,* trad. par C. Fontaine, Québec, Presses de l'Université du Québec.

MINISTÈRE DE L'ÉDUCATION DU QUÉBEC. (2001). *Programme de formation de l'école québécoise,* Québec, MEQ.

Lectures suggérées (*suite*)

PIAGET, J. (1936). *La naissance de l'intelligence chez l'enfant,* Neuchâtel, Delachaux et Niestlé.

ROYER, N. (dir.). (2004). *Le monde du préscolaire,* Boucherville, Gaëtan Morin Éditeur.

CHAPITRE 7

Le programme d'éducation préscolaire et le jeu

Objectifs

Au terme de ce chapitre, le lecteur devrait pouvoir :

- nommer les domaines généraux de formation et expliquer comment l'éducation préscolaire peut s'en soucier ;

- définir le concept de compétence transversale ;

- nommer et expliquer les six compétences auxquelles s'attache le programme d'éducation préscolaire ;

- expliquer pourquoi le jeu est vital en maternelle.

onçu par le ministère de l'Éducation du Québec (MEQ), le *Programme de formation de l'école québécoise* (2001) propose cinq domaines généraux de formation : santé et bien-être ; orientation et entrepreneuriat ; environnement et consommation ; médias ; vivre ensemble et citoyenneté. Ces domaines constituent la trame de fond où pourront se greffer les apprentissages qui orienteront les interventions éducatives. Il va de soi que ces domaines retiennent aussi l'attention lorsqu'il est question d'éducation préscolaire.

Il existe diverses façons de concevoir l'apprentissage. En fait, dans le milieu scolaire, l'apprentissage obéit la plupart du temps à un ensemble d'objectifs organisés selon un ordre donné et en relation avec des périodes déterminées dans l'année. Mais comment l'enfant apprend-il à la maternelle si l'on considère que les programmes ont de tout temps mis l'accent sur l'approche développementale plutôt que sur l'apprentissage formel ?

C'est à cette question que s'attache le présent chapitre. Nous verrons, dans un premier temps, ce que signifie « apprendre » en maternelle et de quelle façon cela se réalise dans le cadre du programme d'éducation préscolaire. Nous examinerons ensuite les objectifs du programme, en l'occurrence les compétences que doit acquérir l'enfant au fil de ses apprentissages. Nous traiterons enfin de la place du jeu dans l'éducation préscolaire et de son rôle dans la démarche d'autonomisation.

7.1 L'APPRENTISSAGE

Legendre (1993, p. 67) définit ainsi l'apprentissage :

> Acte de perception, d'interaction et d'intégration d'un objet par un sujet. Acquisition de connaissances et développement d'habiletés, d'attitudes et de valeurs qui s'ajoutent à la structure cognitive d'une personne.

L'apprentissage ne se produit pas tout d'un coup et une fois pour toutes. Il se fait graduellement et, chez le jeune enfant, est indissociable du jeu. Le jeu est en effet un *véhicule de l'apprentissage* et la *voie royale* pour apprendre (Référentiel réalisé par la table régionale de l'éducation préscolaire, 2006, p. 5). Les prises de conscience idiosyncrasiques de plus en plus claires des relations entre les expériences variées permettent à l'enfant de faire des rapprochements, de construire, de déduire, de projeter, etc. Il importe donc de proposer aux enfants des activités diverses pour favoriser des prises de conscience multiples et variées. Le programme d'éducation préscolaire (Ministère de l'Éducation du Québec, 2001), qui s'articule autour du développement de compétences déterminées, ouvre la voie à des connaissances provenant de sources variées et de nature transdisciplinaire.

Le programme d'éducation préscolaire confie à la maternelle les trois missions suivantes :

> […] faire de la maternelle un rite de passage qui donne le goût de l'école ; favoriser le développement global de l'enfant en le motivant à exploiter l'ensemble de ses potentialités ; et jeter les bases de la scolarisation, notamment sur le plan social et cognitif, qui l'inciteront à continuer à apprendre tout au long de sa vie (Ministère de l'Éducation du Québec, 2001, p. 52).

Ainsi, l'enfant de quatre ou cinq ans sera amené à « développer des compétences d'ordre psychomoteur, affectif, social, langagier, cognitif et méthodologique relatives à la connaissance de soi, à la vie en société et à la communication » (Ministère de l'Éducation du Québec, 2001, p. 52). En d'autres mots, le programme vise le développement de la personnalité de l'enfant.

7.2 LES DOMAINES GÉNÉRAUX DE FORMATION

Le *Programme de formation de l'école québécoise* (2001) détermine cinq domaines d'intérêt en éducation reliés à des attentes sociales et qui motivent l'élève à se dépasser. Ces domaines, qui servent de toile de fond aux apprentissages, sont les suivants : santé et bien-être ; orientation et entrepreneuriat ; environnement et consommation ; médias ; vivre ensemble et citoyenneté. Nous verrons maintenant comment considérer ces domaines généraux de formation en éducation préscolaire tout en assurant la continuité des interventions et en établissant les ponts nécessaires entre les milieux d'apprentissage.

7.2.1 Santé et bien-être

Le développement harmonieux de l'enfant étant l'assise fondamentale de l'éducation préscolaire, il est normal de miser sur l'idée de *développer un esprit sain dans un corps sain*. Comme on le mentionne au chapitre 6, l'enfant apprend à connaître les diverses possibilités de son corps, à répondre à ses besoins et à se sentir valorisé en explorant les objets par lui-même, à travers son agir. L'appui des personnes qui l'entourent est indispensable afin que cela l'encourage à multiplier ses faits et gestes, ce qui l'amène à prendre confiance en ses moyens et, en l'occurrence, à rehausser son estime de soi.

Cette assurance lui confère le bien-être dont il a besoin pour se sentir à l'aise dans son milieu.

Évidemment, cela implique un environnement sécuritaire et une attitude préventive où seront considérés les facteurs de risque pour la santé. Ainsi, les intervenants s'emploieront à sensibiliser l'enfant aux dangers qui l'entourent et à créer des règles à respecter dans ce sens. Plus l'enfant est jeune, moins il est conscient du danger et plus l'adulte doit demeurer vigilant envers lui.

Le volet santé et bien-être préconise le développement de comportements autonomes où l'enfant deviendra responsable de ce qu'il mange, de ce qu'il fait et de ce qu'il désire entreprendre, à travers la conscience de lui-même et de son environnement. Actuellement, les médias mettent l'accent sur l'obésité grandissante chez les jeunes en raison de leur mauvaise alimentation et de leur manque d'exercice. Cette situation est d'autant plus dramatique chez l'enfant obèse qu'elle provoque du sarcasme de la part de ses camarades, ce qui n'est pas sans nuire à son bien-être psychologique puisqu'il ne se sent plus bien dans sa peau. Il est donc capital de prévenir l'embonpoint chez les jeunes en les amenant à bien se nourrir et à faire de l'exercice. La maternelle se prête à ce genre de sensibilisation au moment de la collation et à travers les jeux qui incitent l'enfant à bouger. Outre l'effet sur l'obésité, les actions entreprises très tôt auprès des jeunes pourront possiblement les soustraire à bien d'autres risques auxquels ils sont exposés tels que les blessures, le tabagisme, la délinquance et le suicide.

Un aspect qui retient l'attention relativement à la santé et au bien-être est le fait que les enfants jouent de moins en moins à l'extérieur et que les cours de récréation sont trop souvent délimitées par rapport à chacun des groupes, ce qui empêche les contacts des enfants avec d'autres cohortes. Parfois, les règles sont tellement strictes que l'enfant ne peut dépasser le secteur qui est réservé à son groupe classe.

L'éducation à la sexualité

L'éducation à la sexualité est également nécessaire au point de vue de la santé et du bien-être de l'enfant. Déjà, au préscolaire, l'enfant pose des questions ou rigole lorsqu'il est question de sexe. Il est donc important de démystifier cet aspect et de répondre le plus simplement possible à ses questions sans pour autant en faire une leçon. Cela signifie que plusieurs situations d'éducation sexuelle se gèrent de façon informelle et de manière très ponctuelle dans la classe et, plus souvent qu'autrement, par rapport à un enfant en particulier. Évidemment, il s'agit d'analyser la situation le plus objectivement possible, de considérer la maturité de l'enfant et le contexte dans lequel cela se produit.

Bien que l'on s'entende pour dire que les parents sont les premiers éducateurs de leur enfant en matière de sexualité, l'enseignante est également une personne significative puisque l'école est aussi un milieu de vie qui se préoccupe du développement intégral de l'enfant.

7.2.2 Orientation et entrepreneuriat

Le mandat du domaine de formation orientation et entrepreneuriat tel qu'il est proposé semble trop exigeant pour l'enfant de la classe préscolaire. Pourtant, en regardant de près ce qu'il signifie réellement sur le plan de l'investissement dans le monde du travail, on pourrait, à l'instar de Freinet, accepter l'idée que les ateliers ou les projets tels qu'ils sont développés à l'école sont des approches qui amènent l'enfant à se prendre en main, à assumer des tâches et à prendre des responsabilités. À certains égards, ils peuvent même avoir un effet sur les actions futures. Bien que l'enfant de maternelle se situe encore au début du processus d'apprentissage, il va sans dire qu'au fil du temps ses actions l'amèneront à échanger, à se comparer et à se positionner de manière à faire ressortir sa personnalité unique et ses aptitudes particulières, que ce soit pour décider, mener un groupe ou évaluer des situations. À l'origine de ce qu'il y a lieu d'appeler ici le dépassement de soi, il y aura toujours la connaissance de ses propres capacités, qui est indispensable à l'accomplissement de tout être humain.

7.2.3 Environnement et consommation

L'environnement pour un jeune enfant est d'abord constitué par le monde qui l'entoure : la maison et la famille, puis la garderie et l'école. Lorsqu'il arrive dans un nouveau milieu comme la maternelle, il doit s'y sentir intégré. Dans ce but, l'enseignante a un rôle capital à jouer afin d'amener l'enfant à devenir partie prenante de ce milieu. Pour ce faire, il doit avant tout apprendre à connaître son nouvel environnement et prendre des responsabilités par rapport à sa classe. Ce milieu de vie dans lequel il agit et interagit se déploiera au fur et à mesure de son évolution. D'un milieu plus restreint, la maison, la classe et l'école, il accédera à un milieu élargi englobant le patrimoine, l'écosystème et la biosphère. Sa prise de conscience de ces divers environnements va de pair avec le rôle qu'il sera appelé à jouer en tant que consommateur et citoyen du monde.

La consommation des biens et des services entraîne des questionnements et des analyses quant aux moyens à mettre en place pour les conserver et les utiliser à bon escient. Dès l'âge préscolaire, l'enfant est amené à y réfléchir. Déjà, à la maternelle, la majorité des enfants peuvent distinguer ce qu'ils aiment de ce qu'ils n'aiment pas. Ils s'expriment, échangent et proposent des solutions comme l'économie d'électricité, de l'eau, le recyclage, pour améliorer des situations problématiques. Si le milieu dans lequel évolue l'enfant est pluriethnique, il faut en profiter pour discuter en groupe des diverses façons de vivre, des cultures différentes, et pour comparer les milieux.

7.2.4 Médias

À n'en plus douter, les médias occupent une place prépondérante dans la vie quotidienne des enfants et ceux d'âge préscolaire en particulier. La preuve en est que le jeune enfant est facilement capable de s'approprier le matériel et les codes de communication médiatiques. En effet, les enfants sont fascinés par les boutons, les images, les couleurs, la découverte de ce qui constitue l'univers médiatique. La télévision, la radio, les jeux électroniques et Internet sont les éléments les plus importants de cet univers, offrant une gamme infinie d'activités. Étant donné le nombre impressionnant des activités accessibles aux enfants, il est essentiel que l'adulte soit vigilant quant à leur choix. Il se doit d'établir un équilibre entre celles-ci, de juger si elles sont propices au développement de l'enfant, d'analyser avec lui les effets favorables ou défavorables, d'exercer un contrôle assidu, de discuter avec lui de ses préférences, de ses réactions (joies et peurs), de ses découvertes et de répondre à ses questions. L'enfant doit être amené à comprendre la place et l'influence des médias dans sa vie quotidienne, à distinguer les situations virtuelles des situations réelles et à réfléchir sur l'emploi de son temps. Il prend conscience des multiples façons d'exprimer une réalité ou une fiction en plus de découvrir et de comparer différentes productions. Cela l'entraîne à observer, à reconnaître, à décoder des sons, des images et des significations.

7.2.5 Vivre ensemble et citoyenneté

La classe maternelle est le premier échelon du système scolaire. À l'instar des autres classes de l'école, elle accueille des enfants de provenances sociales et culturelles diverses. Comme le programme de l'enseignante est axé sur le développement harmonieux de l'enfant, il va de soi qu'elle accepte chacun des enfants avec ses différences et ses particularités et qu'elle rejette toute forme d'exclusion ou de discrimination pouvant se manifester dans son groupe, et ce, dans le respect des droits de la personne. Il faut dire que cela peut s'avérer ardu en ce qui a trait à certaines valeurs négatives véhiculées par la famille et difficiles à abandonner. Par exemple, le fait qu'un parent se complaise à dénigrer un certain type de personnes se répercute immanquablement sur les comportements de son enfant vis-à-vis des pairs de ce type. En plus d'apprendre à accepter les autres, l'enfant doit aussi s'adapter à son groupe de pairs. Issu d'un milieu familial constitué de un, deux ou trois enfants, le tout-petit s'intègre dans un milieu de garderie d'environ dix enfants, puis dans une maternelle réunissant une vingtaine d'enfants de son âge.

À l'heure actuelle, on peut constater qu'une majorité d'enfants de la maternelle ont déjà vécu des expériences socialisantes avant d'entrer à la maternelle, avec leur groupe de garderie et dans les activités sportives et socioculturelles. Cela signifie que l'enfant connaît ses camarades, sait avec qui il aime ou n'aime pas jouer et adopte parfois des comportements rébarbatifs par rapport aux nouvelles règles mises en place dans la classe. En fait, le groupe étant plus nombreux à la maternelle, les règles seront parfois plus strictes et exigeantes. En l'occurrence, l'enfant doit se conformer aux tâches et aux responsabilités qui lui sont proposées, à défaut de quoi il devra en subir les conséquences. Les journées à la maternelle sont ponctuées d'activités de routine qui se réalisent souvent en grand groupe. Les causeries en font partie et constituent de bons moments pour discuter avec l'ensemble du groupe, faire des mises au point, résoudre des problèmes, prendre des décisions, négocier des solutions, arriver à des compromis acceptables pour chacun et pour l'ensemble du groupe. Ces diverses prises de conscience amènent l'enfant à s'impliquer dans la vie collective et à mieux comprendre la coopération, la solidarité et les exigences de la vie en société dans le respect de la démocratie.

7.3 LES COMPÉTENCES TRANSVERSALES ET LEURS COMPOSANTES

Alors que le *Programme d'éducation préscolaire* de 1981 mettait l'accent sur l'atteinte d'*objectifs* généraux, intermédiaires et terminaux, le *Programme de formation de l'école québécoise,* dont fait partie le programme d'éducation préscolaire (*voir le chapitre 4*), adopte l'expression *compétences,* que le ministère de l'Éducation du Québec (2001, p. 4) définit de la façon suivante :

[…] un savoir-agir fondé sur la mobilisation et l'utilisation efficaces d'un ensemble de ressources.

Par *savoir-agir,* on entend la capacité de recourir de manière appropriée à une diversité de ressources tant internes qu'externes, notamment aux acquis réalisés en contexte scolaire et à ceux qui sont issus de la vie courante […].

La notion de *ressources* réfère non seulement à l'ensemble des acquis scolaires de l'élève, mais aussi à ses expériences, à ses habiletés, à ses intérêts […].

Enfin, les idées de *mobilisation* et d'*utilisation efficaces* suggèrent que le savoir-agir propre à la compétence dépasse le niveau du réflexe ou de l'automatisme. Ce savoir-agir suppose, dans la poursuite d'un objectif clairement identifié, une appropriation et une utilisation intentionnelles de contenus notionnels et d'habiletés tant intellectuelles que sociales.

Le MEQ (2001, p. 7) précise par ailleurs que :

Le programme de formation reconnaît la nécessité de développer, chez tous les élèves, des compétences intellectuelles, méthodologiques, personnelles et sociales ainsi que la capacité à communiquer.

Le MEQ (2001, p. 12) ajoute :

Ces compétences sont dites transversales en raison de leur caractère générique et du fait qu'elles se déploient à travers les divers domaines d'apprentissage et parce qu'elles doivent être promues par tout le personnel de l'école.

Le programme d'éducation préscolaire est « structuré autour de compétences définies en fonction du développement global de l'enfant » (*ibid.*). En fait, cette vision développementale a toujours été au centre des programmes d'éducation préscolaire. Le changement majeur qui s'opère actuellement est dû au fait que, dorénavant, ce programme fait maintenant partie intégrante du *Programme de formation de l'école québécoise*. Il n'est plus un document tiré à part, mais il s'insère dans le programme de formation comme premier échelon du système scolaire. Un de ses objectifs est de créer des liens avec la première année.

Selon Perrenoud (2000), ce changement aura un effet bénéfique sur la maternelle. En effet, étant donné que le programme est destiné à l'ensemble des enfants de la maternelle et aux élèves du primaire, il y voit une démarche intéressante qui favorisera l'intégration de la maternelle dans le système éducatif.

Le programme d'éducation préscolaire (Ministère de l'Éducation du Québec, 2001, p. 53) vise le développement de six compétences associées au processus de développement global de l'enfant (*voir la figure 7.1*) :

1. Agir avec efficacité dans différents contextes sur le plan sensoriel et moteur.

2. Affirmer sa personnalité.

3. Interagir de façon harmonieuse avec les autres.

4. Communiquer en utilisant les ressources de la langue.

5. Construire sa compréhension du monde.

6. Mener à terme une activité ou un projet.

Figure 7.1 Les visées de l'éducation préscolaire

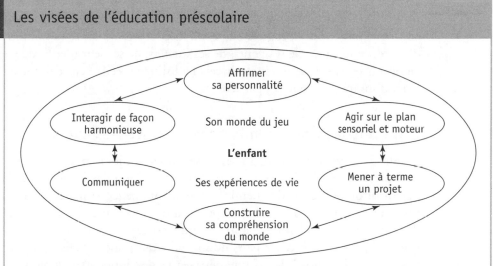

7.3.1 Agir avec efficacité dans différents contextes sur le plan sensoriel et moteur

Selon le MEQ (2001, p. 54):

> Cette compétence contribue au *développement psychomoteur*. Par les jeux d'action et la pratique quotidienne d'activités physiques, l'enfant développe ses sens et ses habiletés de motricité globale et de motricité fine. Il bouge, explore l'espace qui l'entoure et manipule divers objets. Il découvre les diverses réactions et possibilités de son corps [...].

> Graduellement, l'enfant a plus confiance dans ses possibilités corporelles ; il raffine ses mouvements, adapte sa gestuelle, adopte des postures appropriées et utilise des outils et du matériel adéquatement. Finalement, il se pose comme individu ayant des caractéristiques particulières et possédant un corps individuel.

7.3.2 Affirmer sa personnalité

Au fur et à mesure que l'enfant agit, il s'approprie son corps. Ce corps qui, au départ, n'était qu'un organisme, donc un corps *quelconque,* si l'on peut dire, est devenu sien parce qu'il a appris à le connaître, à le sentir et à l'utiliser, avec tout ce que cela comporte sur les plans physique, socio-affectif, cognitif et psychomoteur.

Le *Programme d'éducation préscolaire* (Ministère de l'Éducation du Québec, 1981b, p. 15) affirme que la connaissance de soi s'actualise quand «l'enfant arrive à reconnaître ce qui lui appartient en propre, ce qui lui arrive (sentiments), ce qu'il veut (besoins) et qu'il en vient à prendre les décisions conséquentes». Cette progression vers la découverte de soi se fait autour de la reconnaissance de ses goûts, de ses intérêts, de ses sentiments, de ses émotions et de ses capacités. Tout cela le distingue réellement des autres, le rend unique, singulier et particulier.

7.3.3 Interagir de façon harmonieuse avec les autres

Établir des relations avec les autres ne se fait pas du jour au lendemain et déborde le cadre de l'école. Comme l'enfant de cinq ans a souvent déjà parcouru un bon bout de chemin lorsqu'il commence la maternelle, on pourrait penser qu'il a franchi l'étape de sa reconnaissance comme entité distincte et indépendante des autres et qu'il est capable d'établir des relations avec les adultes et les pairs de son nouveau milieu. Mais il ne faut pas se faire d'illusions. Dans une perspective développementale, le vécu individuel en témoigne, les enfants ne se situent pas tous au même point. En principe, plus l'enfant aura entrepris d'actions, plus il devrait être avancé dans le processus de socialisation. Ainsi, «progressivement, il concilie ses intérêts et ses goûts avec ceux d'autrui et il apprend à régler des conflits dans un esprit de respect mutuel et de justice. Il s'identifie à son milieu culturel, s'intéresse aux autres et s'ouvre à de nouvelles réalités [...]. Cette compétence est associée au *développement social* de l'enfant» (Ministère de l'Éducation du Québec, 2001, p. 58).

7.3.4 Communiquer en utilisant les ressources de la langue

Même si les enfants possèdent au départ des capacités linguistiques semblables, les conditions de vie influent sur le *développement langagier.* Entre autres, dans les groupes défavorisés, le langage servirait davantage à faire comprendre en vue d'une action immédiate plutôt qu'à expliquer, à réfléchir et à analyser. En fait, on chercherait à nommer les choses ou les actions brièvement, afin de répondre aux besoins du moment et de faciliter une compréhension immédiate, rapide et concrète. Or, cette façon d'utiliser la langue dans sa plus simple expression a des répercussions qui vont au-delà du seul développement langagier de l'enfant.

En effet, il ne faut pas oublier qu'apprendre à parler est un geste social et constitue en soi une manière privilégiée de s'intégrer à un groupe. En principe, plus l'enfant parle et s'exprime, plus la qualité des conversations augmente. Ainsi, il finira probablement par dépasser le moment présent, l'expérience personnelle et la réalité afin de toucher au monde de l'imaginaire. Alors, les compétences à transmettre à l'enfant seront de l'ordre de la pensée, de l'analyse, de la résolution de problèmes, de la prévision, de l'anticipation, de l'imagination et du raisonnement.

7.3.5 Construire sa compréhension du monde

Construire sa compréhension du monde passe d'abord par l'affectif, c'est-à-dire par les émotions, les sensations et les perceptions, bref tout ce qui constitue l'être dans sa globalité. Lorsque l'enfant commence à explorer son corps par ses divers mouvements, il devient capable de mieux en saisir les fonctions. Par cet agir, il avance graduellement vers des modes d'organisation de plus en plus complexes, ses gestes devenant plus appropriés et cohérents. En outre, le contact sensoriel avec l'objet combiné à la motricité entraîne des réactions qui, à leur tour, sont à l'origine d'une prise de conscience des dimensions corporelles de mieux en mieux ressenties.

La meilleure façon pour l'enfant de construire sa compréhension du monde consiste en le jeu. À la maternelle, nous retenons plus particulièrement le jeu symbolique ou le *faire semblant*. En tant que moyen privilégié d'appropriation de son corps, ce type de jeu signifie essentiellement que les objets possédés ou connus servent de symboles pour représenter les objets absents. Les enfants font *comme si* l'objet était en leur possession, ce qui les aide à s'insérer dans un rôle qu'ils créent au fur et à mesure de leur cheminement dans l'action. De ce point de vue, le jeu symbolique et le langage sont intimement liés. Nous reviendrons sur la question du développement par le jeu dans la dernière section du présent chapitre.

7.3.6 Mener à terme une activité ou un projet

L'enfant pourra s'investir dans un projet si les conditions suivantes sont satisfaites :

- Connaître le fonctionnement de son corps (motricité) et de ses parties (reconnaissance individuelle) ; en connaître les limites.
- Se reconnaître comme un être ayant des affinités (affectivité) et des aptitudes particulières (cognition).
- Avoir exploré différents objets (essais et erreurs) et évolué dans des environnements diversifiés (adaptation).
- Respecter des règles de vie commune (discipline).
- Se référer à des activités déjà réalisées ou encore à son expérience passée.
- Communiquer avec l'adulte et les pairs pour demander des informations, mais aussi pour informer les autres.
- Accepter les idées des autres et se situer par rapport à eux.
- Partager des tâches et des rôles et les assumer jusqu'au bout.
- Prendre des décisions et des responsabilités par rapport à un groupe.
- Coopérer dans une vision commune.

Morin et Brief (1995) soulignent que c'est le développement de l'enfant qui doit influer sur le choix de l'inscrire ou non dans un projet. En effet, faute parfois d'exploration et d'investigation, tous ne sont pas prêts à entreprendre une telle démarche, que les auteurs décrivent ainsi :

> La démarche pour élaborer un projet consiste à entamer une réflexion préalable, à définir les objectifs à atteindre dans un laps de temps déterminé, à organiser les actions, à considérer l'environnement et à permettre le plus d'interactions possible en vue d'enrichir le projet concerné. Par le projet, l'enfant élargit sa perspective et s'inscrit dans un engagement envers lui-même et les autres, tout en se projetant vers l'avenir. (Morin et Brief, 1995, p. 148.)

7.3.7 Les composantes liées aux compétences et les critères d'évaluation

De toute évidence, si l'on considère les compétences mises en relief, on s'attend à ce que l'enfant de la maternelle fasse des apprentissages. À partir du moment où l'enfant entreprend des activités et accomplit des gestes concrets, l'éducatrice doit intervenir de manière à l'amener un peu plus loin dans son cheminement. Dans certains cas, cela pourrait vouloir dire amener l'enfant à lire, à écrire, à reconnaître les chiffres, à compter et à identifier des formes, des couleurs ou des animaux. Le tout doit se réaliser non pas de manière déconnectée de la réalité, mais en relation avec le vécu immédiat de l'enfant et sa participation personnelle dans l'action.

En fait, autant à la maison qu'en classe, de nombreuses situations de la vie quotidienne incitent l'enfant à apprendre et favorisent son développement : l'habillage et le déshabillage, les repas, la sieste, etc.

De façon à ce que l'enseignante puisse apprécier le cheminement de l'enfant, le MEQ (2001) associe aux six compétences précédemment décrites certaines composantes qui mettent en jeu des critères d'évaluation. C'est ce que présente le tableau 7.1.

Tableau 7.1 Les compétences, les composantes et les critères d'évaluation

Compétences	Composantes	Critères d'évaluation
Agir avec efficacité dans différents contextes sur les plans sensoriel et moteur.	• Élargir son répertoire d'actions. • Adapter ses actions aux exigences de l'environnement. • Reconnaître des façons d'assurer son bien-être.	• Exécution de diverses actions de motricité globale et de motricité fine • Ajustement de ses actions en fonction de l'environnement • Reconnaissance d'éléments favorisant le bien-être (santé et sécurité)
Affirmer sa personnalité.	• Répondre progressivement à ses besoins physiques, cognitifs, affectifs et sociaux. • Partager ses goûts, ses intérêts, ses sentiments et ses émotions. • Faire preuve d'autonomie. • Développer sa confiance en soi.	• Utilisation de moyens appropriés pour répondre à ses besoins • Expression de ses goûts, de ses intérêts, de ses idées, de ses sentiments, de ses émotions d'une façon pertinente • Manifestation de son autonomie à travers les jeux, les activités, les projets et la vie quotidienne de la classe • Manifestations diverses de sécurité affective (se donner des défis, prendre la parole)
Interagir de façon harmonieuse avec les autres.	• S'intéresser aux autres. • Participer à la vie de groupe. • Appliquer une démarche de résolution de conflits. • Collaborer avec les autres.	• Manifestation de gestes d'ouverture aux autres • Participation à la vie de groupe • Respect des règles de vie du groupe • Application de la démarche de résolution de conflits avec de l'aide • Implication personnelle avec les autres

Compétences	Composantes	Critères d'évaluation
Communiquer en utilisant les ressources de la langue.	• Démontrer de l'intérêt pour la communication. • Comprendre un message. • Produire un message.	• Intérêt pour la communication • Manifestation de compréhension du message • Production d'un message
Construire sa compréhension du monde.	• Démontrer de l'intérêt et de la curiosité pour les arts, l'histoire, la géographie, les mathématiques, les sciences et la technologie. • Exercer sa pensée. • Organiser l'information. • Raconter ses apprentissages.	• Manifestation d'intérêt, de curiosité, de désir d'apprendre • Expérimentation de différents moyens d'exercer sa pensée • Utilisation de l'information pertinente à la réalisation d'un apprentissage • Description de la démarche et des stratégies utilisées dans la réalisation d'un apprentissage
Mener à terme une activité ou un projet.	• S'engager dans l'activité ou le projet en faisant appel à ses ressources. • Faire preuve de ténacité dans la réalisation de l'activité ou du projet. • Manifester de la satisfaction à l'égard de l'activité ou du projet. • Transmettre les résultats de son projet.	• Engagement dans une activité ou un projet • Utilisation de ses ressources dans la réalisation d'une activité ou d'un projet • Persévérance dans l'exécution de l'activité ou du projet • Description des stratégies utilisées dans l'exécution de l'activité ou du projet • Appréciation des apprentissages faits et des difficultés éprouvées • Expression de sa satisfaction d'avoir réalisé l'activité ou le projet

Source : Ministère de l'Éducation du Québec, *Programme de formation de l'école québécoise,* Québec, MEQ, 2001, p. 54-65.

7.4 LE JEU : UN MOYEN PÉDAGOGIQUE PRIVILÉGIÉ

Pendant longtemps, les éducateurs se sont référés à l'image classique selon laquelle l'enfant s'amuse comme il respire, dort ou mange. De là à dire que jouer est une marque distinctive et même fonctionnelle de l'enfance, il n'y a qu'un pas. Peu importe où, quand, comment et pourquoi, pourvu que l'enfant soit occupé et qu'il s'adonne assidûment à un jeu, l'éducateur s'en trouve comblé, puisque c'est le propre de l'enfance. En conséquence, tous les jeux sont valables, qu'il s'agisse de jeux d'équipe, de jeux de manipulation individuelle, de dessin, de casse-tête ou encore de jeux programmés par ordinateur. Il faut cependant ne jamais perdre de vue que le jeu a un rôle cognitif et qu'il module l'affectivité. En ce sens, il moule toute la réalité construite dans l'enfance. En liant l'affectif au cognitif, le jeu devient un mode de réalisation corporelle et il contribue fortement au développement. En cela, il importe de le favoriser plus que jamais à la maternelle, puisqu'il faut *agir pour penser* avant de *penser agir*.

On peut d'ores et déjà espérer que le corps reprendra la place qu'il mérite dans les jeux. L'enfant commence à explorer le monde au moyen de son corps, par des mouvements et des touchers, avant d'en arriver à réellement prendre conscience de ce qui l'entoure.

Une place importante est accordée au jeu à la maternelle. Le MEQ (1997a) le situe au cœur des apprentissages. Il est vu comme un excellent moyen de faire acquérir à l'enfant de nombreuses habiletés, de développer sa créativité, son imagination et sa communication avec les autres. Le MEQ définit quatre catégories de jeux : le jeu d'exercice, le jeu symbolique, le jeu de règles et les jeux de construction (*voir le tableau 7.2, à la page suivante*). Ces différentes catégories de jeux peuvent prendre diverses formes qui vont du jeu solitaire au jeu d'équipe ou au jeu collectif. Ils peuvent également être classés sous différentes appellations comme le jeu de table, le jeu de rôle, le jeu vidéo, le jeu de plein air, etc. Ils pourraient même revêtir une valeur thérapeutique ou être l'outil d'une thérapie. Retenons aussi que les jeux éducatifs affichent fréquemment des indications concernant l'âge et la progressivité des apprentissages. Force est de constater que ces indications ne font pas office de règles et, dans plusieurs cas, ils n'ont visiblement aucune valeur didactique sérieuse. Il reste au bon éducateur d'en juger grâce à ses observations.

Le jeu peut devenir une situation d'apprentissage naturelle. En plus de contribuer au développement de la personne, le jeu peut aussi favoriser l'acquisition de connaissances liées à certaines compétences. En fait, dans le monde de l'éducation, le jeu est la plupart du temps utilisé pour *faire apprendre* une notion précise à l'enfant. Par ailleurs, quand l'activité est qualifiée de ludique, elle donne à l'enfant l'occasion d'agir à sa guise, sans qu'on s'attende nécessairement à des résultats concrets de sa part. Il ne faut pas croire pour autant que l'enfant perd son temps et n'apprend pas dans ce type d'activité. Plutôt, il apprend ce qu'il veut comme il le veut et quand il le veut, naturellement, à sa manière, sans avoir de comptes à rendre à personne. Le jeu, dans cette optique, est résolument développemental.

Ainsi, le MEQ (2001, p. 52) insiste sur le fait que, «par le jeu et l'activité spontanée, l'enfant s'exprime, expérimente, construit ses connaissances, structure sa pensée et élabore sa vision du monde. Il apprend à être lui-même, à interagir avec les autres et à résoudre des problèmes».

Tableau 7.2	Les catégories de jeux et leurs définitions
Catégorie	**Particularités**
Jeu d'exercice	Il consiste à «s'exercer» en répétant une activité. Il permet à l'enfant d'apprendre, entre autres, que le même geste entraîne la même conséquence. Exemples : sauter à la corde ou lancer une balle.
Jeu symbolique	Il permet à l'enfant, par le «faire semblant», d'exprimer la réalité telle qu'il la perçoit et la ressent, puis de faire appel à ses connaissances. Il facilite l'apprentissage du langage. Exemple : jouer à l'épicerie.
Jeu de règles comme jeu de société ou jeu d'équipe	Il exige que l'enfant se conforme à des règles et à des rôles particuliers et interdépendants. L'enfant doit se mettre à la place de l'autre pour pouvoir mieux jouer son propre rôle et connaître les stratégies de celui qui cherche à atteindre le but avant les autres. Les jeux de règles contribuent au développement de l'autonomie et de la coopération. Exemple : jeu d'association.
Jeu de construction	Il consiste en l'assemblage de matériaux de tous formats et de toutes formes. Il permet à l'enfant d'acquérir plusieurs habiletés liées, entre autres, aux mathématiques et à la géométrie. Il favorise aussi la coopération, de même que la motricité globale et la motricité fine. Exemples : bricolage ou jeu de blocs.

Source : Ministère de l'Éducation du Québec, *Parents : des réponses à vos questions à propos du Programme d'éducation préscolaire,* Québec, MEQ, 1997, p. 6-7.

Morin et Brief (1995) reconnaissent que le jeu occupe une place importante dans le développement de l'enfant, particulièrement en ce qui concerne le processus d'autonomisation qui, progressivement, prend des colorations affectives, cognitives et socioculturelles. Ce processus se caractérise par quatre phases récurrentes qu'on peut associer au jeu : l'initiation, l'intégration, la réalisation et l'autonomie intégrale. Du point de vue éducationnel, chacune de ces phases appelle des stratégies particulières qui peuvent être mises en œuvre dans le milieu préscolaire et dans d'autres milieux. Le tableau 7.3 présente quelques-unes de ces stratégies, de même que les caractéristiques principales des phases de processus d'autonomisation en relation avec le jeu.

Tableau 7.3 Les phases d'autonomisation, le jeu, les stratégies

Phase du processus d'autonomisation associée au jeu	Caractéristiques	Stratégies
1. Initiation (jouer pour jouer)	• Contact immédiat avec l'objet • Activités décousues, sans but, tous azimuts • Agir enclenché par l'organisme	• Laisser toute liberté d'action à l'enfant dans un espace assez vaste pour qu'il puisse jouer; le surveiller pour éviter les accidents; lui accorder de l'attention; adopter des attitudes propres à l'inciter à l'exploration; l'amener dans des parcs récréatifs où il pourra bouger à sa guise; répondre à ses besoins.
2. Intégration (jouer pour soi)	• Prise en considération de l'objet • Activité axée sur ses propres intérêts • Agir en fonction de son corps	• Offrir plusieurs possibilités à l'enfant d'agir et de jouer dans des espaces qui se prêtent à des activités auxquelles il peut s'adonner seul; lui faire confiance tout en observant ses comportements; lui permettre de s'organiser seul dans les ateliers.
3. Réalisation (jouer avec les autres)	• Choix de l'objet en fonction de soi et des autres • Activités réfléchies en vue de partages et de collaborations • Agir en se responsabilisant par rapport aux autres	• En plus d'offrir des choix, proposer à l'enfant des jeux d'équipe dans lesquels il peut échanger et se situer par rapport aux autres; encourager la communication et les relations avec autrui; lui faire prendre conscience du rôle du personnel de l'école auquel il peut recourir au besoin; l'amener à s'intégrer au groupe et à participer à des jeux collectifs.
4. Autonomie intégrale (jouer en tenant compte du contexte ou de l'environnement)	• Choix de l'objet en fonction de soi, des autres et du contexte • Activité réalisée en pensant à l'ensemble des composantes en cause et à leurs effets sur l'environnement • Agir impliquant une participation qui mène à des conduites délibérées	• Permettre à l'enfant de s'adonner à des jeux fondés sur la coopération en s'assumant à la fois comme être qui se connaît, comme personne consciente de son corps et comme citoyen qui comprend les répercussions de ses actions dans la société actuelle et future; encourager les engagements et les projets axés sur les activités ludiques.

L'élément majeur à retenir concernant le processus d'autonomisation est que l'autonomie n'est pas un état arrêté lié à la maturité de l'individu ; il s'agit plutôt d'un état en perpétuel devenir, se redéfinissant au gré des nouvelles activités ou situations.

RÉSUMÉ

L'approche non «scolarisante» de la maternelle à laquelle est associée une certaine liberté d'action en faveur de l'exploration et de la découverte par le jeu donne une orientation bien particulière à la notion d'apprentissage. En effet, le *Programme de formation de l'école québécoise* qui intègre le programme d'éducation préscolaire (Ministère de l'Éducation du Québec, 2001) vise le développement global de l'enfant. Pour ce faire, il propose des orientations faisant partie des cinq *domaines généraux de formation* et, aussi, de six compétences d'ordre intellectuel, personnel, social, méthodologique et communicationnel. Chaque situation ou activité fait appel à des connaissances, à des habiletés et à des attitudes. En agissant, l'enfant découvre ses façons personnelles d'aborder la réalité, d'entrer en relation avec les autres, de découvrir l'environnement, d'élargir ses connaissances. Dans ces conditions, le jeu devient un moyen privilégié pour apprendre et développer son autonomie.

Questions

1. Nommez les cinq domaines généraux de formation et expliquez comment une enseignante de la maternelle peut les considérer dans sa classe.

2. Nommez les six compétences visées par le programme et expliquez-les à la lumière de leurs composantes.

3. Pourquoi faut-il privilégier la pédagogie par le jeu à la maternelle ?

4. En quoi le jeu peut-il être associé à l'autonomie ?

Mise en situation

Apprentissage ou développement

Vous êtes enseignante à la maternelle et vos collègues considèrent qu'il est préférable de planifier des exercices ponctuels pour que l'enfant apprenne à lire et à écrire. D'après vous, c'est en tâtonnant, en faisant des expériences diverses et en jouant que l'enfant va apprendre et non pas en effectuant des exercices préparés d'avance et imposés.

Pistes d'exploration

- Quelle différence faites-vous entre apprentissage et développement?

- Comment planifierez-vous les activités en vue de respecter le développement de l'enfant de cinq ans?

- Que répondrez-vous aux enseignantes qui diront que les enfants n'apprennent pas dans votre classe?

- Comment expliquerez-vous à la directrice de votre école et aux parents le bien-fondé des activités que vous favorisez dans votre classe?

Présentation

Vous avez à présenter les arguments que vous invoquerez pour convaincre vos collègues sceptiques et ainsi leur montrer comment les activités que vous proposez permettent aux enfants d'apprendre. Les moyens que vous pouvez utiliser sont le jeu de rôle, la table ronde ou tout autre moyen qui vous semble pertinent.

Lectures suggérées

De Grandmont, N. (1995). *Le jeu ludique,* Montréal, Éditions Logiques.

Delors, J. (prés.). (1996). *L'éducation, un trésor est caché dedans,* Rapport à l'UNESCO de la Commission internationale sur l'éducation pour le vingt et unième siècle, Paris, Éditions Odile Jacob.

Guide Parents Hachette. (1989). *Mon enfant en maternelle,* Paris, Hachette Éducation.

Ministère de l'Éducation du Québec. (2001). *Programme de formation de l'école québécoise,* Québec, MEQ.

CHAPITRE 8

L'enseignante, les parents, les spécialistes et les autres intervenants

Objectifs

Au terme de ce chapitre, le lecteur devrait pouvoir :

- définir l'intervention de l'enseignante ;

- décrire les formes d'intervention ;

- distinguer les caractéristiques de l'intervention ;

- expliquer les stratégies propres à aider l'enseignante à mieux intervenir auprès de l'enfant en général et auprès de l'enfant de milieu défavorisé ;

- indiquer les principes fondamentaux de la collaboration parents-enseignante ;

- indiquer les fonctions des professionnels spécialistes qui interviennent à la maternelle.

A fin de favoriser l'intégration et l'adaptation de l'enfant à la maternelle, l'enseignante doit travailler en étroite collaboration avec des personnes susceptibles de lui apporter un appui. Plusieurs personnes peuvent jouer un rôle utile dans le milieu préscolaire, à commencer par les parents, qui demeurent les premiers éducateurs de l'enfant. S'ajoutent le personnel enseignant et les autres professionnels de l'école, ainsi que le personnel de soutien et les enfants des autres degrés, ce qui constitue un large éventail de personnes en mesure d'influer sur la dynamique de la classe maternelle.

Dans ce chapitre, après avoir parlé de l'enseignante et exposé les formes que peuvent prendre ses interventions, nous présenterons les autres intervenants, en prenant soin d'indiquer leurs rôles respectifs en ce qui a trait aux possibilités de participation à l'école en général et à la maternelle en particulier. Il est à signaler qu'en tout temps, lorsqu'il est question de ces diverses collaborations, une attitude d'ouverture de la part de l'enseignante constitue un facteur déterminant de l'insertion d'autres personnes dans la classe. En effet, bien que toutes ces collaborations soient souhaitables, elles peuvent, dans certains cas, ne pas être désirées.

8.1 L'ENSEIGNANTE

Sans vouloir débattre sur les rôles des personnes qui prennent en charge de jeunes enfants dans des contextes de garderie ou de maternelle, disons que le terme *enseignante* est celui qui a été adopté pour désigner les responsables des classes maternelles. Il y a quelques années, cette appellation était exclusivement réservée aux personnes chargées de l'enseignement dans les classes primaires et secondaires, mais elle est maintenant attribuée également ment aux personnes œuvrant en classe maternelle. La conjoncture sociale et le contexte scolaire semblent s'y prêter car, d'une part, la garderie utilise le terme *éducatrice* pour désigner son personnel et, d'autre part, le programme d'éducation préscolaire fait maintenant partie intégrante du *Programme de formation de l'école québécoise,* ce qui n'était pas le cas avant 2001. Cette appellation, qui fait l'unanimité dans le système éducatif, ne doit toutefois pas masquer le fait que la tâche éducative et les responsabilités qui en découlent relèvent plus de l'éducation que de l'enseignement.

Le *Programme d'éducation préscolaire* (Ministère de l'Éducation du Québec, 1981b, p. 10) précise que :

> Les bases de ce programme reposent sur un choix de valeurs qui appelle, d'une part, une conception humaniste et existentielle du développement de l'enfant et qui nécessitera, d'autre part, une interprétation propre à chaque classe de maternelle.

On peut donc adhérer théoriquement à un ensemble de valeurs, mais, dans la pratique, cette adhésion se caractérise par une actualisation qui tient compte de la personne même de l'éducateur.

Par cette citation, on peut comprendre que la représentation que l'enseignante se fait du développement de l'enfant influe sur sa façon d'intervenir auprès de lui. En d'autres mots, la personnalité de l'enseignante ainsi que sa motivation et l'importance qu'elle accorde à sa propre autonomie auront nécessairement un effet sur sa façon de concevoir la classe et sur ses interventions auprès des enfants. À cet égard, le *Guide général d'interprétation et d'instrumentation pédagogique pour le Programme d'éducation préscolaire* (Ministère de l'Éducation du Québec, 1982b, p. 7) fait observer que :

L'influence désirée par l'intervention est le reflet de l'échange dynamique qui s'établit entre la conception pédagogique de l'éducateur et sa compréhension de la réalité. À travers l'intervention, on peut voir :
- ce que l'éducatrice juge important (valeurs, objectifs) ;
- son attitude et le sens de l'activité (modes et contenus) ;
- la qualité de son contact avec l'enfant ou le groupe (attitude) ;
- son interprétation de l'observation des faits (évaluation).

Tous ces éléments se reflètent dans l'aménagement physique de la classe maternelle. Par exemple, si, pour l'enseignante, l'agir de l'enfant est prioritaire, elle lui offrira du matériel varié dans un espace qui laisse place aux mouvements et au besoin de bouger, de jouer et de circuler.

En fait, la majorité des classes maternelles sont aménagées sur la base de *coins* ou d'*aires* qui présentent une organisation matérielle spécifique. Nous reviendrons sur cette question dans le chapitre 9, où nous traiterons de l'organisation de la classe. Mais soulignons tout de suite qu'il est important que l'enfant puisse disposer d'un matériel riche, varié, polyvalent et stimulant, qui lui permette de faire semblant, de manipuler, de classer, d'inventer, d'observer, de prédire. Ce qu'il faut retenir ici, c'est qu'au-delà de son propre pouvoir personnel l'enseignante doit être parfaitement consciente de l'effet du matériel sur le développement de l'enfant.

8.1.1 Une définition de l'intervention de l'enseignante

Legendre (1993, p. 756) définit l'intervention de l'enseignante comme étant une « action pédagogique consciente qui a pour but de soutenir, de stimuler ou de modifier une situation, une attitude ou une action ».

Le *Guide général d'interprétation et d'instrumentation pédagogique pour le Programme d'éducation préscolaire* (Ministère de l'Éducation du Québec, 1982b, p. 8-13) donne des définitions contextuelles des verbes *stimuler* et *soutenir*, auxquels il ajoute *confronter*.

- *Stimuler*. C'est une intervention qui a pour but d'inciter l'enfant à explorer une nouvelle voie, à exploiter une idée, à essayer quelque chose de nouveau pour lui ou à exploiter de manière différente une situation habituelle.

  Moyens : apporter du matériel nouveau, questionner, offrir des choix d'activités, comprendre et utiliser l'idée d'un enfant […].

- *Soutenir*. C'est une intervention qui a pour but d'appuyer ou de maintenir ce que l'enfant ou le groupe pense, ressent ou fait.

  Moyens : encourager la spontanéité de l'enfant, l'écouter, le laisser décider, l'aider, l'encourager, éviter de le juger […].

- *Confronter*. C'est critiquer, juger, imposer une règle, ou avoir une attitude qui met l'enfant devant une réalité qui ne lui plaît pas, mais qu'il doit affronter.

  Moyens : vérifier un plan de travail, demander à deux bagarreurs de s'expliquer, exprimer un désaccord, laisser l'enfant subir les conséquences de ses actes […].

Selon nous, la confrontation, pour être efficace, doit toujours être accompagnée de marques d'affection.

Peu importe le type d'intervention, la qualité du contact est importante. Elle relève essentiellement de l'acceptation, de la réceptivité et de l'ouverture à l'autre. C'est ce qui permet d'établir des liens de confiance, de connivence et de collaboration.

8.1.2 Les formes d'intervention

Avant de présenter les différentes formes d'intervention, précisons que celle-ci peut être *directe* ou *indirecte*.

L'intervention directe est celle où l'enseignante fait un geste ou dit des paroles en vue, par exemple, de modifier un comportement.

L'intervention indirecte est celle qui se réalise par le biais d'un intermédiaire. Par exemple, l'aménagement de l'espace pourrait être considéré comme un moyen d'intervention indirecte.

Ces interventions directes et indirectes peuvent à leur tour prendre plusieurs formes :

- l'intervention *individuelle,* qui consiste à s'intéresser à un enfant singulier, dans une situation particulière ; par exemple, l'aide que l'enseignante apporte à l'enfant qui éprouve de la difficulté à faire des boucles ;

- l'intervention *collective* ou de groupe, qui consiste à s'adresser à l'ensemble du groupe ou à un petit groupe d'enfants ; par exemple, en vue de réduire l'excitation excessive des enfants qui arrivent dans la classe, l'enseignante chante avec eux une chanson, ce qui ramène le calme ;

- l'intervention *planifiée,* c'est-à-dire conçue dans un contexte d'objectifs précis à atteindre ; par exemple, proposer des activités pour faire acquérir la notion de triangle à l'enfant ;

- l'intervention *spontanée,* qui se produit de façon imprévue et sans avoir été préalablement planifiée ; par exemple, l'enfant apporte un papillon à l'école, ce qui donne lieu à une causerie improvisée sur le sujet avec les enfants ;

- l'intervention *verbale,* qui implique des paroles ; par exemple, « Bravo ! tu as réussi ! » ;

- l'intervention *non verbale,* qui s'appuie sur des gestes ; par exemple, une caresse sur l'épaule.

Peu importe la forme qu'elle prend, l'intervention reste un acte complexe, car elle oblige l'enseignante à tenir compte autant de la personne individuelle et de son vécu que du contexte particulier. En outre, même quand elle vise un seul enfant, l'intervention peut avoir des effets sur l'ensemble du groupe. Par ailleurs, l'enseignante peut choisir à certains moments de ne pas intervenir. Cela se produit, par exemple, lorsque la situation est répétitive et qu'elle préfère se donner le temps de réfléchir avant de faire quoi que ce soit ; ou encore lorsqu'elle juge que ce n'est pas le bon moment pour intervenir ou, tout simplement, qu'elle ne se sent pas disposée à le faire à ce moment précis. La non-intervention devient alors un type d'intervention.

8.1.3 Les caractéristiques de l'intervention

L'enseignante doit toujours garder à l'esprit que, pour bien évoluer, le jeune enfant a besoin de gestes affectueux et de paroles réconfortantes plutôt que de critiques et de désapprobation. À ce sujet, le *Programme d'éducation préscolaire* (Ministère de l'Éducation du Québec, 1981b, p. 29) attribue à l'intervention des caractéristiques particulières. Elle doit être :

- *appropriée au besoin dans le «quand» et le «comment» :* avant d'intervenir, il faut tenir compte de la situation, de la personne, de son vécu et de son expérience et du contexte entier. Aussi, une analyse des autres interventions qui ont été faites dans des situations semblables s'impose, que ces situations se rapportent à cet enfant ou à d'autres ;

- *conséquente :* il faut fonder l'intervention sur une certaine logique et sur la continuité par rapport aux actions passées. Il s'agit d'une démarche sans cesse remise en question à la lumière des décisions antérieures et de leurs effets sur le comportement de l'enfant ;

- *significative pour l'enseignante et l'enfant :* l'intervention doit se résumer à donner du sens à ce qui est fait. Une intention sous-tend l'intervention, qui concerne tant l'enfant et son cheminement que l'enseignante et son mode d'action ;

- *respectueuse :* l'intervention est menée en tenant compte de la personne individuelle, de ses valeurs et de son cheminement ;

- *chaleureuse, affectueuse et sympathique :* l'intervention fait appel aux sentiments et à l'affection nécessaires à l'enfant, de façon à favoriser l'estime de soi et la confiance en soi. Un milieu qui *enveloppe* pour amener à mieux se *développer.*

8.1.4 Les stratégies d'intervention

Compte tenu de toutes les caractéristiques de l'intervention de l'enseignante, nous pouvons affirmer que la façon d'intervenir auprès du jeune enfant influe certainement sur la réussite de ce dernier. Pour cette raison, une très grande vigilance s'impose, qui passe par l'analyse réflexive et l'écoute active.

L'analyse réflexive comme stratégie d'intervention signifie :

- observer l'enfant dans sa globalité et tenir compte de son cheminement individuel ; noter ses comportements, ses contacts avec les autres, etc. ;

- tenir compte du cheminement antérieur de l'enfant, l'analyser sous tous les angles, tant en ce qui concerne son comportement à la maison (commentaires des parents) qu'en ce qui concerne son comportement à l'école (évaluation formative) ;

- analyser les actions et les conduites de l'enfant, tant sur le plan de leur réalisation que sur le plan de leurs résultats ;

- tenir compte du comportement actuel de l'enfant dans la classe : discipline, écoute, organisation ;
- faire une synthèse des interventions et des résultats obtenus ;
- anticiper les décisions futures par rapport au développement d'un *tel* enfant, dans *telle* situation et selon *tel* contexte.

Quant à l'écoute active, elle exige une capacité d'empathie. Il faut être en mesure de mettre en parallèle ce que l'enfant dit aujourd'hui et ce qu'il a déjà dit. À cet égard, les causeries à la maternelle constituent des moments propices pour écouter ce que les enfants ont à dire et pour déceler certains problèmes chez un enfant, par exemple une faible estime de soi ou un milieu familial difficile. Mais, par-dessus tout, les discussions spontanées, qui surviennent à l'entrée, au cours des jeux libres ou pendant la collation, représentent des moments d'écoute par excellence.

8.1.5 Les interventions en milieu défavorisé

Lorsque l'enfant arrive à la maternelle, il a parfois participé à des séances dites d'interventions précoces. Celles-ci s'adressent particulièrement aux enfants et aux parents qui présentent des facteurs de risque. Le but de ces séances est de prévenir les difficultés en vue de mieux intégrer l'enfant à l'école et de favoriser sa réussite scolaire. Les interventions précoces visent à devancer les situations conflictuelles ou les comportements indésirables, réduisant ainsi la probabilité de difficultés futures. Dans ce contexte, un programme d'interventions précoces est destiné à l'ensemble des populations potentielles sans discrimination ni catégorisation, par exemple des activités réservées à des enfants ou à des parents en milieu défavorisé.

Par ailleurs, lorsqu'il n'y a eu aucun dépistage avant l'entrée à l'école, certains enfants vont réagir négativement à leur intégration dans un nouveau groupe. Cette situation peut avoir des incidences sur leur motivation et sur leur réussite scolaire future.

8.2 LES PARENTS/LA FAMILLE

Après avoir exposé le rôle important joué par l'enseignante de la maternelle, il convient de rappeler que les parents sont les premiers éducateurs de l'enfant et qu'à ce titre ils influencent grandement l'enfant. L'intervention éducative, loin de se restreindre à l'école, trouve d'abord sa source dans la famille. Les parents sont en général les premières personnes qui interagissent avec leur enfant et qui, par conséquent, impriment un sens et une direction à ses actions. Dans les activités journalières et familiales, l'enfant apprend à agir sur les objets, à les sentir et à imiter les gestes des parents. Ceux-ci transmettent, par leurs propres attitudes, leurs perceptions des choses. Ils exercent donc une forte influence sur l'enfant. De ce fait, ils doivent être reconnus en tant que partenaires essentiels et indispensables dans la démarche visant à une meilleure compréhension de l'enfant. Par exemple, en ce qui a trait au vécu de l'enfant, à son comportement dans les activités, à ses relations avec d'autres enfants et adultes, les parents constituent une source exceptionnelle d'informations. Les renseignements donnés par les parents sont d'autant plus précieux qu'ils permettent d'intervenir plus rapidement et plus adéquatement, dans l'esprit d'une continuité éducationnelle.

Un autre aspect essentiel de la famille est qu'elle est le lieu des premiers contacts que l'enfant établit avec les autres. En tant que premier groupe d'appartenance de l'enfant, elle constitue le milieu par excellence pour l'établissement de rapports affectifs et sociaux qui influenceront ses relations futures. Graduellement, l'enfant bâtit son identité à travers les représentations, les croyances, les valeurs et les modèles que lui offre son milieu familial. La famille exerce donc une grande influence sur l'organisation même de l'agir de l'enfant et sur ses façons d'aborder la vie de tous les jours. Soulignons que, réciproquement, «l'enfant par sa présence, ses exigences, son identité constitue un élément non négligeable d'influence sur les membres de sa famille» (Allès-Jardel et Ciabrini, 2000, p. 77).

8.2.1 Les principes fondamentaux de la collaboration parents-enseignante

Plusieurs études se sont intéressées aux relations entre les parents et l'enseignante de la maternelle en rapport avec le cheminement personnel et la réussite scolaire de l'enfant (Jacques et Deslandre, 2002; Normand-Guérette, 2002). Ces études concluent à la pertinence de la concertation entre parents et enseignante. Dans cet esprit, l'enseignante et les parents doivent réfléchir ensemble à la façon dont ils peuvent réaliser certains projets qui les amèneront à discuter des problèmes reliés à l'éducation préscolaire: interventions, stratégies d'animation, passage au milieu scolaire, évaluations, etc. On peut également imaginer qu'une collaboration école-famille-communauté pourrait avoir des effets bénéfiques sur le développement général de l'enfant et sur son sentiment d'appartenance à une culture, qu'elle soit québécoise ou autre.

Le ministère de l'Éducation du Québec (MEQ) accorde une importance capitale à la collaboration et à la participation des parents à tous les niveaux scolaires, tout particulièrement au niveau préscolaire. D'après le MEQ, l'action éducative est bénéfique si la famille la seconde. Cependant, l'intégration des parents à la vie de l'école exige une action réfléchie, sur la base de quelques principes fondamentaux, à savoir :

- la reconnaissance du principe de responsabilité première des parents ;
- le caractère essentiel de la relation parents-enseignante dans le développement de l'enfant ;
- la reconnaissance des deux institutions (famille et école) comme entités distinctes ;
- le caractère délicat de la tâche de collaboration et de communication entre le parent et l'enseignante, qui ne doit pas être prise à la légère ;
- le fait que les rencontres doivent s'inscrire dans un processus de communication où l'un et l'autre ont des choses importantes à s'apprendre ;
- la reconnaissance des rôles distincts des parents et de l'enseignante : chacun d'eux peut s'enquérir du programme ainsi que de l'expérience de l'enfant, de son comportement et des attentes envers lui ;
- l'importance de la coopération avec les parents qui, de la part de l'enseignante, exige un engagement de tous les instants et une capacité d'adaptation à chacun d'eux (Ministère de l'Éducation du Québec, 1982b, p. 101-102 ; 1997b, p. 17).

Un des enjeux majeurs de la participation du parent à l'école est la communication interactive entre celui-ci et l'enseignante. Cette communication doit se dérouler dans le respect des rôles de chacun afin que s'établisse le climat de confiance indispensable au bon fonctionnement de l'enfant.

8.2.2 Les avantages de la collaboration parents-enseignante

La collaboration entre les parents et l'enseignante présente des avantages tant pour les parents que pour l'enfant, l'école et l'enseignante (Ministère de l'Éducation du Québec, 1982b, p. 101).

Parmi les avantages que peuvent retirer les parents de leur collaboration, mentionnons :

- recevoir de l'information sur le système scolaire, les ressources disponibles ;
- connaître les mécanismes de consultation et de participation scolaire (par exemple le comité d'école, le projet éducatif) ;

- devenir partie prenante de certaines décisions orientant l'avenir de l'école ;
- développer des habiletés de coopération et de partage ;
- acquérir des connaissances sur le développement des enfants, sur la communication, etc., leur permettant d'améliorer leur relation parent-enfant.

Pour l'enfant, la collaboration entre les parents et l'enseignante peut faire en sorte :
- qu'il se sente accepté ;
- qu'il se sente bien et ait confiance dans le milieu ;
- qu'il s'intéresse aux activités et s'efforce de réussir ;
- qu'il accepte les difficultés et essaie de les surmonter.

La collaboration des parents profite aussi à plusieurs points de vue à l'école, qui :
- s'enrichit de la multiplicité des expériences des parents ;
- est stimulée par l'expression de leurs besoins et de leurs visées ;
- est amenée à s'améliorer.

Quant à l'enseignante, la collaboration lui permet :
- d'obtenir des informations complémentaires sur le vécu de l'enfant ;
- de recevoir de l'aide pour certaines activités ;
- d'avoir des discussions constructives avec les parents.

D'une façon globale, la collaboration amène l'enseignante, les parents et l'enfant à établir une complicité et une continuité dans l'action éducative et à conjuguer leurs efforts pour régler les problèmes de façon cohérente.

8.2.3 Les difficultés de la collaboration parents-enseignante

Une des principales difficultés qui se pose dans la collaboration entre les parents et l'école est la méfiance. En effet, les parents craignent souvent de ne pas être à la hauteur des attentes de l'école et redoutent les jugements qui pourraient être portés sur leur enfant ou sur eux-mêmes. Quant à l'enseignante, elle ne se sent pas toujours à l'aise par rapport aux parents, car elle appréhende leurs réactions et leurs comportements quant à sa propre façon d'aborder les enfants et les situations de la classe.

En fait, la perception qu'ont les partenaires l'un de l'autre fait parfois obstacle à l'établissement d'une réelle communication entre eux. Ainsi, certains parents s'en remettent à l'école pour résoudre la majorité des problèmes et certaines enseignantes sont d'avis que les parents sont à l'origine de plusieurs des difficultés qu'éprouve leur enfant.

Il arrive également que, malgré l'ouverture d'esprit et la bonne volonté des enseignantes, des parents ne veuillent pas s'impliquer de façon régulière à l'école, que ce soit par manque de temps, d'intérêt ou d'information. De même, des parents prêts à s'engager se heurtent parfois à un manque d'ouverture et de réceptivité de la part des enseignantes. Cet état de choses nous amène à la nécessité de déterminer quelles attitudes de l'enseignante sont susceptibles de favoriser une meilleure participation des parents.

8.2.4 Les attitudes favorables à la participation des parents à la vie scolaire

Les attitudes de l'enseignante sont primordiales pour que s'établisse un climat de confiance qui incitera les parents à vouloir participer activement à la vie scolaire. Ces attitudes peuvent se traduire par différentes initiatives, que l'on pourrait résumer ainsi :

- Informer les parents sur le fonctionnement de la maternelle et de l'école.
- Établir un climat de confiance qui empêche les jugements.
- Démontrer un réel intérêt envers les parents eux-mêmes et envers leur enfant : activités, loisirs, etc.
- Parler de l'enfant en des termes favorables.
- Inviter les parents à observer avant qu'ils ne s'engagent dans les activités de la classe.
- Faire choisir par les parents les activités qu'ils voudraient animer ou diriger, tout en leur expliquant bien les limites de leur rôle.
- Accepter que les parents viennent observer les comportements de leur enfant dans la classe.
- Donner des exemples concrets (faits) du comportement de l'enfant et non des interprétations.
- Écouter les parents en faisant preuve d'empathie ; manifester de la compréhension.
- Éviter les jugements accusateurs et les comparaisons avec d'autres enfants.

- Accepter les idées des parents tout en les amenant à comprendre son propre point de vue en tant qu'enseignante, cela dans le but d'arriver à des objectifs communs.
- Laisser de côté certains préjugés tels que la croyance selon laquelle les parents ne veulent pas collaborer en raison de compétences différentes.

Dans les cas spécifiques où un parent souhaite animer une activité en classe, l'enseignante doit au préalable :

- le préparer à faire face au groupe ;
- l'informer des réactions que pourrait avoir son enfant relativement à sa visite ;
- le rassurer par rapport à l'activité qu'il a choisi d'animer ;
- tenir compte de ses idées.

Finalement, ce n'est pas tout d'adopter des attitudes qui favorisent la participation des parents à la vie scolaire ; encore faut-il que l'enseignante cultive les qualités qui entretiennent cette collaboration. Ces dernières sont exposées dans le tableau 8.1.

En définitive, la collaboration entre les parents et l'enseignante s'avère exigeante, mais aussi très enrichissante.

Tableau 8.1 Les qualités associées à la collaboration et leurs manifestations

Qualité	Signification	Manifestations
Authenticité	Sincère, transparent	• Se parler franchement. • Ne pas essayer de cacher la vérité.
Ouverture	Accueillant, accessible, ouvert aux nouvelles idées	• Vouloir innover, participer à des changements. • Essayer de nouvelles façons de faire.
Inconditionnalité	Sans réserve, désireux d'éviter les objectifs absolus	• Accepter les parents tels qu'ils sont. • Faire confiance.
Constance	Persévérant dans l'action, stable	• S'engager dans des activités à long terme. • Assurer un certain suivi. • Faire des retours et annoncer la suite à donner.

• • •

Qualité	Signification	Manifestations
Progressivité	Favorable à un développement régulier, par étapes	• Aller toujours un peu plus loin dans l'action. • Éviter de sauter des étapes. • Ne pas exiger trop au début (objectifs progressifs).
Accessibilité	Compréhensif, intelligent, coopératif	• Être capable de se mettre à la place de l'autre. • Pouvoir discuter avec l'autre.
Adaptation aux gens et au milieu	Capable de répondre à ce qui est demandé	• Tenir compte du contexte et des personnes. • Individualiser les attentes.

8.2.5 Les formes de participation

Plusieurs facteurs entrent en jeu quand vient le temps de participer aux activités scolaires. Mentionnons, entre autres, le facteur de disponibilité : plusieurs parents travaillent et ne peuvent s'engager à long terme dans les activités scolaires. Pour suppléer à leur absence dans la classe, on peut se tourner vers d'autres formes de participation, qui sont aussi très valables (*voir le tableau 8.2*).

Tableau 8.2 Les formes de participation des parents à l'action éducative

Rencontres individuelles

But : Obtenir la collaboration des parents afin d'aider l'enfant dans son développement.

Sujets abordés :
• Comportement général de l'enfant à la maternelle et à la maison
• Bons coups de l'enfant à la maternelle et à la maison
• Difficultés décelées chez l'enfant et pistes d'action possibles ; pertinence de s'associer des personnes-ressources (par exemple l'orthophoniste)

Conditions de succès :
• Être planifiées pour s'assurer de la disponibilité des parents et permettre de bons échanges de vues.
• Avoir lieu pour faire état des succès et des situations difficiles.

Occasions privilégiées :
• À la première réunion de parents, en début d'année
• À la remise des bulletins
• Pour le suivi d'un plan d'intervention auprès d'un enfant en difficulté

Il est aussi conseillé de profiter de rencontres non planifiées (par exemple quand le parent vient conduire l'enfant à l'école) pour avoir des échanges informels.

Tableau 8.2	Les formes de participation des parents à l'action éducative (*suite*)

Rencontres de groupe

But: Favoriser la participation active des parents.

Thèmes de rencontre suggérés:

- Le développement de l'enfant et les objectifs du programme d'éducation préscolaire
- L'importance du jeu dans le développement de l'enfant
- Les règles de vie de la classe, les consignes et l'encadrement de l'enfant
- La lecture d'une histoire à son enfant

Ateliers parents-enfants

But: Permettre aux parents de connaître l'intervention faite auprès des enfants.

Modalités:

- Des parents participent à l'activité, observent le comportement des enfants et interviennent à des moments précis.
- Des parents prennent la responsabilité d'un atelier (par exemple la présentation de leur métier ou d'une habileté particulière qu'ils possèdent).

Mentionnons que les occasions de festivités et les sorties éducatives sont aussi des moments privilégiés pour favoriser la participation des parents.

Source: D'après Ministère de l'Éducation du Québec, *Programme d'éducation préscolaire,* Québec, MEQ, 1997, p. 16.

8.2.6 L'organisation de la participation

Bien qu'il puisse arriver qu'un parent prenne part spontanément aux activités de la classe, en règle générale, sa participation nécessite un minimum de planification et d'organisation. Il y a donc lieu de prévoir la participation des parents dès le début de l'année et de les en informer à la première rencontre générale. Après leur avoir expliqué le fonctionnement de la classe et les différentes tâches et activités, l'enseignante peut inviter les parents à s'inscrire au tableau des disponibilités préparé à cet effet.

Le tableau des disponibilités contient une liste de responsabilités ou de tâches, dont voici la description:

- *Activité, atelier ou projet.* Les parents peuvent animer des activités en classe. Ces activités sont suggérées soit par les parents, soit par l'enseignante. Selon le cas, celle-ci peut organiser des rencontres préalables pour expliquer aux parents ses attentes en ce qui concerne l'activité et pour clarifier leur rôle avec eux.

- *Sorties éducatives.* Les parents peuvent accompagner le groupe à l'occasion de sorties, soit à titre de surveillants, soit à titre d'accompagnateurs ou de guides.

- *Tâches à réaliser à la maison.* Ces tâches sont reliées le plus souvent à la production de matériel. Par exemple, on peut demander à des parents de fabriquer des marionnettes, de construire un petit théâtre pour les spectacles de marionnettes, de réaliser des travaux de couture ou de réparer des jouets.

- *Chaîne téléphonique.* Un parent se charge de la chaîne téléphonique, de manière que chaque parent soit tenu au courant au fur et à mesure des activités et des événements spéciaux qui ont lieu à la maternelle et dans l'école.

- *Observation.* Un parent qui souhaite être présent à l'école sans nécessairement participer activement aux activités pourrait faire de l'observation. Celle-ci peut être centrée sur le niveau de fonctionnement global de l'enfant et de la classe ou encore viser une évaluation objective de faits prédéterminés ou une meilleure compréhension du discours de l'enfant quand il revient à la maison.

- *Personne-ressource.* Le parent qui désire parler de sa profession, de sa culture (autres pays) ou de tout autre sujet de nature à intéresser les enfants peut offrir ses services de conférencier-animateur.

Outre le tableau des disponibilités en vue d'organiser la participation des parents, d'autres moyens peuvent être mis en place pour les inciter à prendre part aux activités de la maternelle. Ces moyens peuvent revêtir différentes formes selon les milieux et les besoins de l'enseignante. Il s'agit surtout d'outils de liaison qui visent à entretenir l'intérêt des parents pour ce qui se passe à la maternelle et, parfois, à piquer leur curiosité. Le tableau 8.3, à la page 170, présente quelques exemples de ces outils de liaison.

Finalement, peu importe la forme que prend la participation des parents, les répercussions sur le comportement global de l'enfant sont en soi significatives, autant à la maison qu'à l'école. En effet, les observations du parent et de l'enseignante, qui permettent de mieux comprendre l'enfant, donnent à chacun l'occasion d'adapter les interventions et les décisions.

8.3 LES SPÉCIALISTES

Malgré toute la bonne volonté de l'enseignante, il arrive que des situations ou certaines attitudes de l'enfant dépassent le champ de ses compétences. Comme il est de son devoir de tout mettre en œuvre pour apporter des solutions aux problèmes éprouvés, la présence de spécialistes peut alors être un atout précieux pour l'aider à mieux intervenir auprès de certains types d'enfants.

Tableau 8.3	**Des moyens pour stimuler la participation des parents**

Moyens	Description
Journal de classe	Petit journal servant, entre autres choses, à : • informer les parents des activités à la maternelle et dans l'école ; • souligner les *bons coups* des enfants et leur anniversaire respectif ; • demander de l'aide pour les sorties ou les activités de la classe.
Agenda de l'enfant ou journal de bord	Cet agenda ou journal de bord peut prendre diverses formes, mais il est intéressant d'y voir consigné le déroulement de la journée de l'enfant. Il peut contenir : • le calendrier du mois : dates des sorties, anniversaires des enfants, etc. ; • les activités réalisées ; • les particularités de la journée ; • l'évaluation des activités : commentaires de l'enfant et de l'enseignante ; • les remarques des parents (pour les obtenir, faire parvenir l'agenda aux parents chaque fin de semaine et demander à l'enfant de le rapporter à l'école le lundi).
Portfolio	Pochette ou cahier servant à conserver les réalisations les plus significatives de l'enfant.
Appels téléphoniques	Coup de fil pour annoncer un événement important ou encore rendre compte de l'évolution du comportement de l'enfant.
Questionnaire	Outil ponctuel pour compléter les observations de l'enseignante.
Feuille d'information	Note transmise aux parents pour : • rappeler des événements à venir (exposition, pièce de théâtre, etc.) ; • demander leur participation.

Source : D'après Ministère de l'Éducation du Québec, *Programme d'éducation préscolaire,* 1997, p. 17.

Les *spécialistes* sont des personnes qui, en raison de leur formation universitaire, sont habilitées à intervenir dans un domaine spécifique (par exemple les psychologues, les psychoéducateurs, les orthophonistes, les travailleurs sociaux) ou encore à donner un enseignement dans une discipline particulière comme la musique, l'expression dramatique ou l'éducation physique.

Le recours à un spécialiste relié à un domaine particulier doit être justifié. Cela exige, de la part de l'enseignante, une observation attentive de l'enfant en vue de déterminer précisément les difficultés qu'il éprouve. En tout temps, il faut garder à l'esprit que les difficultés considérées comme légères ont habituellement tendance à s'atténuer en cours d'année. En revanche, les problèmes persistants exigent l'aide de spécialistes formés dans un domaine particulier. Le tableau 8.4 donne une liste des principaux spécialistes avec les fonctions qu'ils remplissent.

Tableau
8.4
Les spécialistes et leurs fonctions*

Spécialiste	Fonctions
Psychologue	• Évalue les comportements de l'enfant (par des tests, etc.). • Analyse les comportements. • Propose des modes d'intervention et parfois un classement plus approprié.
Orthopédagogue	• Évalue les difficultés qu'éprouve l'enfant. • Soutient l'enfant dans son apprentissage. • Recherche les moyens pour aider l'enfant à bien s'intégrer dans la classe.
Psychoéducateur	• Évalue les difficultés auxquelles fait face l'enseignante. • Recherche les moyens pour l'aider à bien gérer son groupe. • Analyse les comportements de l'enseignante et les attitudes des enfants dans la classe. • Outille l'enseignante pour lui permettre d'intervenir plus adéquatement dans son groupe.
Orthophoniste	• Analyse les difficultés de langage qu'éprouve l'enfant. • Suggère des moyens d'amélioration.
Travailleur social	• Analyse les comportements sociaux de l'enfant en vue de favoriser son intégration et son adaptation dans le groupe, dans sa famille ou dans la société.

*Ces spécialistes ne travaillent pas exclusivement dans le milieu préscolaire.

Source : D'après R. Legendre, *Dictionnaire actuel de l'éducation*, 2e éd., Montréal, Guérin, 1993.

Par ailleurs, l'enseignement à la maternelle de disciplines spécialisées telles que la musique, les arts plastiques, l'expression dramatique ou l'éducation physique varie selon le projet éducatif de chaque école et, souvent, selon la tâche d'enseignement de ces professeurs spécialisés auprès des enfants des autres degrés.

Dans la réalité, toutefois, on constate que la majorité des classes maternelles bénéficient d'un cours d'éducation physique auquel s'ajoute parfois un cours de musique. En fait, rien n'est jamais assuré à ce sujet ; tout peut varier d'un milieu à un autre et d'une année à l'autre.

8.4 LES AUTRES INTERVENANTS

Outre les spécialistes, d'autres personnes interviennent auprès des enfants de la maternelle. Le tableau 8.5 les identifie et précise leur contribution.

Tableau 8.5	Les autres intervenants et leur contribution

Intervenant	Contribution
Directeur d'école ou directeur adjoint	• Alloue le budget et les ressources matérielles nécessaires au bon fonctionnement de la maternelle. • Participe à des activités spéciales (fêtes, expositions, etc.). • Conseille et soutient l'enseignante dans ses interventions auprès d'élèves en difficulté et, le cas échéant, dans ses relations avec les parents.
Infirmière	• Reçoit les enfants qui présentent des problèmes particuliers relevant de ses compétences (obésité, surdité, etc.). • Conseille l'enseignante sur certains sujets (alimentation, santé, sécurité, cas de malpropreté, cas de mauvais traitements, maladies contagieuses, etc.). • Fait un travail de prévention auprès des enfants et des parents.
Secrétaire	• Fournit à l'enseignante les adresses et les numéros de téléphone des enfants. • Fournit la liste des enfants qui voyagent en autobus, qui dînent à l'école, etc. • Vérifie auprès des parents ou des gardiens les motifs d'une absence prolongée d'un enfant.
Surveillant de dîner ou animateur du service de garde en milieu scolaire	• Agit en continuité avec les règles de conduite en vigueur dans la classe maternelle. • Tient compte des particularités de certains enfants (par exemple un enfant handicapé). • Choisit des jeux et des activités adaptés à l'enfant de la maternelle. • Se concerte avec l'enseignante lorsqu'il lui faut intervenir auprès d'un enfant ayant des problèmes de comportement et, le cas échéant, informe les parents de ces problèmes.
Suppléant	• Au préalable, obtient de l'enseignante des informations pertinentes (règles de vie de la classe, horaire, routine, noms des enfants, transport, etc.). • S'informe sur le programme, les approches pédagogiques privilégiées et les stratégies d'intervention appropriées. • Discute avec l'enseignante de ses réussites et des difficultés auxquelles il s'est heurté, afin d'être en mesure de mieux intervenir lors d'une prochaine suppléance.
Conseiller pédagogique	• Agit auprès de l'enseignante comme une personne-ressource en ce qui concerne: – le contenu du programme d'éducation; – le matériel pédagogique disponible; – l'aménagement de l'espace; – les approches, les interventions, les observations, les évaluations, etc.; – son perfectionnement.

• • •

Intervenant	Contribution
Autre enseignante de la maternelle dans l'école	• Contribue à la création d'un climat de travail harmonieux et à l'établissement de règles de vie communes (discipline dans les corridors et dans la classe). • Discute des approches pédagogiques à privilégier et des modalités d'intégration des parents dans la classe. • Partage certaines tâches (surveillance, communiqués aux parents, etc.). • Fait profiter les autres enseignantes de ses talents, de ses habiletés ou de ses expériences (animer un groupe pour certaines activités et vice versa). • Crée des activités de grand groupe réunissant les enfants de toutes les classes de la maternelle (fêtes [Halloween, Noël], sorties éducatives, etc.).
Conducteur d'autobus	• Aide l'enseignante à amener les enfants à reconnaître leur autobus. • Indique à l'enseignante les changements qui n'apparaissent pas nécessairement sur la liste officielle des enfants qui prennent l'autobus. • Donne son nom ou son prénom aux enfants, ainsi que le numéro de son autobus, pour qu'ils établissent les liens nécessaires. • Informe l'enseignante du comportement des enfants dans l'autobus. • Fait respecter les règles relatives à la sécurité, à la discipline et à la propreté dans l'autobus.
Autres enseignants de l'école	• Élaborent avec l'enseignante de maternelle des projets communs. • S'intéressent aux activités se tenant à la maternelle. • Établissent, dans le cas des enseignantes de première année, un rapport privilégié avec les enfants de la maternelle afin de faciliter leur passage en première année.

Concierge	• Se présente aux enfants.
	• Aide l'enseignante à sensibiliser les enfants à certaines conduites propres à faciliter sa tâche :
	  – mettre les papiers dans la poubelle ;
	  – placer les chaises sur les tables avant de quitter la classe afin de lui permettre de balayer, etc.

Stagiaire	• Demande des informations pertinentes (règles de vie de la classe, horaire, noms des enfants, routine, etc.). • Observe les enfants. • Participe à certaines activités. • Donne son enseignement selon les approches pédagogiques conformes aux orientations définies dans le programme.
Élèves des autres classes	• Aident les enfants de la maternelle à réaliser certains travaux. • Agissent comme tuteurs pour les activités à l'ordinateur. • Animent des activités dans la cour de récréation ou dans la classe. • Dans le cas des élèves de première année, expliquent aux enfants de maternelle ce qu'ils font dans leur classe, qui sera bientôt la leur.

En ce qui concerne la collaboration d'autres intervenants, soulignons le travail des gens qui agissent pour la sécurité des enfants, tels les brigadiers et les policiers, de ceux qui effectuent un travail de sensibilisation aux soins de santé, tels les hygiénistes dentaires, ou de ceux qui viennent à l'école pour expliquer leur métier ou l'importance de leur fonction au sein de la communauté, tels le policier-éducateur, le pompier, le plombier, le médecin, le facteur, un grand-parent. Le rôle de l'enseignante par rapport à ces intervenants consiste essentiellement à éveiller l'intérêt des enfants relativement au visiteur, soit en leur expliquant sa tâche et en animant des discussions au sujet de celle-ci, soit en leur fournissant toutes les informations jugées pertinentes en prévision d'activités avec lui.

RÉSUMÉ

Dans les maternelles, on peut compter sur diverses collaborations, mais encore faut-il qu'elles répondent aux besoins de l'enseignante et qu'elles remplissent certaines conditions. En gros, ce que le MEQ souhaite, c'est qu'une relation plus étroite s'établisse entre l'enseignante et les parents en vue d'aider l'enfant à progresser dans sa démarche d'apprentissage. Dans le même esprit, la collaboration entre les parents et l'école assure la complémentarité des actions éducatives et des interventions et produit un effet bénéfique sur le développement de l'enfant. Enfin, les professionnels spécialistes et les professeurs spécialisés contribuent grandement au développement de l'enfant.

Questions

1. Définissez l'intervention éducative et dites comment elle peut s'actualiser dans la classe maternelle.

2. Énumérez les avantages de la collaboration avec les parents des enfants de la classe maternelle.

3. Quelles attitudes l'enseignante doit-elle adopter pour favoriser la participation des parents dans la classe ?

4. Décrivez d'autres collaborations possibles et dites en quoi elles sont profitables pour le développement de l'enfant.

Lectures suggérées

GAGNIER, J.-P., et C. CHAMBERLAND (dir.). (2000). *Des initiatives communautaires novatrices dans les secteurs de la famille, de l'école et de la communauté,* Québec, Presses de l'Université du Québec.

PLAISANCE, É. (1986). *L'enfant, la maternelle, la société,* Paris, PUF.

CHAPITRE 9

L'organisation de la classe

Objectifs

Au terme de ce chapitre, le lecteur devrait pouvoir:

- décrire le milieu de la maternelle;

- dessiner le plan d'une classe maternelle en y intégrant les différents coins;

- décrire l'organisation matérielle et pédagogique d'une maternelle;

- comprendre les principes de base qui doivent présider à l'aménagement d'une classe pour les enfants de cinq ans;

- expliquer l'importance d'un milieu motivant pour faciliter l'apprentissage des jeunes enfants.

L a classe de maternelle se situe dans un ensemble scolaire et dans un milieu socioéconomique qui déterminent sa place au sein de la communauté. Comme nous l'avons mentionné précédemment, les valeurs auxquelles adhère l'enseignante se reflètent à la fois dans sa manière d'intervenir et dans l'aménagement de sa classe.

Des normes d'aménagement des classes de maternelle ont été publiées en 1981 par le ministère de l'Éducation du Québec (MEQ) concernant la construction de nouveaux locaux. Malheureusement, ces normes n'ont pas toujours été appliquées faute de temps, d'espace ou d'argent.

Les principaux éléments à considérer dans l'analyse du milieu éducatif de la maternelle sont d'abord et avant tout l'attention prêtée à l'enfant, la variété des activités offertes et les possibilités d'action.

9.1 LES PRINCIPES DE BASE

Certains principes de base sont incontournables lorsqu'on planifie l'aménagement d'une classe de maternelle. Mais, par-dessus tout, il faut se rappeler que, pour se développer sur les plans physique, émotif, social, intellectuel et psychomoteur, l'enfant a besoin de stimulations visuelles, de sécurité et, surtout, de sentir qu'on l'accepte pour ce qu'il est. Cela étant dit, voici résumés en cinq points les principes sur lesquels doit se fonder l'aménagement pratique d'une classe de maternelle :

1. Satisfaire le besoin de bouger et d'explorer de l'enfant en offrant un espace suffisamment grand pour qu'il puisse agir avec tout son corps et ainsi découvrir sa façon personnelle de s'organiser dans les activités. Cela l'amènera ultimement à connaître les différentes parties de son corps, à distinguer ses besoins, ses émotions, ses goûts et ses intérêts, et à devenir de plus en plus conscient de ses capacités et de ses limites.

2. Offrir un milieu stimulant et enrichissant par sa variété d'activités, en permettant à l'enfant de choisir parmi elles, ce qui contribuera à l'acquisition d'habiletés précises.

3. Refléter la personnalité de l'enseignante et de l'enfant, en favorisant le respect mutuel et le développement de l'autonomie intégrale de chacun. Tout en prenant conscience de son unicité, l'enfant sera plus à même de comprendre qu'il fait partie d'un groupe et qu'à ce titre il doit se conformer à certaines règles en vertu desquelles il devra négocier, faire des compromis, attendre son tour.

4. Créer un environnement que l'enfant peut faire sien et considérer comme un milieu d'appartenance. En prenant conscience de son milieu de vie, l'enfant est amené à se représenter comme membre actif de cette microsociété et à se plier à des règles ou encore à participer à leur établissement. *Établir des règles* signifie, pour un enfant, qu'il est conscient de ses limites, de celles de ses pairs et des attentes du milieu. D'abord, il procédera par essais et erreurs, puis il se situera par rapport au contexte environnemental.

5. Fournir des espaces structurellement organisés qui rendent possible un certain encadrement, en mettant l'accent sur les responsabilités et le rôle que l'enfant aura à assumer pour le bon fonctionnement de la classe. Étant donné la variété des activités et des moyens mis à la disposition de l'enfant, il faut lui donner la possibilité de s'y retrouver dans la classe. C'est pourquoi, le plus souvent, le local de la classe de maternelle comporte plusieurs aires ou coins destinés à des activités identifiables par le matériel précis qui s'y trouve.

9.2 L'AMÉNAGEMENT DE LA CLASSE DE MATERNELLE

L'aménagement de la classe de maternelle comporte deux volets : l'organisation de l'espace et la planification du temps.

9.2.1 L'organisation spatiale

En principe, le local de la maternelle est divisé en coins ou en aires, ce qui influe naturellement sur la planification et l'organisation des activités de la classe. Avant même de délimiter les aires spécifiques d'activités, chaque enseignante réserve habituellement un espace comme lieu de rassemblement du groupe, désigné le plus souvent comme le *cercle magique* ou simplement le *cercle de rassemblement.* Certaines enseignantes, aidées des enfants, attribuent un nom plus particulier à cet emplacement.

Le cercle de rassemblement est un espace libre de mobilier où l'enseignante peut réunir l'ensemble du groupe. Cet espace, souvent délimité par un grand cercle tracé sur le plancher, sert habituellement pour les causeries, la collation, la sieste ou la détente. L'enseignante peut y enseigner des notions particulières ou expliquer des règles ; elle peut aussi y faire exécuter des exercices de motricité, des danses ou des chants. Également, ce lieu peut servir à regrouper les enfants pour une évaluation de la journée.

Dans la majorité des classes maternelles, les aires ou coins de la classe se répartissent autour du cercle de rassemblement. Le MEQ (1982b, p. 273) définit ainsi les aires ou coins :

Lieux prédéterminés et habituellement permanents, souvent disposés en périphérie du local et dans lesquels se retrouvent des objets souvent caractéristiques de ces « coins ».

L'aménagement de la classe oblige l'enseignante à tenir compte d'une foule de petits détails, tels que :

- l'emplacement du robinet et de l'évier, en vue de l'installation du coin peinture ;
- l'emplacement des prises de courant, pour l'équipement audiovisuel (lecteur de disques compacts, lecteur de DVD, téléviseur, ordinateurs, etc.) ;
- les caractéristiques du mobilier existant et la quantité de meubles. Ordinairement, on trouve de petites tables de différentes formes (rondes, carrées, rectangulaires, losangiques), des chaises de couleurs variées, des bacs, des bahuts, des boîtes de classement, des tableaux d'affichage et des meubles d'appoint pour le rangement du matériel.

L'organisation spatiale a des effets sur le fonctionnement de la classe. Elle a une incidence sur le climat qui y règne, sur les stratégies pédagogiques utilisées et sur l'intérêt des enfants. La figure 9.1 présente, sous forme de plan, une illustration d'une telle organisation. Il s'agit de modèles parmi d'autres, adaptables selon les besoins et les possibilités.

Les différents coins ou aires permettent de disposer le matériel de manière à répondre aux besoins de l'enseignante et des enfants. Dans la majorité des maternelles, ces coins ou aires d'activités sont bien définis et organisés de façon que l'enseignante ait une vue globale de la classe afin de surveiller les allées et venues des enfants.

Il existe deux types de coins :

- les coins permanents, qui demeurent en place du début jusqu'à la fin de l'année scolaire. C'est le cas, par exemple, du coin lecture ;
- les coins temporaires, qui sont aménagés à un moment précis dans l'année et pour une durée restreinte. Par exemple, un projet sur l'alimentation entraîne la mise en place du coin magasin ou du coin restaurant, qui disparaîtra à la fin du projet. De même, après Noël ou Pâques, plusieurs enseignantes aménagent un coin *première année* ou un coin *écriture et mathématiques,* l'objectif étant de faire cheminer les

enfants vers des apprentissages concrets et de faciliter ainsi le passage en première année.

Figure 9.1

Un exemple d'aménagement spatial

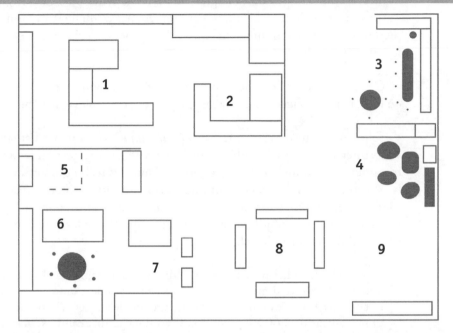

1. Aire ou coin d'arts plastiques : bricolage, modelage, collage, tissage, dessin, peinture
2. Aire ou coin d'exploration et de sciences
3. Aire ou coin des activités sur table : jeux, écriture, mathématiques
4. Aire ou coin lecture ou bibliothèque
5. Aire ou coin construction ou blocs
6. Aire ou coin maison (poupées et déguisements)
7. Aire ou coin polyvalent
8. Aire ou coin musique, théâtre, danse, spectacle
9. Aire de rassemblement et jeux moteurs

Tous ces coins se caractérisent par le mobilier et le matériel qu'on y trouve et chacun vise à faire acquérir des habiletés particulières aux enfants. C'est sur ces aspects que nous nous pencherons dans les pages qui suivent. Cependant, il ne faut pas perdre de vue que l'exploitation et l'organisation des aires et du matériel dépendent essentiellement des préoccupations et des habiletés de chaque enseignante et que, en conséquence, elles varient d'une classe à l'autre.

L'aire ou le coin d'arts plastiques : bricolage, modelage, collage, tissage, dessin, peinture

Dans l'aire d'arts plastiques, l'activité de peinture joue un rôle important. Grâce à cette activité, l'enfant, en plus de se familiariser avec le maniement d'outils et l'utilisation de matériaux, apprend de nouvelles techniques, qu'il pourra ensuite intégrer à d'autres activités ou situations. En outre, par ses réalisations, l'enfant peut représenter ce qu'il vit au moment présent dans toute son intensité et sa réalité. Il peut exprimer ce que parfois il n'ose révéler.

Cet espace est idéalement situé à proximité d'un robinet, dans une aire où le plancher est facilement lavable. On y trouve des tables et des chevalets.

Selon Arno Stern (1966), l'*éducation artistique* veut amener l'enfant à s'exprimer, ce qui est très différent de l'*enseignement du dessin* où le maître transmet des notions. D'après cet auteur réputé, les techniques créatrices, la peinture libre en particulier, ont des vertus éducatives. Stern préconise toutefois un matériel adapté ; il vaut mieux, soutient-il, renoncer à tout mobilier plutôt que d'utiliser un équipement qui fausse les conditions de travail. Il décrit ainsi l'installation adéquate :

> Au centre de l'atelier peinture, la table-palette est comme un clavier de couleurs. Selon les dimensions du lieu, elle porte une gamme de 10 à 18 couleurs. Dans ce dernier cas, elle mesure 2 m de long et 0,20 de large, a une hauteur de 0,60 à 0,70 du sol. C'est donc un plateau très long et très étroit (permettant l'accès des deux côtés), percé d'une double rangée de trous, dans lesquels sont encastrés d'une part des godets pour la peinture, d'autre part des gobelets pour l'eau ; ces paires de récipients sont flanquées de moulures rainées portant les pinceaux, au moins un par couleur, de préférence deux pour les couleurs les plus utilisées. Cela fait donc un porte-pinceau à côté d'un gobelet. (Stern, 1966, p. 35.)

L'aire d'arts plastiques comprend également des tables pour réaliser du bricolage, du modelage, du collage, du tissage, du dessin. On y trouve aussi du mobilier pour ranger et classer du matériel de récupération jugé utile pour inventer et créer, en plus du matériel courant dont une liste non exhaustive est donnée ci-après.

• Le mobilier

Des tablettes d'exposition et un tableau d'affichage, des armoires de rangement, des chevalets de peinture, des lavabos (hauteur adulte et hauteur enfant), des toilettes.

- **Le matériel**

De la peinture (gouache, peinture à l'eau, etc.), des pinceaux (coniques, plats, etc.), des crayons (feutres, cire, craies, etc.), du papier, de la feutrine, de la laine, de la corde, du raphia, des cure-pipes, de la paille, des bouchons de liège, des retailles de tissu, etc. En somme, à peu près tout matériel utile au bricolage.

- **Les habiletés visées**

La manipulation d'outils (crayons, ciseaux), la maîtrise et la coordination des gestes, l'usage adéquat de matériaux, la reconnaissance des textures et des formes, la créativité, la prise de décision, l'enrichissement de l'imaginaire, etc.

L'aire ou le coin d'exploration et de sciences

L'enfant peut, dans l'aire d'exploration et de sciences, développer ses sens et exploiter du matériel varié. L'étude du « vivant » constitue sans contredit un attrait pour l'enfant. Par conséquent, dans la mesure du possible, on aura dans la classe des petits animaux et des plantes. La vie végétale et animale nécessite une certaine responsabilisation relativement aux soins en général et à l'entretien.

Soulignons que les promenades dans la cour d'école ou dans les alentours (jardin, parc, forêt, prairie, verger) sont de bonnes occasions de multiplier les contacts directs avec les plantes, les insectes, les oiseaux, etc., dans leur habitat naturel.

Si les sorties dites éducatives sont des activités favorables aux découvertes, encore faut-il qu'elles soient bien organisées, c'est-à-dire que le choix du milieu et la préparation matérielle soient adéquats. En effectuant une visite préalable des lieux, l'enseignante peut s'assurer des possibilités d'accès, des conditions de sécurité et de la présence de la vie animale ou végétale, si tel est le thème de la sortie.

- **Le mobilier**

Le bac à eau ou à sable, des habitats translucides, des tables, un aquarium ou un vivarium, des tablettes d'exposition et des tableaux d'affichage, des armoires de rangement.

- **Le matériel**

De petits animaux comme des poissons ou des hamsters, des coquillages, des plantes, une balance à plateaux, une tasse à mesurer, une loupe, de la

...re, du sel, du sucre, du colorant et tout autre matériel utile pour faire
...petites expériences.

...s habiletés visées

La manipulation, l'observation, la comparaison, la classification, l'association, l'expérimentation, la prise de décision, l'anticipation, la prévision.

L'aire ou le coin des activités sur table : jeux, écriture, mathématiques

L'aire des activités sur table est délimitée par des bahuts et des casiers où sont rangés les jeux et elle comprend des tables et des chaises. L'enfant peut choisir d'y travailler seul ou avec d'autres.

Jouer sans contraintes, à deux ou en groupe, permet de créer une ambiance intime, agréable et détendue. Il se crée une émulation (Vais-je réussir ? Qui y parviendra ?...), qui incite l'enfant à une saine compétition. Ainsi que le souligne De Graeve (1996, p. 111) :

> Les jeux de société constituent une manière privilégiée pour l'enfant de s'exercer aux interactions sociales, de comprendre et accepter l'importance et la sûreté de règles de jeu stables, de l'honnêteté dans le jeu, du respect poli des autres, du pouvoir d'acceptation de la défaite, du partage de la joie de la victoire du gagnant, etc.

Il est fort intéressant de constater que l'évolution des jeux amène l'enfant à exploiter divers matériaux qui, dans certains cas, font appel aux disciplines scolaires comme le français et les mathématiques.

• Le mobilier

Des jeux de table (tables et chaises pour asseoir environ 12 enfants), une table de Lego, une table d'écriture, une table de mathématiques, des bureaux (de 2 à 4) de première année, un tableau et des craies, une table d'ordinateur, des tablettes d'exposition et un tableau d'affichage, des armoires de rangement.

• Le matériel

Des casse-tête, des lotos, des jeux d'encastrement, d'association, de classement ; en somme, une variété infinie de jeux auxquels on peut s'adonner seul ou avec d'autres.

• **Les habiletés visées**

L'observation, la mémorisation, l'association, la déduction, l'imagination, la sériation, la classification, la reconnaissance de mots.

L'aire ou le coin lecture ou bibliothèque

Idéalement, la bibliothèque devrait se situer dans un coin calme de la classe, afin de permettre à l'enfant de se détendre et de se concentrer. Dans ce lieu, l'enfant peut prendre un livre, regarder les images et découvrir les messages associés à celles-ci. Il peut aussi prendre un livre que l'enseignante a déjà lu à haute voix et le *relire,* c'est-à-dire raconter l'histoire en suivant les images et en tournant les pages.

Le coin bibliothèque incite l'enfant à rechercher des informations pour une activité ou un projet qui lui tient à cœur. À ce titre, les dictionnaires visuels devraient occuper une place privilégiée.

Ce coin doit donner à l'enfant le goût et l'envie de lire et d'écrire. En fait, il éveille la conscience à l'écrit. Il serait fort pertinent de le situer près d'un endroit qui donne accès à l'écriture.

• **Le mobilier**

Une bibliothèque, des coussins, une table.

• **Le matériel**

Des livres illustrés pour enfants (contes, légendes, etc.), des dictionnaires visuels, des abécédaires, des revues, des journaux, des catalogues, des affiches, une machine à écrire, un carnet contenant les numéros de téléphone des enfants de la classe, un cahier des règles de vie de groupe illustrées, un ordinateur, des crayons, des gommes à effacer, des calepins pour prendre des notes.

• **Les habiletés visées**

La reconnaissance d'images, de lettres et de mots, la mémorisation, l'imitation, la curiosité, l'observation, l'imagination.

L'aire ou le coin construction ou blocs

Le coin construction, habituellement délimité par un tapis, permet à l'enfant de réaliser des installations à l'aide de cubes et de pièces de différentes formes et grosseurs. La variété des pièces donne la possibilité de faire des assemblages diversifiés, par exemple des réseaux routiers, des magasins, des villages, des châteaux.

• Le mobilier

Un tapis, un établi, des armoires de rangement.

• Le matériel

Des jeux de construction (Lego et autres), des camions et des autos jouets, des petits personnages, des casques de sécurité.

• Les habiletés visées

Le travail d'équipe, la sociabilité, le leadership, l'appropriation d'un rôle, la mesure, le classement, la comparaison, la correspondance, la sériation, les relations.

L'aire ou le coin maison (poupées et déguisements)

Le coin maison est constitué de petits espaces délimités par des meubles qui représentent l'aménagement miniaturisé de la maison. Les objets prédisposent l'enfant à adopter un rôle et à reproduire des activités familiales. Concrètement, l'enfant s'imprègne du personnage en entrant véritablement dans sa peau et en adoptant des comportements (expressions, mimiques et paroles) qui reflètent des choses déjà vues ou vécues dans la *vraie vie*. Ainsi, le *papa* et la *maman* circuleront dans le salon, la cuisine et la chambre d'enfants, tout en s'investissant dans leurs rôles, en utilisant le matériel approprié et en s'occupant du bébé (poupée).

• Le mobilier

Des meubles miniatures de maison, un coffre à déguisements, des armoires de rangement.

• Le matériel

Des poupées, un landau, une chaise haute, un évier, des armoires, une table, des chaises, un fauteuil, des commodes, de la vaisselle, des vêtements pour les poupées, des costumes, des colliers, des chaussures, des sacs à main, un miroir.

• Les habiletés visées

Le travail d'équipe, la sociabilité, le leadership, l'appropriation d'un rôle, l'expression dramatique, la communication, la planification, l'organisation, la prise de décision.

L'aire ou le coin polyvalent

On peut trouver dans l'aire polyvalente des activités sur des thématiques vécues et exploitées en classe. En effet, comme l'éducation préscolaire veut répondre aux intérêts et aux besoins des enfants, elle laisse place à certaines initiatives qui parfois exigent de mettre en place un environnement approprié au contexte. Par exemple, plusieurs enfants se sont absentés pour cause de maladie ; il peut être pertinent de mettre en place une aire réservée à la clinique médicale. Dans cet environnement, les enfants se distribueront des rôles comme celui de médecin, infirmier, secrétaire médicale, patient, etc.

• Le mobilier

Des meubles associés au thème exploité (restauration, médecine, épicerie, etc.).

• Le matériel

Le matériel dépendra évidemment du thème développé. Dans le cas de la clinique médicale, on trouvera les instruments du médecin, des sarraus, des dossiers fictifs, des affiches sur le corps humain, etc.

• Les habiletés visées

La manipulation d'instruments, la collaboration qui nécessite les échanges, les prises de position, les décisions et le respect des autres.

L'aire ou le coin musique, théâtre, danse, spectacle

On trouve dans l'aire ou le coin musique divers instruments (tambourins, triangles, etc.) que l'enfant peut manipuler et utiliser. Ce coin contient aussi des appareils dotés d'écouteurs dont l'enfant peut se servir pour écouter de la musique ou une histoire.

La musique proposée à l'enfant peut être de différents genres : musique de détente, chansons enfantines, musique de danse ou comptines.

• Le mobilier

Un castelet, une table d'écoute, des tablettes d'exposition et un tableau d'affichage, des armoires de rangement.

• **Le matériel**

Du matériel d'écoute et d'enregistrement, des instruments de musique variés, des marionnettes et des accessoires de danse et de théâtre.

• **Les habiletés visées**

L'écoute, l'attention, la coordination, la motricité, l'imagination, la sensibilité, la discrimination auditive, l'expression, le rythme.

L'aire de rassemblement et les jeux moteurs

L'aire de rassemblement est habituellement un espace vide de tout mobilier qui permet de réunir tout le groupe classe en même temps. Plusieurs activités peuvent s'y dérouler : causerie, planification des activités quotidiennes, ateliers thématiques, journées spéciales, retour et évaluation journalière, collation, sieste ou repos et activité motrice comme la danse, la gymnastique et des présentations de spectacles de chant ou de théâtre. L'aire de rassemblement est une sorte d'agora où se déroulent des événements de grand groupe.

• **Le mobilier**

Un grand tapis, un tableau de programmation, une armoire de classement pour les portfolios des enfants et les agendas, des tablettes d'exposition et un tableau d'affichage, des armoires de rangement.

• **Le matériel**

Le matériel requis est déterminé par l'activité qui se déroule au milieu de l'aire de rassemblement. Parfois, aucun matériel n'est requis, comme lors du repos ou de la sieste ; parfois, une boîte à lunch pour la collation.

• **Les habiletés visées**

L'écoute, la concentration, la capacité d'organisation lorsqu'il est temps de planifier les activités de la journée ; l'acceptation et le respect des consignes et des règles de conduite lors de communications d'événements importants ou de circonstances particulières ; la souplesse des prises de positions lors de discussions ou d'échanges sur un sujet spécifique.

9.2.2 La planification du temps

La planification du temps à la maternelle diffère de celle des classes primaires, car le programme n'est pas axé sur les matières scolaires. Un des principaux facteurs à considérer dans la planification du temps tient à la difficulté qu'éprouve l'enfant de cinq ans à se situer dans le temps, d'où l'importance, pour les enseignantes, d'organiser les journées en y intégrant des activités de routine.

L'activité de routine est une activité qui revient presque tous les jours, approximativement à la même heure, et qui s'insère dans la vie quotidienne de la classe. C'est le cas, par exemple, de la collation, que l'on prend d'ordinaire avant les jeux libres, des comptines et chansons, que l'enseignante intercale habituellement entre les activités dans le but d'annoncer qu'il est temps de ranger ou de changer d'activité, ou encore de la période d'évaluation, placée avant l'habillage pour le départ. Ces activités de routine fournissent à l'enfant des repères d'après lesquels il peut se situer dans le temps et planifier ses activités en conséquence.

Tout en respectant les activités de routine, l'enseignante doit se préoccuper du temps global. Ce temps global est relié à : hier (*ce que j'ai fait*) ; aujourd'hui (*ce que je fais*) ; demain (*ce que je veux faire*). En conséquence, le déroulement du temps s'inscrit dans un cadre qui tient compte des activités antérieures ou *préalables*, qui serviront de référence pour faire progresser l'enfant dans son cheminement. L'enseignante doit donc avoir une vision à court, à moyen et à long terme des apprentissages que l'enfant est appelé à faire. Sans rejeter les activités spontanées, elle veille à ce que l'organisation du temps soit en accord avec le développement de chacun des enfants. Le carcan que constitue un emploi du temps trop morcelé ou trop rigide risque d'entraîner une perte d'intérêt chez l'enfant et de l'amener à abandonner ce dans quoi il commençait à s'engager pleinement. C'est aussi le cas lorsqu'on propose trop de choix à l'enfant. En somme, toute organisation du temps trop routinière est susceptible de s'appauvrir rapidement et d'engendrer de l'éparpillement.

Pour planifier adéquatement toutes les activités et organiser efficacement leurs journées, les enseignantes ont recours à plusieurs outils tels que le tableau des responsabilités, le calendrier et le tableau de programmation.

Les responsabilités sont des tâches que l'enfant doit accomplir et qui se trouvent parfois inscrites dans la classe au tableau des responsabilités. Ce tableau permet à l'enseignante d'établir avec les enfants lequel assumera telle ou telle responsabilité au cours de la journée ou même tout au long de la semaine. Les responsabilités peuvent consister, par exemple, à aller porter les fiches d'absence au bureau de la secrétaire, à sortir les nouveaux livres de la bibliothèque ou à ranger les crayons et elles sont généralement données à tour de rôle aux enfants.

Le calendrier consiste en la représentation graphique à grande échelle de chaque mois, incluant les semaines, les jours et la saison. Il permet aux enfants de prendre connaissance des activités qui se dérouleront tout au long de ce mois puisque toutes les occupations prévues y figurent comme les activités, les anniversaires des enfants et les sorties spéciales.

Enfin, le tableau de programmation indique les activités de la journée, de la semaine et parfois même du mois. Selon l'enseignante, le tableau peut prendre diverses formes. Dans plusieurs maternelles, il est divisé en trois parties : les activités collectives, les activités d'équipe ou les activités individuelles. Pour que l'enfant puisse s'y repérer, on différencie chaque type d'activités au moyen de pictogrammes (images représentatives de mots). Bien entendu, lorsque de nouvelles activités sont proposées, l'enseignante donne les explications sur leur déroulement, le matériel mis en place et ses attentes personnelles.

En début d'année, on doit s'attendre à un tableau de programmation présentant des activités plus simples. Par exemple, il faut d'abord enseigner aux enfants à utiliser adéquatement les instruments et à respecter les règles de leur usage avant de les laisser aller librement. Au fur et à mesure que l'année avance, les activités sont appelées à devenir plus complexes, exigeant de plus grandes habiletés de la part des enfants.

La planification d'une journée à la maternelle

En pratique, l'horaire d'une journée de classe à la maternelle couvre une période approximative de cinq heures. Sans vouloir établir un modèle statique, le tableau 9.1 décrit, selon un horaire fictif, la planification d'une de ces journées. Les activités étant généralement liées à un intérêt ou à un thème précis, nous présenterons une journée s'inscrivant dans le cadre de la Semaine de l'alimentation. Travailler par thème impose de retenir un sujet précis auquel on prêtera plus particulièrement son attention pendant un laps de temps donné. Ce thème peut provenir des intérêts des enfants ou de ceux de l'enseignante, ou encore se rapporter à des événements particuliers, comme le temps des fêtes, Pâques, etc.

Pour les besoins de notre exemple, nous avons choisi une journée du mois de mars au cours duquel, traditionnellement, une semaine est dédiée à l'alimentation. Pour bien répartir l'ensemble des activités sur ce thème à réaliser au cours de la semaine, l'enseignante doit avoir une bonne compréhension du thème général et de ses multiples dimensions. Elle peut en effet décider d'aborder dans un premier temps le thème de l'alimentation de façon globale, puis s'intéresser ensuite plus particulièrement à un de ses aspects, comme *les légumes,* qui constitue finalement ici le thème retenu.

Bien que les matières scolaires comme le français, les mathématiques, les sciences ou autres ne soient pas inscrites nommément dans notre exemple, elles sont intégrées aux activités elles-mêmes. Ainsi, *écrire son nom* ne se réalisera pas dans le cadre d'une leçon d'écriture formelle; à la place, lorsque l'enfant aura terminé son dessin, on lui demandera de signer sa copie. S'il ne sait pas écrire son nom, il devra s'efforcer de reproduire du mieux qu'il peut le modèle qu'on mettra à sa disposition.

Tableau 9.1	L'organisation d'une journée sur le thème des légumes
9 h	**Titre de l'activité** Entrée **Description** L'enfant dépose ses vêtements d'extérieur au vestiaire. **Notes pratiques** L'enseignante s'assure que l'enfant entre en toute sécurité.
	Titre de l'activité Accueil **Type d'activité** Activité de routine **Description** L'enseignante accueille, écoute et aide au besoin.
	Titre de l'activité Présences **Notes pratiques** L'enseignante prend note des absences pour faire le suivi.
	Titre de l'activité Responsabilités **Description** L'enfant accomplit les tâches pour lesquelles il est désigné: par exemple arroser les plantes, s'occuper d'un petit animal. **Notes pratiques** Le temps est alloué aux responsabilités sur une base journalière ou hebdomadaire.
9 h 10	**Titre de l'activité** Causerie **Type d'activité** Activité de routine dirigée **Description** Causerie dirigée sur les légumes, à partir de la collation des enfants (vécu)

Tableau 9.1 L'organisation d'une journée sur le thème des légumes (*suite*)

	• Quelles sont les caractéristiques des légumes? • Autres questions **Notes pratiques** L'enseignante anime la discussion, donne le droit de parole. L'enfant doit apprendre à attendre son tour.
9 h 25	**Titre de l'activité** Ronde *Tous les légumes* **Type d'activité** Activité collective dirigée dite «déclencheur» **Description** L'enseignante montre la chanson tout en expliquant chacun des légumes qui y sont mentionnés. Avec les enfants, elle cherche les gestes appropriés à cette chanson. **Notes pratiques** L'enseignante utilise la gestuelle des enfants et l'intègre à la chanson. Plus tard dans la semaine, elle pourra écrire les mots de la ronde que les enfants pourront illustrer.
10 h	**Titre de l'activité** Calendrier **Type d'activité** Activité de routine dirigée **Description** L'enseignante repère la date du jour avec les enfants et vérifie s'il y a un anniversaire. (Souvent, on y inscrit le temps qu'il fait dehors.) **Notes pratiques** Il faut profiter de cette activité pour introduire les mots *hier, aujourd'hui* et *demain* et présenter les différentes saisons. Le calendrier permet aussi de souligner les moments forts du programme de la semaine.
	Titre de l'activité Tableau de programmation **Type d'activité** Activité collective **Description** Le tableau de programmation amène l'enfant à réfléchir sur les activités qu'il a déjà entreprises et sur celles qu'il veut réaliser ce jour-là. **Notes pratiques** L'enseignante s'attarde particulièrement sur les nouvelles activités et sur leurs règles.
10 h 15	**Titre de l'activité** Collation **Type d'activité** Activité de routine et activité collective

	Description
	Les enfants prennent leur collation.
	Notes pratiques
	L'enseignante peut profiter de ce moment pour regarder les collations et faire des retours sur le thème de l'alimentation.
10 h 25	**Titre de l'activité**
	«Touche-à-tout»
	Type d'activité
	Activité de transition dirigée
	Description
	Dans un sac, on a déposé différentes sortes de légumes que l'enfant doit identifier seulement au moyen du toucher, en disant si c'est un légume qu'il aime ou pas.
	Plus tard, on pourra introduire des légumes moins connus pour que les enfants puissent apprendre leur nom.
	Notes pratiques
	L'enseignante pourra proposer à l'enfant de reprendre cette activité quand il aura un moment libre dans la journée. Cette activité sera alors désignée comme *déversoir*.
10 h 35	**Titre de l'activité**
	Activités, ateliers ou projets
	Type d'activité
	Activité dirigée individuelle, en équipe ou collective
	Description
	L'enfant choisit une activité qui l'intéresse.
	Quand il a terminé, il peut, dans certains cas et selon les directives de l'enseignante, s'inscrire à une autre activité ou simplement choisir un jeu de table.
	Notes pratiques
	L'enseignante peut choisir de se faire aider des parents pour répondre aux besoins des enfants et assurer le suivi dans les activités.
11 h	**Titre de l'activité**
	Chanson sur le rangement
	Type d'activité
	Activité de routine
	Description
	L'enfant doit ranger les objets ou les jeux dont il s'est servi. Il peut aider ses amis s'il le désire.
	Notes pratiques
	L'enseignante observe si l'enfant procède au rangement et comment il le fait.
11 h 5	**Titre de l'activité**
	Autoévaluation
	Type d'activité
	Activité de routine
	Description
	L'enfant doit procéder à son évaluation.

| Tableau 9.1 | L'organisation d'une journée sur le thème des légumes (*suite*) |

	Notes pratiques L'enseignante voit à ce que chaque enfant le fasse correctement. Si un enfant éprouve des difficultés à s'évaluer, il peut recevoir de l'aide. L'enseignante se réserve la possibilité d'écrire une note aux parents, si le travail de l'enfant est insatisfaisant.
11 h 10	**Titre de l'activité** Conte ou histoire **Type d'activité** Activité de routine et activité collective **Description** L'enseignante choisit et lit un livre qui traite de l'alimentation. Elle a créé un certain rituel et s'assure que tous les enfants la voient et l'écoutent pendant la lecture. **Notes pratiques** Après la lecture, l'enseignante revient sur des mots qu'elle désire faire comprendre et assimiler aux enfants.
11 h 20	**Titre de l'activité** Habillage **Type d'activité** Activité de routine et activité collective **Notes pratiques** Tandis que les enfants s'habillent, l'enseignante peut rappeler à ceux qui dînent à l'école les règles de circulation dans les corridors et, à ceux qui dînent à l'extérieur, les règles de sécurité usuelles.
	Titre de l'activité Départ **Description** L'enseignante s'assure que les enfants qui dînent au service de garde s'y rendent en toute sécurité.
Dîner	
13 h	**Titre de l'activité** Entrée Accueil **Description** L'enfant se déshabille au vestiaire. **Notes pratiques** L'enseignante s'assure que l'enfant entre en toute sécurité.
	Titre de l'activité Présences **Type d'activité** Activité de routine

• • •

	Description L'enseignante accueille l'enfant, l'écoute et l'aide au besoin. **Notes pratiques** L'enseignante note les absences pour faire le suivi.
13 h 10	**Titre de l'activité** Repos Détente **Type d'activité** Activité de routine et activité collective **Description** L'enfant va chercher un petit tapis ou une serviette et s'étend pour se reposer. L'enseignante peut animer cette activité : • massages ; • musique. **Notes pratiques** L'enseignante voit à ce que les enfants respectent les moments de silence.
13 h 40	**Titre de l'activité** Jeux libres ou suite des activités de la matinée **Type d'activité** Activité de routine **Description** Les enfants peuvent terminer ce qu'ils ont commencé en matinée ou choisir un jeu. **Notes pratiques** L'enseignante fait des rappels concernant certaines activités et elle insiste pour que les enfants terminent ce qu'ils ont commencé.
14 h 15	**Titre de l'activité** Rangement **Type d'activité** Activité de routine **Description** Les enfants rangent leur matériel. **Notes pratiques** L'enseignante peut proposer une activité de transition.
14 h 20	**Titre de l'activité** Collation **Type d'activité** Activité de routine **Description** Les enfants mangent leur collation. **Notes pratiques** L'enseignante observe leur langage oral (phrases, mots, etc.).
14 h 30	**Titre de l'activité** Activité au gymnase **Type d'activité** Activité collective

| **Tableau 9.1** | L'organisation d'une journée sur le thème des légumes (*suite*) |

	Description Les enfants se rendent au gymnase avec le professeur d'éducation physique. **Notes pratiques** L'enseignante en profite pour revoir le cahier d'évaluation de l'enfant et prendre des notes au besoin.
15 h	**Titre de l'activité** Retour sur les activités de la journée **Type d'activité** Activité collective **Description** Les enfants parlent à tour de rôle de ce qu'ils ont trouvé facile ou difficile à faire pendant la journée. **Notes pratiques** L'enseignante vérifie ce que les enfants ont réalisé au gymnase.
	Titre de l'activité Présentation d'activités **Type d'activité** Activité individuelle ou d'équipe **Description** Les enfants qui se sont inscrits aux présentations peuvent s'exécuter devant les autres enfants, qui deviennent les évaluateurs des réalisations. **Notes pratiques** L'enseignante prend des notes dans son journal de bord concernant les présentations des enfants.
15 h 15	**Titre de l'activité** Objectivation de la journée **Type d'activité** Activité collective **Description** L'enseignante donne un tour de parole afin de vérifier le degré de satisfaction de chaque enfant par rapport à la journée qui se termine. **Notes pratiques** L'enseignante crée l'ambiance qui incite à se questionner sur ses actions et à modifier les comportements au besoin.
15 h 20	**Titre de l'activité** Habillage **Type d'activité** Activité de transition **Description** L'enseignante est présente et observe. **Notes pratiques** L'enseignante rappelle certains points pour le lendemain.

9.3 LE CHOIX DES ACTIVITÉS

Le choix des activités est un élément essentiel dans l'organisation de la classe de maternelle. L'activité consiste en un exercice, un jeu ou un travail quelconque.

9.3.1 Les types d'activités

Les activités sont suscitées par les lieux, les objets, les personnes [...]. L'activité proposée joue un rôle de stimulus dans le développement de l'enfant. Le souci de qualité professionnelle impose pour l'éducatrice des principes de choix de ces activités, tant pour leurs formes que pour leur contenu. (Ministère de l'Éducation du Québec, 1982b, p. 29.)

On peut imaginer une autre façon de voir, de penser les activités à la maternelle de telle sorte qu'il y aura une plus grande exploitation de l'environnement physique et humain : des activités qui visent à utiliser l'expérience des enfants, à multiplier l'exploitation des objets, à provoquer l'émergence d'idées. (Ibid., p. 38.)

Les activités planifiées peuvent varier quant à leur nature, mais aussi quant à la modalité de l'approche privilégiée, qui peut aller de l'activité collective au travail en équipe ou au travail individuel. Nous avons vu qu'il existait un certain nombre d'activités de routine. Voyons maintenant d'autres types d'activités.

1) **Les activités en atelier** sont des activités qui exigent du matériel, des outils et une organisation spécifiques. Elles impliquent un regroupement d'enfants, qui travaillent seuls ou avec d'autres.

    L'activité-atelier présente, en règle générale, les caractéristiques suivantes : elle demande un aménagement particulier (momentané ou plus durable) de l'espace et une sélection du matériel ; elle donne aux enfants la possibilité de faire des choix selon leurs intérêts ; elle permet de faire diverses expériences et ouvre de nouveaux horizons ; elle exige l'établissement de règles ; elle favorise l'exploitation de matériaux multiples ; elle encourage les initiatives individuelles ou de groupe ; elle est proposée soit par l'enfant, soit par l'enseignante ; elle requiert une organisation souple du temps ; elle est permanente ou occasionnelle. (Ministère de l'Éducation du Québec, 1982b, p. 39.)

    Les activités reliées aux différents coins aménagés dans la salle de classe peuvent prendre la forme d'ateliers selon l'organisation pédagogique privilégiée par l'enseignante.

2) **Le projet** est une activité qui se déroule selon un processus continu qui amène l'enfant à amorcer une réflexion préalable, à développer certaines compétences dans un laps de temps déterminé, à organiser ses actions, à tenir compte de l'environnement et à avoir le plus d'interactions possible en vue d'enrichir ledit projet. L'enfant peut réaliser son projet seul ou en équipe. Dans le projet, l'accent est mis non pas sur le produit final, mais bien sur l'ensemble de la démarche de l'enfant pour s'organiser dans le temps et dans l'espace. En outre, comme le soulignent Morin et Brief (1995, p. 149), «par le projet, l'enfant élargit sa perspective et s'inscrit dans un engagement envers lui-même et les autres tout en se projetant vers l'avenir». Il faut se rappeler que chaque enfant est unique et est marqué par ses expériences passées. Par l'observation, l'enseignante peut reconnaître l'enfant qui a peu exploré ou celui qui reste centré sur la tâche à accomplir plutôt que d'envisager la réalisation de l'ensemble du projet à long terme. Il est alors préférable de le laisser jouer, pour l'amener petit à petit, grâce à des interventions appropriées, à une démarche de mieux en mieux intégrée.

3) **L'activité dirigée** est «une activité prévue par l'éducateur, souvent vécue par tous les enfants en même temps et portant parfois sur des contenus notionnels» (Ministère de l'Éducation du Québec, 1982b, p. 273). Le *Guide général d'interprétation et d'instrumentation pédagogique pour le Programme d'éducation préscolaire* (*ibid.*, p. 38) souligne toutefois que:

> Ces activités ne sont pas à privilégier en soi, parce qu'il est rare qu'elles répondent adéquatement aux objectifs de développement personnel et individualisé de chacun des enfants [...]. Par ailleurs, ces activités sont une nécessité pour la régulation de la vie de groupe; on y retrouve, entre autres, les activités de routine, les activités de transition. On pourrait inclure dans cette catégorie les activités de planification, d'organisation et d'évaluation: elles sont dirigées, mais elles ne sont pas toujours vécues en groupe.

4) **L'activité de transition** est une activité simple et courte, souvent dirigée, qui regroupe les enfants et qui sert de «tampon» entre deux activités importantes (Ministère de l'Éducation du Québec, 1982b, p. 273).

5) **L'activité «déversoir»** est une activité que l'enfant peut faire seul, sans aide ni supervision, et qui lui permet d'attendre activement que les autres aient terminé une activité en cours; elle régularise le rythme de la routine (Ministère de l'Éducation du Québec, 1982b, p. 274).

6) **Les jeux de table** sont habituellement regroupés dans un endroit précis de la classe. Ces jeux développent le sens de l'observation, la mémoire visuelle et l'imagination constructive, et rendent l'enfant plus habile quant aux associations d'idées, à la déduction, à la sériation et à la classification. Grâce aux jeux de table, l'enfant apprend à jouer en groupe, à socialiser, à attendre son tour, à respecter la lenteur de l'autre, à accepter de perdre, à aider un ami en difficulté, mais sans se substituer à lui. Il acquiert aussi des notions d'ordre, de respect des autres et de l'environnement. Il affronte des difficultés. Il apprend la confiance en lui, la persévérance, la patience. (Ministère de l'Éducation du Québec, 1982b, p. 119.)

7) **Le déclencheur** est une activité dynamique et motivante qui amène l'enfant à s'intéresser dès le départ à l'activité proposée. Chez le jeune enfant, certains moyens sont plus susceptibles que d'autres d'éveiller sa curiosité. C'est le cas, notamment, de la marionnette, du déguisement, du trésor caché.

8) **Les comptines et les chansons** sont de courtes activités qui retiennent l'attention des enfants. On peut y recourir pour enseigner de nouveaux concepts, introduire des thèmes, faire apprendre des mots, déclencher et animer des activités en général. L'enfant apprend rapidement les chansons et les comptines, surtout si elles sont accompagnées par une gestuelle appropriée et si le corps est mis à contribution. Ainsi, il mémorise, intègre de nouvelles expressions et s'amuse en apprenant. Les comptines et les chansons peuvent également être utilisées comme des activités de transition. Dans ce cas, l'enseignante entonne une chanson avec les enfants pendant qu'ils rangent leur matériel. Lorsque tous les enfants sont prêts, l'activité suivante peut commencer.

9) **La causerie** est un moment privilégié où l'enfant peut s'exprimer sur un sujet. Elle peut prendre deux formes: la causerie libre qui, comme son nom l'indique, laisse toute latitude à l'enfant quant au sujet dont il veut parler; la causerie dirigée, qui est axée sur un sujet précis, en vue de connaître les intérêts de l'enfant par rapport à cette question, de vérifier ses acquis, de lui apprendre de nouvelles notions, de l'évaluer, de faire des retours.

10) **Le rangement** constitue un élément très important, sur lequel l'enseignante doit insister dès le début de l'année. Pour chacun des coins, il existe des règles relatives à l'utilisation et au rangement du matériel, que l'enfant doit connaître et respecter, à défaut de quoi le désordre aura tôt fait de s'installer. Il convient donc de prévoir plusieurs périodes de rangement au cours d'une journée et

de trouver des stratégies pour encourager les enfants à ranger le matériel le plus spontanément possible. L'enseignante peut, par exemple, les inviter à faire le *petit aspirateur* ou à se transformer en *tamanoir,* ou encore chanter avec eux une chanson ou réciter une comptine qui incite au rangement. Notons ici que les règles établies dépendent des valeurs personnelles et du degré de tolérance de l'enseignante.

11) **L'autoévaluation** est essentiellement centrée sur l'enfant qui pose un diagnostic personnel quant à sa façon de travailler. Il peut dire si, oui ou non, il est satisfait de son activité. Cette étape est très importante pour évaluer les réussites de chacun et discuter des difficultés éprouvées.

12) **Le repos** vise à amener l'enfant à une détente globale du corps, soit par la relaxation, le massage, soit par la position couchée. L'enseignante peut utiliser différents moyens qui facilitent la détente, comme une musique douce, une histoire lentement racontée sur un thème et avec une tonalité de voix qui invitent au calme par la représentation mentale d'une situation relaxante : « Je suis couché sur un nuage… nous allons écouter le silence… » Les enfants sont habituellement répartis dans l'espace sur le sol, allongés sur une serviette ou sur un petit tapis, éloignés les uns des autres pour éviter toute distraction. L'enseignante peut circuler parmi eux et intervenir au besoin.

13) **Le jeu libre** consiste en une activité que l'enfant choisit dans l'un ou l'autre des coins de la classe. Il peut s'y livrer seul ou avec d'autres.

14) **Les présentations** se tiennent habituellement en fin de demi-journée ou de journée. L'enfant ou l'équipe présente d'abord son travail à l'enseignante et, si celle-ci estime qu'il est terminé, il y a alors inscription pour le présenter à l'ensemble du groupe, qui réagira à son tour en apportant des commentaires.

15) **L'objectivation** est définie par Legendre (1993, p. 930) comme un « processus de rétroaction par lequel le sujet prend conscience du degré de réussite de ses apprentissages, effectue le bilan de ses actif et passif, se fixe de nouveaux objectifs et détermine les moyens pour parvenir à ses fins ». Pour l'enseignante, il s'agit d'un jugement appréciatif qu'elle porte sur l'évolution de l'enfant par rapport à ce qu'il a fait et comment il l'a réalisé, le tout en vue d'apporter des améliorations la prochaine fois.

9.3.2 La planification d'une activité à la maternelle

Planifier des activités en maternelle exige de la réflexion, puisque cela met en jeu tous les éléments de la démarche d'enseignement et du processus d'apprentissage. Le tableau 9.2 présente un modèle de plan de travail qui pourrait ultimement servir à créer une situation d'apprentissage. Précisons tout de suite que, même avec la meilleure planification possible, il ne faut pas s'attendre à ce que tous les enfants profitent pareillement d'une activité donnée. L'évaluation doit prendre en considération le vécu expérientiel de chacun.

Tableau 9.2 La planification d'une activité ou d'une situation d'apprentissage

Étape initiale

A. Trouver un titre à l'activité ou à la situation d'apprentissage qui éveillera la curiosité et l'intérêt de l'enfant.

Choix du sujet :
- En quoi le sujet m'intéresse-t-il en tant qu'enseignante et en quoi est-il susceptible d'intéresser l'enfant ?
- Pourquoi vouloir proposer cette activité ?
- Quelles sont les notions qui seront explorées ?
- Où aller chercher l'information, les références ?

B. Préparer l'environnement

Réfléchir à l'aménagement en relation avec l'activité :
- Faut-il prévoir un environnement spécial (coins ou aires) ?
- Est-il nécessaire d'ajouter du matériel ? Si oui, lequel ?
- Faut-il inscrire l'activité dans le tableau de programmation (repères visuels) ?
- Quels moyens seront mis à la disposition des enfants ?
- Y a-t-il des règles particulières à fixer ou des conseils pédagogiques à formuler pour la bonne marche de l'activité ?
- Des personnes-ressources sont-elles requises ? Si oui, lesquelles ?

C. Tenir compte de l'enfant

- Comment, par cette activité, tenir compte du vécu et du développement de l'enfant ?
- Quelles compétences et habiletés cette activité vise-t-elle ?
- Quels éléments seront observés et évalués (grille d'observation) ?

Étape de réalisation

A. Présentation de l'activité

- Choisir un déclencheur ou une situation de départ qui incite l'enfant à entreprendre l'activité.
- Déterminer la façon de présenter cette activité au groupe (mime, improvisation, livre, etc.).
- Déterminer le moment où elle sera présentée.

Étape de réalisation (*suite*)

B. Déroulement à court, à moyen et à long terme (stratégies et interventions)

- Déterminer les étapes à respecter et les stratégies à mettre en œuvre.
- Déterminer la durée approximative de chaque étape.
- Préciser les rôles de l'enseignante et de l'enfant tout au long de la situation d'apprentissage.

Étape d'évaluation

A. Autoévaluation de l'enfant

L'autoévaluation est à privilégier, car elle vise à faire réfléchir l'enfant sur ses satisfactions et insatisfactions par rapport à son travail et également sur les différents éléments qui ont pu perturber sa réalisation. Plus important encore, elle permet à l'enfant de s'exprimer et à l'enseignante, de faire au bon moment des interventions appropriées.

B. Autoévaluation de l'enseignante

L'autoévaluation oblige l'enseignante à réfléchir sur l'ensemble de la situation d'apprentissage :
- Comment l'activité s'est-elle déroulée ?
- Les interventions ont-elles été appropriées ?
- Quel type de difficultés les enfants ont-ils éprouvé ?
- Les solutions trouvées pour résoudre ces difficultés étaient-elles pertinentes ?

Variations et enrichissement

L'enseignante détermine de quelle façon elle peut étendre les apprentissages résultant de cette activité à d'autres situations.

Tout au long de l'activité, l'enseignante doit s'interroger sur l'activité elle-même (pertinence du choix, intérêt, motivation), de même que sur ses interventions et sur les stratégies qu'elle met en œuvre.

En principe, il faut que l'activité qui se termine puisse introduire d'autres activités définies en fonction d'objectifs plus avancés. Ainsi, d'autres activités en découleront, qui pourront soit renforcer les habiletés et les compétences acquises, soit en faire acquérir de nouvelles.

RÉSUMÉ

Soucieuse du développement de l'enfant, l'enseignante de maternelle s'efforce, dans son aménagement de l'espace, de diversifier les aires (coins) d'activités, principalement pour satisfaire le besoin de bouger de l'enfant de cinq ans, lui laisser plus de liberté. Une place de choix doit être donnée au jeu symbolique, qui est propice au développement du langage, du corps (mimiques et postures), de l'imaginaire.

Répartis autour du cercle de rassemblement, la plupart des coins ou aires d'activités demeurent en place toute l'année. D'autres sont aménagés de façon temporaire, souvent en relation avec un événement ou un thème particulier.

Par ailleurs, l'enseignante doit, dans sa planification du temps, tenir compte du fait que l'enfant de cinq ans a de la difficulté à se situer dans le temps. C'est pourquoi il est important d'entrecouper la journée d'activités de routine, c'est-à-dire des activités qui reviennent presque tous les jours et approximativement à la même heure.

Quant aux autres activités, elles sont élaborées à partir de thèmes ou de sujets d'intérêt spécifiques. Elles peuvent prendre la forme d'activités dirigées et collectives, ou d'ateliers ou de projets. Pour s'assurer qu'elles portent leurs fruits, ces activités doivent être choisies et préparées avec soin et comprendre une étape d'évaluation.

Questions

1. Faites un plan de ce que pourrait être une classe de maternelle en y intégrant les principaux coins ou aires d'activités.

2. À partir d'un thème de votre choix, planifiez une journée de classe en maternelle.

3. Quelle distinction faites-vous entre les activités dirigées, les jeux libres, les activités déversoirs et les activités de transition ?

4. Donnez des exemples concrets du matériel qu'on pourrait trouver dans les coins de construction, de poupées, de lecture, de musique, de jeux de table.

Mises en situation

1. L'approche par ateliers

Vous êtes engagée pour enseigner à la maternelle selon une approche pédagogique par ateliers.

Pistes d'exploration

- Que signifie «travailler» selon une approche par ateliers?

- Quels genres d'ateliers mettrez-vous sur pied?

- Qu'est-ce que cela implique sur le plan de l'aménagement du temps et de l'espace et sur le plan de l'organisation de classe?

- Quelles seront vos attitudes envers l'enfant, les parents et les différents intervenants?

Présentation

Vous avez à présenter de quelle façon vous comptez mettre en place des ateliers dans votre classe et à expliquer comment ils pourront répondre aux besoins de l'enfant, du milieu et à vos propres besoins. Les moyens que vous pouvez utiliser sont le jeu de rôle ou la conférence.

2. L'approche par projets

Vous êtes engagée pour enseigner à la maternelle selon une approche par projets.

Pistes d'exploration

- Que signifie «travailler» selon une approche par projets?

- Quels types de projets proposerez-vous?

- Qu'est-ce que cela implique sur le plan de l'aménagement du temps et de l'espace et sur le plan de l'organisation de classe?

- Quelles seront vos attitudes envers l'enfant, les parents et les différents intervenants?

Présentation

Vous avez à présenter de quelle façon vous comptez mettre en place des projets dans votre classe et à expliquer comment ils pourront répondre aux besoins de l'enfant, du milieu et à vos propres besoins. Les moyens que vous pouvez utiliser sont le jeu de rôle ou la conférence.

3. Une classe fantastique

Vous êtes engagée pour enseigner dans une classe de maternelle que l'on veut innovatrice.

Pistes d'exploration

- Qu'est-ce qu'une classe de maternelle innovatrice?

- Comment organiserez-vous votre classe sur le plan de l'aménagement de l'espace, du temps et des activités?

- Qu'est-ce que cela signifie quant à l'implication de l'enfant, des parents, des intervenants et quant à votre propre implication?

- Qu'est-ce qui fait que votre classe sera différente des autres classes de maternelle?

Présentation

Vous avez à présenter les raisons pour lesquelles les parents devraient inscrire leur enfant dans votre classe plutôt que dans une autre et à expliquer ce qui la rend fantastique comparativement aux autres. Les moyens que vous pouvez utiliser sont le jeu de rôle ou la conférence.

Lectures suggérées

GROUPE DE TRAVAIL POUR LES JEUNES. (1991). *Un Québec fou de ses enfants,* Québec, Ministère de la Santé et des Services sociaux.

POMERLEAU, A., et G. MALCUIT. (1983). *L'enfant et son environnement,* Québec, Presses de l'Université du Québec.

PY, G. (1993). *L'enfant et l'école maternelle: les enjeux,* Paris, Armand Colin.

CHAPITRE 10

La gestion de la classe : enseignement, apprentissage et didactique

Objectifs

Au terme de ce chapitre, le lecteur devrait pouvoir :

- décrire les principaux éléments de la gestion de la classe maternelle ;

- expliquer ce que signifient, dans le contexte d'une classe maternelle, enseigner, apprendre et organiser les moyens didactiques ;

- expliquer comment l'enseignante tiendra compte des domaines d'apprentissage dans sa planification de classe ;

- décrire le processus et les méthodes d'évaluation à la maternelle ;

- expliquer l'utilité du portfolio dans l'évaluation des enfants de la maternelle.

*L*a gestion de classe signifie, selon le modèle de la situation pédagogique défini par Legendre (1993, p. 1168), la mise en œuvre de moyens visant à articuler la relation d'enseignement (entre l'enseignant et l'enfant), la relation d'apprentissage (entre l'enfant et l'objet d'apprentissage) et la relation didactique (entre l'enseignant et l'objet d'apprentissage). À la maternelle, cette gestion n'est pas simple à cause du caractère particulier de la situation pédagogique. Entre autres choses, il faut tenir compte du fait que l'enfant est jeune, qu'il n'a pas un énorme bagage d'expériences et qu'il a besoin d'un environnement sécurisant où il pourra satisfaire son besoin de bouger, d'explorer, de découvrir. De nombreux éléments doivent donc être pris en considération dans la gestion de classe à la maternelle, de façon que l'enfant puisse se développer harmonieusement et s'épanouir.

La situation pédagogique dont il est question intègre également le milieu dans lequel évolue l'enfant. Par conséquent, il faut concevoir les lieux de la maternelle en prenant en considération les besoins et les intérêts de l'enfant dans l'optique des activités de jeu. À ce titre, les interventions de l'enseignante exigent souplesse et flexibilité. En ce qui a trait à la souplesse, disons que les techniques doivent pouvoir s'adapter et s'harmoniser aux situations en tenant compte de l'enfant individuel. Conséquemment, elles ne doivent pas être appliquées de façon rigide et uniforme. Quant à la flexibilité, elle se rapporte à la qualité de l'enseignante qui respecte le rythme de l'enfant en adaptant ses interventions et ses stratégies.

La personnalité de l'enseignante et son style d'intervention ont donc un effet direct sur la façon de *faire* la classe. Ce n'est pas tout d'avoir un tempérament doux et avenant, encore faut-il offrir un environnement «sécurisant», ce qui signifie une certaine constance des situations récurrentes (activités de routine), à partir desquelles l'enfant se familiarise avec le milieu, se situe dans le temps et l'espace, ce qui contribue à lui faire prendre confiance en ses propres moyens.

Afin de mieux cerner la complexité de la gestion de la classe maternelle, nous examinerons de près la situation pédagogique qui met en cause la relation d'enseignement, la relation d'apprentissage et la relation didactique.

10.1 ENTRE L'ENFANT ET L'ENSEIGNANTE : LA RELATION D'ENSEIGNEMENT

Enseigner signifie essentiellement transmettre un savoir et décider des moyens propres à favoriser l'apprentissage. Cette transmission des savoirs ne peut se réaliser auprès du jeune enfant à la maternelle sans que soit pris en considération tout son être, y compris l'affectivité qui le caractérise. Comme nous l'avons déjà mentionné, l'enfant est avant tout un être actif qui bouge avec tout son corps, d'où l'importance, à la maternelle, de lui proposer des activités ludiques, motrices, de découvertes, d'expression plastique, musicale, langagière. Évidemment, cela n'empêche pas l'apprentissage de la lecture, de l'écriture, des sciences et des mathématiques.

Soulignons que ce qui compte dans l'approche privilégiée par l'enseignante, c'est de permettre à l'enfant d'explorer, de s'exprimer et de travailler à son rythme. Parmi les différentes approches, les ateliers et les projets sont les plus couramment utilisés à la maternelle.

L'approche par ateliers a été populaire pendant les années 1970. Encore aujourd'hui, elle est présente dans plusieurs maternelles.

L'atelier est un lieu où se déroule une activité précise, avec du matériel spécifique et selon des règles bien définies. C'est le cas, par exemple, des ateliers de peinture, de modelage ou de bricolage. L'enfant peut choisir l'activité, mais il doit aussi assumer son choix et terminer ce qu'il a commencé, cela en se conformant aux règles particulières de fonctionnement. Le rôle de l'enseignante est de voir à la bonne marche et à la rotation des ateliers, tout en observant les enfants et en entretenant une communication efficace avec chacun d'eux. Souvent, les ateliers se confondent avec les aires d'activités. Il n'est donc pas rare que l'on parle d'*atelier maison,* d'*atelier de construction,* etc.

Dans l'approche par ateliers, il arrive que l'enseignante sollicite l'aide d'intervenants extérieurs, particulièrement celle des parents.

Il convient de préciser que l'approche par ateliers n'est pas limitée à l'éducation préscolaire. Elle se pratique également à d'autres niveaux du primaire. Là aussi, des règles de fonctionnement sont établies. En général, le décloisonnement des matières est favorisé, et les élèves peuvent choisir des ateliers à l'intérieur desquels leurs compétences particulières s'avéreront utiles à l'ensemble du groupe.

L'approche par projets est celle que préconise le *Programme de formation de l'école québécoise* (Ministère de l'Éducation du Québec, 2001) dans lequel s'inscrit le programme préscolaire. L'idée de projet a été lancée par le mouvement des écoles nouvelles, souvent appelées écoles alternatives ou à vocation particulière. Selon le MEQ (2001, p. 64), « le projet émerge de ses champs d'intérêt [de l'enfant], de ses jeux, de ses expériences ou de son imagination. Il représente un défi réel et lui permet de faire des essais et des erreurs, de faire appel à sa créativité et d'apprendre à terminer une tâche».

De façon générale, le terme *projet* évoque une réalisation à venir. Dans cette perspective, on peut définir des stratégies qui concourent à l'atteinte des objectifs envisagés. L'élaboration d'un projet passe par plusieurs étapes :

- la réflexion sur ce qu'on désire faire (choix du projet) et avec qui (coéquipiers) ;
- l'analyse des besoins et de la situation ;
- la définition d'objectifs dans un échéancier réaliste ;
- la détermination des stratégies, des moyens et du matériel nécessaires ;
- la détermination des personnes-ressources à s'adjoindre ;
- la définition des tâches et des responsabilités des divers partenaires ;
- l'évaluation et la présentation du projet.

Ces deux formes d'approches, par ateliers et par projets, ont une incidence sur la façon dont l'enseignante organise sa classe.

Dans le cas de l'approche par ateliers, l'accent est mis sur l'organisation des lieux, la planification des tâches, le matériel nécessaire et sur les moyens de réalisation pour arriver à terminer la tâche demandée. L'objectif est d'amener l'enfant à une autonomie fonctionnelle. On parle d'autonomie fonctionnelle quand l'enfant est capable de répondre à ses besoins par lui-même, sans toujours recourir à l'adulte. Autrement dit, il se prend en charge.

Dans le cas de l'approche par projets, on fait appel à la créativité en misant sur les capacités de l'enfant à produire des idées originales. On le place au cœur de son cheminement, l'objectif étant de l'amener à l'autonomie intégrale, c'est-à-dire de l'amener à se responsabiliser, à prendre position et à s'engager vis-à-vis de lui-même, des autres et de l'environnement.

10.2 ENTRE L'ENFANT ET L'OBJET D'APPRENTISSAGE : LA RELATION D'APPRENTISSAGE

Apprendre signifie essentiellement assimiler et intégrer de l'information pour ensuite l'adapter à un contexte donné. L'apprentissage tient à la capacité de créer des liens entre un nouveau savoir et ce qu'on connaît déjà. C'est le fait de pouvoir «incorporer des données nouvelles à une structure cognitive interne déjà existante» (Legendre, 1993, p. 66). Pour le jeune enfant, l'apprentissage doit demeurer très concret, donc intimement lié à ses états affectifs et à son entourage. L'entourage concerne l'ensemble des activités et des jeux qui sont souvent indissociables dans le contexte d'une classe maternelle. En principe, les activités et les jeux peuvent être orientés dans des domaines d'apprentissage précis tout en respectant les compétences à acquérir proposées par le ministère de l'Éducation (2001).

10.2.1 Les domaines d'apprentissage

Le *Programme de formation de l'école québécoise* (Ministère de l'Éducation du Québec, 2001, p. 7) regroupe 14 programmes disciplinaires dans 5 domaines, auxquels sont rattachées des compétences à acquérir. Ces domaines sont les suivants:

1. le domaine des langues;
2. le domaine des mathématiques, de la science et de la technologie;
3. le domaine de l'univers social;
4. le domaine des arts;
5. le domaine du développement personnel.

Dans cette section, nous présentons chacun de ces domaines et indiquons comment l'enseignante peut en tenir compte à la maternelle. Ce qu'il importe de retenir, c'est que l'enfant de la maternelle se développe en explorant, en construisant, en exerçant et en validant ses connaissances sur différents plans. En ce sens, l'accent est mis sur son développement intégral et non sur des objectifs à atteindre dans le cadre de disciplines ponctuelles.

Nous n'examinons pas chacun de ces domaines de façon exhaustive; nous les abordons simplement pour rappeler que ceux-ci peuvent naturellement s'insérer dans les activités courantes de la classe, sans avoir nécessairement fait l'objet d'une planification en vue de faire acquérir des connaissances précises dans un domaine donné. Dans cet esprit, il faut se rappeler que ce n'est pas le domaine d'apprentissage qui importe, mais plutôt l'activité elle-même, qui amène à explorer parfois plusieurs champs disciplinaires.

Le domaine des langues

Le domaine des langues comporte deux volets: la communication orale ainsi que la lecture et l'écriture.

• La communication orale

Le MEQ (2001, p. 80) précise que «la communication orale constitue un véhicule de la pensée et des sentiments de même qu'un outil d'apprentissage. La langue orale permet au locuteur de préciser ou de nuancer ses idées, ses points de vue ou ses sentiments au cours d'interactions diverses». Plus précisément:

> En utilisant de plus en plus la communication orale, l'enfant affirme sa personnalité, élargit ses relations avec son entourage et enrichit ses connaissances; il apprend à exprimer ses idées, ses sentiments, à informer les personnes qui l'entourent, à s'informer auprès d'elles et à amasser des connaissances nouvelles qui contribuent à l'augmentation de ses acquis. (Ministère de l'Éducation du Québec, 1997b, p. 34.)

Lorsque l'enfant arrive à la maternelle, il possède déjà des rudiments de l'acte de la communication, qu'il a acquis lors des activités quotidiennes et variées de la vie familiale. Avant de savoir parler, l'enfant s'exprime par différents moyens, tels les pleurs et les sons; il produit ensuite des syllabes qui deviendront, à force de répétitions, des mots et des bribes de phrases. Plusieurs éléments interviennent dans le progrès du langage, tant des facteurs d'ordre physiologique se rapportant aux capacités de l'organisme et à la maturation que des facteurs liés au milieu familial. Dès lors, on peut affirmer que, dans certains cas, le langage des enfants qui arrivent à la maternelle présente des lacunes importantes qui relèvent soit d'un manque d'intérêt, soit de la présence réduite des parents, d'interactions verbales limitées et de la solitude des enfants.

En principe, l'enfant à qui l'on s'adresse dans un *bon* langage aura tendance à le reproduire. Aussi, pendant la tendre enfance, une attention spéciale doit-elle être accordée à la communication orale. Il est important de bien parler à l'enfant et de ne pas employer un langage enfantin pour éviter de nuire à l'évolution de son langage. Un milieu qui se soucie d'employer les mots justes, de produire des phrases complètes et structurées et qui encourage l'enfant à parler facilite l'insertion de ce dernier dans le monde social et favorise sa réussite scolaire. Aucune méthode spécifique n'existe en soi pour enseigner à parler, sinon celle qui consiste à parler à l'enfant tout en l'incitant à reproduire des sons qui bientôt deviendront des mots et plus tard des phrases. Chacun apprend à son rythme et selon le moment qu'il choisit. Cependant, le milieu reste un facteur déterminant de l'acquisition et de l'évolution du langage oral. À cet effet, il ne faut pas perdre de vue que, pour plusieurs enfants d'origines ethniques diverses, l'enseignante de maternelle doit trouver des stratégies propices au développement de leur langage. Il est donc essentiel de prêter une attention particulière à chacun des enfants, pour les amener individuellement à avoir confiance en eux en matière de communication. Ici aussi, les jeux sont d'excellents moyens pour enrichir le langage, parce qu'ils obligent les enfants à communiquer entre eux et que c'est en parlant qu'on apprend à communiquer.

Toutefois, l'enseignante doit être à l'écoute pour aider l'enfant à utiliser les mots correctement ou pour déceler certaines difficultés d'élocution ou d'expression.

Pour l'enfant de cinq ans, le langage oral représente un instrument de communication. Comme le montre le tableau 10.1, la communication remplit plusieurs fonctions.

Tableau 10.1	Les fonctions et les manifestations de la communication
Fonctions de la communication	**Manifestations**
Établir et maintenir des relations avec les autres.	• Demander aux autres leurs idées et leurs sentiments. • Définir ensemble les règles d'un jeu. • Demander de l'aide à quelqu'un. • Demander à quelqu'un de jouer avec soi. • Demander des directives. • Demander des informations et des explications. • Partager des rôles dans une activité. • Organiser une activité avec d'autres.
S'exprimer.	• Motiver ses gestes, ses choix. • Exprimer ses goûts, ses préférences. • Exprimer ses idées. • Exprimer ses sentiments.
Chercher des réponses aux questions que l'on se pose sur le monde.	• Exemple : poser des questions sur : – l'usage des choses ; – les causes possibles d'un phénomène ; – les différences entre deux objets ; – leurs ressemblances ; – le pourquoi des réactions d'un camarade ; – etc.
Transmettre de l'information.	• Identifier des objets. • Décrire des objets. • Décrire des phénomènes. • Expliquer des phénomènes. • Définir des relations de ressemblance, de causalité. • Etc.
Parler du monde que l'on imagine, c'est-à-dire support de l'imaginaire et de la créativité.	• Jeu symbolique : théâtre, marionnettes • Dessin, peinture, modelage • Construction • Etc.

Source : Ministère de l'Éducation du Québec, *Guide pédagogique. Préscolaire. Le langage au préscolaire,* Québec, MEQ, 1982, p. 8.

On peut considérer que la maternelle, par les activités qu'elle propose et la liberté d'expression qu'elle autorise, est un moment privilégié pour réaliser des apprentissages dans le domaine du langage. Toutefois, l'enseignante doit intervenir de façon marquée, de manière à renforcer et à améliorer les structures linguistiques de base car, comme le souligne le ministère de l'Éducation du Québec (1986, p. 56), «le simple usage de la langue pour les besoins de la vie de classe n'est pas suffisant pour développer le langage, notamment chez les enfants qui parlent peu ou qui semblent déjà accuser des difficultés dans ce domaine».

À la maternelle, certaines activités, comme les causeries, incitent l'enfant à parler, à donner son opinion, à faire valoir ses points de vue. Le conte sous toutes ses formes met l'accent sur la compréhension, l'expression, l'écoute. Bien entendu, cela peut dépendre de l'atmosphère créée par la conteuse pour capter l'attention de son auditoire et éveiller son intérêt pour le message que les mots véhiculent. Dans cette sorte de communion mystérieuse où le monde imaginaire attire les petits, il devient facile pour l'enseignante de prolonger le conte et d'en étendre la portée à d'autres activités comme la pièce de théâtre. On peut dire qu'à sa manière le conte contribue au développement de la communication orale. Ces idées n'ont rien à voir avec une série d'exercices fastidieux et répétitifs auxquels se soumettrait l'enfant. Le MEQ (1997b, p. 81) insiste sur le climat propice à la communication orale:

> Dans un climat favorisant la prise de parole et l'écoute active, l'élève explore en alternance les rôles de locuteur et d'auditeur au cours de situations quotidiennes de communication orale. À l'occasion d'interactions en grand groupe ou en groupes restreints, il peut échanger sur diverses thématiques, associées non seulement au français mais à toutes les disciplines. Grâce aux interventions de l'enseignant et au soutien de ses pairs, il apprend à structurer adéquatement ses énoncés et à utiliser différents registres de langue pour s'adapter aux situations.

On ne saurait nier que les fonctions du langage touchent à plusieurs aspects intimement liés au développement de la personne. Tout en mettant l'accent sur l'importance de l'intervention pédagogique, Girard, en s'inspirant d'Halliday, présente sept fonctions du langage (*voir le tableau 10.2*).

Le MEQ (1997b, p. 82) associe les composantes suivantes à la compétence à *communiquer oralement*:

• partager ses propos durant une situation d'interaction;

Tableau
10.2 Les fonctions du langage selon Halliday

Fonction	
Instrumentale : «Je veux. »	Sert à satisfaire ses besoins.
Régulatrice : «Fais cela. »	Sert à contrôler les comportements.
Interactionnelle : «Je t'aime. »	Sert à entrer en relation avec les autres.
Personnelle : «Me voici. »	Sert à définir, à exprimer ses sentiments.
Heuristique : «Qu'est-ce que c'est? »	Sert à découvrir, à explorer, à connaître.
Imaginative : «Faisons semblant. »	Sert à créer un univers de fiction.
Représentationnelle : «Comment est-ce? »	Sert à informer.

Source : Cité dans Ministère de l'Éducation du Québec, *Programme d'éducation préscolaire*, Québec, MEQ, 1997, p. 34.

- réagir aux propos entendus au cours d'une situation de communication orale ;
- utiliser les stratégies et les connaissances requises par la situation de communication ;
- évaluer sa façon de s'exprimer et d'interagir en vue de les améliorer ;
- explorer verbalement divers sujets avec autrui pour construire sa pensée.

À la maternelle comme dans les autres classes du primaire, l'enseignante peut se servir de ces composantes pour observer l'enfant. Elle doit toutefois prendre en considération le vécu de l'enfant. À cet égard, l'enfant non francophone, par exemple, pour qui la langue parlée à la maison est autre que le français, devra faire l'objet d'une attention spéciale. Le Conseil supérieur de l'éducation (1993, p. 46) précise que :

De façon générale, l'enseignante devra axer son intervention sur l'exploitation maximale des situations de communication et de mises en situation, car pour développer la compétence à communiquer, l'enfant doit :

- faire une expérimentation active lors de situations de communication ;
- entendre beaucoup de langages pour en dégager les règles de structuration, et ce, dans des situations diversifiées ;
- emmagasiner des mots dans un contexte donné et significatif pour lui ;
- apprendre des mots ou des ensembles de mots qu'il pourra réinvestir dans d'autres situations ;

– faire diverses expériences de communication : à caractère social, à caractère cognitif, à caractère ludique.

Incontestablement, plusieurs moyens s'offrent aux enseignantes qui veulent aider les enfants dans l'apprentissage d'une langue. Il s'agit avant tout de créer un environnement chaleureux qui propose des zones de jeux et des activités qui permettent l'échange et la communication. Weitzman (1992, p. 205) fait ressortir trois facteurs pour un apprentissage réussi de la langue seconde, et ces facteurs valent aussi pour l'apprentissage de la langue en général :

• le désir d'apprendre ;

• la confiance en soi ;

• un faible niveau d'angoisse.

• L'apprentissage d'une langue seconde

L'apprentissage d'une seconde langue dès le tout jeune âge est un atout indéniable dans le développement d'un enfant. C'est le cas pour la majorité des familles où les deux parents possèdent chacun leur langue maternelle et qu'ils voient là un avantage pour leur enfant de parler deux langues. Donc, l'enfant les apprend de façon très naturelle et arrive souvent à les maîtriser lorsqu'il fait son entrée à la maternelle. Toutefois, quelques études (Lightbown et Spada, 2001 ; Scovel, 1999) montrent que ce n'est pas nécessairement le cas pour l'enfant qui apprend une langue seconde dans le contexte scolaire. Selon Piaget (1936), l'enfant de cinq ans se situe au stade des opérations concrètes. En conséquence, il est pratiquement incapable de comprendre le métalangage fréquemment utilisé par les enseignants de langues secondes pour expliquer et décrire la façon dont fonctionne cette nouvelle langue. En fait, il faut user de stratégies efficaces pour amener l'enfant à apprendre et à intégrer une langue seconde.

Dans l'optique que l'enseignement d'une langue seconde devrait commencer le plus tôt possible, le gouvernement du Québec a décidé qu'à partir de septembre 2006 cette discipline débuterait dès la première année du primaire. Par conséquent, il ne serait pas mal venu de proposer quelques activités dans ce sens dès le préscolaire. Dans cette veine, il existe une approche multidisciplinaire nommée l'*Éveil aux langues*. Cette approche présentée dans la *Revue préscolaire* (avril 2005) a été développée en Grande-Bretagne dans les années 1980 par Eric Hawkins (1984) ainsi que James et Garrett (1991), qui sont à l'origine du courant *language awareness*. Le but de cette approche est avant tout de promouvoir l'éducation à la citoyenneté à travers des attitudes positives quant à la diversité linguistique et culturelle tout en amenant l'enfant à prendre conscience du monde plurilingue où il évolue et du rôle du français, langue commune. Dans le cadre d'une recherche effectuée par l'Université de Montréal en collaboration avec l'école Simone-Monet de la Commission scolaire de Montréal (2004-2005), plusieurs activités du programme métaphonologique plurilingue ont été conçues et mises à l'essai. Ces activités visent essentiellement à échanger sur les origines propres à chacun en regard de l'identité culturelle, à discuter sur les pays où l'on parle ces langues et à se familiariser avec les langues inconnues. Bien entendu, on a conçu du matériel didactique et pédagogique afin d'accompagner la mise en application de ce programme. Il semble que cette démarche favorise les relations positives entre la famille et l'école en vue de la réussite de l'enfant dans l'apprentissage de la langue, qui se répercute aussi sur l'apprentissage de la lecture et de l'écriture.

En ce qui concerne l'élève du primaire nouvellement arrivé, le programme de français, *Accueil* (2002), prévoit un service de soutien à l'apprentissage du français pour faciliter son passage à la classe ordinaire. Le but de ce programme est de lui faire acquérir le plus rapidement possible les bases nécessaires à son intégration. Dans cette optique, des maternelles quatre ans temps plein reçoivent l'enfant immigrant afin qu'il fasse son entrée en classe maternelle en ayant les connaissances nécessaires pour communiquer. Pour ce faire, il est placé dans des situations de communication réelles où l'accent est mis sur l'apprentissage de la langue dans des situations de la vie quotidienne, et ce, dans un contexte de jeux.

• La lecture et l'écriture

Comme nous l'avons vu dans la deuxième partie de ce livre, plusieurs courants de pensée ont influencé l'évolution des écoles maternelles. Il en est de même en ce qui concerne l'apprentissage de la lecture et de l'écriture. La maternelle, souvent considérée comme un milieu intermédiaire entre la garderie et l'école, est perçue comme un milieu privilégié pour amener l'enfant à acquérir des connaissances préalables reliées aux différentes matières scolaires, particulièrement en lecture et en écriture.

Ainsi, dans les années 1970, les exercices de *prélecture* et de *préécriture* se sont multipliés dans les classes maternelles. Bien vite, toutefois, on a compris que l'important n'était pas de faire faire des exercices, mais plutôt d'amener l'enfant à observer autour de lui et à s'arrêter à ce qu'il voit, à ce qu'il entend, à ce qu'il dit, de répondre à ses questions et, ainsi, de le pousser toujours un peu plus loin dans les activités qu'il réalise.

Le monde actuel, fortement médiatisé, nous envoie une multitude d'informations à travers les images et les mots diffusés tant par la télévision que par l'ordinateur, les affiches publicitaires, les revues et les livres. Le jeune enfant, avant même d'arriver à la maternelle, évolue dans un univers riche en mots, et certains sont déjà capables de lire lorsqu'ils entrent à la maternelle.

Selon plusieurs recherches (Giasson et Thériault, 1983; Girard, 1989; Giasson, 1995), l'apprentissage précoce de la lecture est avant tout influencé par un milieu familial et environnemental qui favorise la *littéracie*. Par ce néologisme, nous entendons l'ensemble des expériences, des attitudes et des comportements qui suscitent l'intérêt pour l'écrit.

Dans les années 1990 apparaît le mouvement de la *conscience de l'écrit*, traduction de l'expression anglaise *print awareness* (Giasson et Thériault, 1983). Ce mouvement met l'accent sur le fait que l'enfant, avant même d'entrer à l'école, possède des connaissances relativement à la lecture ainsi que par rapport aux fonctions et aux conventions de l'écrit. À preuve, plusieurs enfants savent déjà écrire leur nom, ils reconnaissent les lettres et ils décodent certains mots. L'omniprésence de l'écrit, en particulier sur les affiches publicitaires très colorées, y est pour quelque chose : les enfants s'aperçoivent que les mots ont un sens, ce qui les incite à vouloir lire. La littérature jeunesse alimente aussi ce désir de lire, étant donné la richesse qui prévaut actuellement en contes et en histoires de toutes sortes. En principe, plusieurs livres sont mis à la disposition des enfants dans le coin de lecture. Ces livres sont aussi fréquemment utilisés par l'enseignante, qui s'en sert pour soutenir des activités spécifiques dans la classe.

Comme en témoigne Thériault (1995, p. 73) :

Créer dans la classe un espace bien identifié pour la lecture est un facteur important quel que soit le niveau scolaire mais, à plus forte raison, lorsqu'il s'agit de la maternelle, afin de favoriser l'émergence de comportements de lecture avant la lecture conventionnelle.

Cette même auteure suggère d'utiliser le terme *atelier de lecture* de préférence à *coin de lecture,* parce que cette dernière expression donne une image plus statique de l'activité qui s'y déroule. Du mot *atelier* se dégage l'idée de mouvement, d'interaction qui influe positivement sur le choix de l'enfant durant la période de jeu libre. Certaines enseignantes donnent à ce lieu le nom de «bibliothèque dans la classe».

Comme l'émergence de la lecture se produit dans un contexte de situations naturelles, réelles et significatives, il va de soi que les activités quotidiennes de la maternelle constituent une excellente façon de faire avancer l'enfant dans sa démarche personnelle de lecture et d'écriture. Ces activités, toutefois, devront tenir compte des expériences de l'enfant et de ses actions présentes afin de l'amener petit à petit à intégrer certaines notions reliées à ce domaine. L'environnement et les activités de la classe maternelle offrent de multiples possibilités pour intéresser l'enfant à la lecture et à l'écriture. Par exemple, le coin magasin peut inciter l'enfant à dresser une liste de ses achats; le coin des sciences peut proposer des activités où l'enfant doit lire chacune des étapes pour pouvoir réaliser l'expérience. Notons ici que cette lecture se fait d'abord à l'aide de pictogrammes et que ce n'est qu'à la longue que l'enfant apprend à décoder et à lire les mots. D'une manière ou d'une autre, l'important est qu'il apprenne à lire de gauche à droite et de haut en bas, ce qui n'était pas nécessairement acquis au départ. Pour développer les compétences reliées à la lecture, ajoutons que l'enseignante peut écrire les comptines et les chansons, les illustrer (pictogrammes) et les mettre à la disposition de l'enfant dans le coin de lecture. Il ne faut pas craindre de mettre l'enfant en contact avec l'univers symbolique de l'écrit sous prétexte que la mission de la maternelle concerne le développement de l'enfant. L'expérience et les études sur le sujet montrent d'ailleurs que, selon qu'ils sont plus ou moins stimulés en bas âge, les enfants peuvent prendre de l'avance ou accuser des retards difficiles à surmonter.

Pour finir, retenons quelques indices qui signalent l'intérêt du jeune enfant pour la lecture et pour l'écriture. Ainsi, démontre un intérêt pour la lecture et l'écriture l'enfant qui :

- consulte les livres du coin de lecture ou coin bibliothèque et s'intéresse aux images d'un livre;

- désire se faire raconter une histoire ou veut la raconter à son ami;

- pose des questions par rapport à ce qu'il voit dans un livre ou essaie de traduire le message que véhiculent les images;

- veut apporter un livre à la maison ou insiste pour aller à la bibliothèque du quartier;

- communique les découvertes qu'il vient de faire dans un livre ou s'intéresse à ce qu'un autre enfant lui raconte par rapport à un livre;

- écrit des messages, fait des cartes, invente des histoires, cherche à décoder les mots qu'il voit dans l'environnement;

- suit du doigt les mots d'un livre sans pour autant pouvoir les lire;
- reconnaît son nom et celui de ses amis;
- cherche à lire les jours de la semaine sur le calendrier, à reconnaître le nom des enfants liés aux responsabilités de la classe;
- peut lire et respecter les règles pour chacun des ateliers, des activités ou des coins de la classe.

Le domaine des mathématiques, de la science et de la technologie

Tout comme le domaine des langues, celui des mathématiques, de la science et de la technologie fait partie de l'univers du jeune enfant.

• Les mathématiques

De nombreuses activités réalisées à la maternelle donnent la possibilité à l'enfant d'explorer des concepts mathématiques, que ce soit par des jeux (éducatifs, symboliques), par des ateliers (poupées, construction, magasin, peinture, bricolage) ou encore par des activités motrices et musicales.

L'enfant de cinq ans, à qui l'on reconnaît une certaine maturité perceptivo-motrice, acquiert tout naturellement des compétences reliées aux mathématiques. Il importe de profiter des activités libres et spontanées pour le laisser exploiter le matériel et l'environnement à sa guise. En agissant avec et sur les objets, il en vient à intégrer les concepts à sa manière plutôt qu'à l'intérieur d'un cadre systématique.

Il s'agit donc de tirer profit des activités quotidiennes de la classe maternelle pour amener l'enfant à comparer, discriminer, trier, classer, ranger, sérier, partager, regrouper, ordonner, faire des suites, tâtonner, manipuler, transformer, expérimenter, faire des correspondances et de la numération, etc. En fait, bon nombre de situations vécues par les enfants, sans lien apparent avec les mathématiques, contribuent réellement à les faire progresser vers la compréhension de concepts mathématiques.

Tout comme pour la lecture et l'écriture, l'intégration des mathématiques suit un processus de développement. Ainsi, l'enfant commence par s'initier avant d'explorer; par s'organiser avant d'envisager d'autres possibilités; par observer avant de peser le pour et le contre. Il est donc important de privilégier des activités de tâtonnement reposant sur les essais et les erreurs avant de proposer des exercices spécifiques. Le fait pour l'enfant de jouer simplement avec les objets l'amène à se questionner, à établir des liens, à trouver des significations, à comprendre. Bref, tout en accomplissant diverses actions à son rythme, il devient de plus en plus conscient de l'objet lui-même et finit par comprendre les gestes qu'il fait. Une démarche de type exploratoire est à privilégier, car elle fait appel à l'esprit d'initiative de l'enfant. Évidemment, l'enseignante doit mettre à la disposition de l'enfant des objets de formes, de couleurs et de dimensions variées afin de lui permettre de réfléchir sur ce qu'il fait, de reconnaître les analogies, de distinguer des différences et de dégager des notions par une conscience de plus en plus vive des objets. Ce qui semblait complexe au départ devient alors plus simple et, partant, mieux compris. Parallèlement, le vocabulaire évolue, du fait de l'association de mots à des qualités communes ou particulières à plusieurs objets ou personnes (par exemple *grand, moyen, petit*).

Sans entrer systématiquement dans les notions mathématiques telles que les concepts unificateurs, les nombres naturels, la mesure ou la géométrie, il nous semble important ici d'attirer l'attention sur diverses formes d'activités qui font appel aux mathématiques. Étant donné que les thèmes caractérisent souvent l'organisation des activités à la maternelle, on pourrait, par exemple à partir du thème de l'automne, classer les feuilles tombées selon leurs couleurs, leurs formes, leurs textures. Regrouper ainsi les objets d'une espèce donnée conduit à la reconnaissance de leurs propriétés. On peut aussi rassembler les objets de forme carrée ou tous les vêtements de couleur rouge ; disposer les bottes sur le plancher et les manteaux sur un crochet au mur, etc. Tout cela donne lieu à des associations, des répartitions, des rangements, des reconstitutions de séries, des ordonnancements selon certaines règles, des correspondances terme à terme, des observations de divers changements ou transformations, des découvertes de fonctionnement de machines ou autres.

Comme on peut le constater, faire des mathématiques va bien au-delà de la simple mémorisation et de la compréhension des nombres. En fait, avant qu'on lui enseigne le calcul, l'enfant devrait être familiarisé avec certains concepts plus simples d'ordre logique, et ce, par le tâtonnement, la manipulation et le jeu. L'enseignante sait très bien que l'enfant, même s'il récite certaines comptines en répétant les nombres les uns à la suite des autres, ne saisit pas nécessairement les nuances et le sens. D'un autre côté, il ne faut pas nier que le fait d'être persuadé que l'on *sait* compter parce qu'on est capable de mémoriser une comptine sur les nombres augmente l'estime de soi et, du même coup, favorise le développement d'habiletés reliées aux mathématiques.

Finalement, tout en retenant surtout que les situations naturellement vécues à la maternelle sont autant d'occasions d'aborder certaines notions mathématiques, il est important comme enseignante d'être à même de bien cerner et de saisir toutes les occasions d'explorer le matériel et de faire des activités mathématiques. À ce chapitre, le tableau 10.3, qui réunit un grand nombre de termes se référant aux notions mathématiques, peut s'avérer fort utile.

Tableau 10.3	Les notions et le vocabulaire associés aux mathématiques
Notions	**Termes**
Espace	*À droite, à gauche; au centre, autour, entre; avant, après; contre, à côté; dedans, dehors; intérieur, extérieur; dessus, dessous; derrière, devant, au milieu; en haut, en bas; premier, dernier; près, loin; sur, sous; au début, à la fin; au-dessus, au-dessous, en dessous de; en avant, en arrière; plus haut, plus bas; proche, rapproché; deuxième, troisième*
Dimension	*Épais, gros, mince; grand, petit; haut, bas; long, court; large, étroit; plus long, plus court*
Temps (durée)	*Âge, anniversaire; à temps, en retard; avant-hier, hier, aujourd'hui, demain, après-demain; dimanche, lundi, mardi, mercredi, jeudi, vendredi, samedi; avant, après; début, fin; tôt, tard; tantôt, bientôt; printemps, été, automne, hiver; matin, avant-midi, midi, après-midi, soir, nuit, jour; la semaine prochaine; heure, minute, seconde*
Quantité et contenu	*Rien, peu, tant, beaucoup, plus, un peu plus, un de plus; moins, un peu moins, un de moins; autant; un, deux, trois, quatre...; cuillerée, bouchée; entier, moitié, demi; paire, unité, unique; plein, vide; plus, moins; peu, partie; ajouter, enlever; ensemble; différence; diviser; multiplier; fraction, morceau, miette; foule; grosseur; groupe; jumeau, jumelle; chaque, plusieurs, quelques; aucun, assez, égal; augmenter, diminuer, soustraire; très, trop; troupe, troupeau*
Forme ou notions relatives	*Carré, triangle, rectangle, cercle, losange, ovale; courbe, droit; haut, bas; long, court; épais, mince; large, étroit*
Comparaison	*Moins, plus; plus grand, plus petit; plus grand que, plus petit que; le plus vite, le moins lent; plus haut, plus bas; plus long, plus court, de même longueur; semblable, différent*
Autres notions	*Chaud, froid; réchauffé, refroidi; allumé, éteint; ouvert, fermé; rapide, lent; vite, lentement; pesant, léger, lourd; toujours, jamais; vieux, jeune; vis-à-vis; vérifier; programmer; rare, fréquent*

Source: D'après J. L. Jones et E. Vernon, *Sentiers. Préscolaire,* Laval, Beauchemin, 1986, p. 5-8.

Ainsi que le souligne le MEQ (1997b, p. 39) :

> Il importe de placer l'enfant dans des situations où il peut observer, faire des liens et développer des habiletés à trouver des issues aux problèmes rencontrés parce que toute connaissance liée à l'activité mathématique devient signifiante pour l'apprenant ou l'apprenante dans la mesure où elle lui permet de résoudre des problèmes.

Il faut donc, toujours dans un contexte de problèmes réels, soutenir l'enfant dans son exploration et l'amener à :

- reconnaître le problème ;
- représenter le problème ;
- trouver des solutions ;
- communiquer sa solution ;
- confronter ses découvertes ;
- généraliser.

Dans le même esprit, le *Programme de formation de l'école québécoise* (Ministère de l'Éducation du Québec, 2001, p. 124) soutient que :

> Raisonner en mathématiques consiste à établir des relations, à les combiner entre elles et à les soumettre à diverses opérations pour créer de nouveaux concepts et pousser plus loin l'exercice de la pensée mathématique.

• La science et la technologie

« L'apprentissage de la science et de la technologie est essentiel pour comprendre le monde dans lequel nous vivons et pour s'y adapter », estime le MEQ (2001, p. 144). Au moyen de tâtonnements, d'observations et d'expérimentations, l'enfant découvre et explore les objets, se les approprie en intériorisant certains éléments qui se coordonneront pour engendrer de nouvelles actions toujours plus complexes.

En fait, l'enfant se développe tout naturellement sur le plan perceptivo-sensorimoteur, animé qu'il est par sa curiosité, sa capacité de s'étonner, son besoin de créer et d'explorer, mais surtout par son besoin d'agir. L'enfant veut tout savoir : il fouine, il cherche, il pose des questions sans arrêt. Également, il veut tout faire lui-même et expérimenter à sa manière. Pourquoi alors ne pas profiter de cet élan et de cette énergie sans bornes de l'enfant pour l'amener à observer, à anticiper, à prévoir, à planifier, à organiser ses données, à établir des liens, à prendre des décisions et à communiquer ses découvertes, le tout à partir de son propre questionnement?

Très souvent en éducation préscolaire, on a tendance à insister sur l'idée d'*éveil de l'esprit* comme préalable à la démarche scientifique. On semble oublier que ce petit être est déjà habité par la curiosité, l'étonnement, le besoin d'agir. En fait, dès les premières années de sa vie, il réagit et agit sur les choses, ce qui l'amène à se poser des questions et à prendre graduellement conscience de ses actions et de leurs conséquences. À l'âge de cinq ans, les enfants se montrent généralement intéressés par les nombreux phénomènes qui les entourent, que ce soit en relation avec le monde biologique (l'être humain, le monde animal ou végétal), avec le monde physique (l'air, l'eau, la lumière) ou avec le monde technologique (les outils, les machines, etc.).

> Explorer le monde de la science et de la technologie, c'est se familiariser avec des façons de faire et de raisonner, s'initier à l'utilisation d'outils ou à la mise en forme de matériaux à l'aide de procédés simples et apprivoiser divers éléments des langages utilisés par la science et la technologie. L'élève développe cette compétence en apprenant à manipuler des objets pour en découvrir les propriétés ou les caractéristiques. Il observe les phénomènes de son environnement immédiat, formule des questions et fait appel à ses sens pour trouver les réponses. (Ministère de l'Éducation du Québec, 2001, p. 146.)

Dans plusieurs classes maternelles, pour répondre à ce besoin de découvrir et d'explorer, il existe un coin des sciences, qui comprend généralement des éléments qui se prêtent à l'observation, comme des roches, des coquillages, des feuilles, des insectes, etc. Parfois, c'est l'enfant qui les apporte, d'autres fois, c'est l'enseignante. Ils peuvent servir d'appui à des activités sur un thème, à un projet, à une discussion.

Comme les enfants sont aussi très attirés par les animaux, l'enseignante peut en profiter, après s'être bien informée des possibles allergies, pour introduire certains animaux dans la classe, comme des poissons, des cochons d'Inde, des oiseaux, etc. La présence d'animaux permet aux enfants de découvrir la vie et d'apprendre le respect des êtres vivants, par le biais des responsabilités qu'ils entraînent, telles que les nourrir, les soigner, nettoyer la cage ou l'aquarium, etc.

Le monde préscolaire ouvre la porte à beaucoup d'activités axées sur la science et la technologie, comme la recherche en bibliothèque ou dans Internet sur des espèces animales spécifiques, afin de se renseigner sur les habitats, l'alimentation, les déplacements, les cris, les *amis* et *ennemis,* etc. On peut profiter de toutes ces découvertes pour constituer un album personnalisé que l'on met à la disposition des enfants dans la bibliothèque. Les enfants peuvent aussi inventer leur propre histoire mettant en scène un ou des animaux qu'ils affectionnent plus particulièrement et créer un spectacle avec décors et personnages qu'ils présenteront à d'autres enfants de l'école.

L'ordinateur donne à l'enfant une possibilité inouïe de s'exprimer. On ne peut interdire à l'enfant l'accès aux nouvelles technologies sous prétexte qu'il est trop petit, alors que le monde moderne en est entièrement imprégné. D'ailleurs, plusieurs enfants de la maternelle sont déjà familiarisés avec l'ordinateur avant même d'entrer à l'école. S'ils n'en possèdent pas un à la maison, ils en voient dans leur environnement et ils imitent des gestes qui y sont associés quand, par exemple, ils jouent le rôle de caissier, de secrétaire, d'aviateur, etc. Les jeux symboliques constitueraient donc une piste naturelle pour introduire le jeu ou le travail à l'ordinateur.

Il n'est pas souhaitable de planifier des activités ponctuelles dans une salle d'ordinateurs, où tous les enfants seraient appelés à faire la même chose en même temps en obéissant à des consignes précises. Il vaut mieux laisser les enfants manipuler librement cet outil, leur permettre de l'explorer à leur guise, avant de leur apprendre à rechercher de l'information. Pour soutenir les enfants qui n'ont jamais utilisé un ordinateur, il est sage d'y aller d'une aide personnalisée. Parallèlement, les activités qui touchent au domaine de l'informatique donnent l'occasion d'apprendre un nouveau vocabulaire, des mots comme *souris, écran, clavier, icône, activer, désactiver, logiciel,* etc.

Une fois les rudiments intégrés, l'enfant ne manquera pas de se découvrir des habiletés qu'il voudra exploiter. Là encore, l'enseignante doit guider l'enfant à petits pas vers la découverte de ce monde prodigieux.

On trouve actuellement sur le marché un nombre impressionnant de logiciels ou de cédéroms éducatifs associés au développement du jeune enfant. Encore faut-il que l'enfant puisse s'en servir sans être toujours obligé de faire appel à l'enseignante. En ce sens, il faut favoriser l'autonomie fonctionnelle, de façon que l'enfant puisse utiliser l'outil seul. À ce propos, les enseignantes ne sont pas à court d'imagination pour mettre au point des stratégies et planifier des interventions qui feront en sorte que les activités à caractère scientifique et technologique ne seront pas de simples accidents de parcours. Elles doivent s'attacher à des défis réels et accessibles et viser, du même coup, l'approfondissement de certaines notions appartenant à ce domaine.

Le domaine de l'univers social

Plusieurs activités, ateliers ou projets proposés à la maternelle, par l'enseignante ou par les enfants, touchent l'univers social, lequel englobe la géographie, l'histoire et le rôle de citoyen. Toutefois, on trouve peu d'écrits et de programmes reliés à l'éducation préscolaire qui font référence spécifiquement à la géographie, à l'histoire et à l'éducation à la citoyenneté.

La géographie et l'histoire fournissent des occasions d'ouverture sur le monde. Cette ouverture sur le monde est d'autant plus importante que le profil des enfants qui fréquentent la maternelle a été modifié au cours des dernières décennies par la présence accrue d'enfants appartenant à des communautés culturelles diverses, et ce, surtout en milieu urbain.

L'enjeu éducatif dont il est ici question concerne directement l'enfant avec son bagage personnel, expérientiel et culturel. Il s'agit donc de démarrer des activités à partir de situations concrètes où l'enfant pourrait parler de son pays ou de sa culture. Cela permet de situer le pays d'origine de l'enfant, d'en connaître les us et coutumes et de faire ressortir les ressemblances et les différences entre les cultures.

À la maternelle, l'enfant découvre les exigences de la vie en collectivité. Il s'initie aux concepts de temps et d'espace. Il développe des attitudes de tolérance et d'ouverture envers les autres. Il apprend à s'accepter comme membre faisant partie d'une communauté. À ce titre, il accomplit des tâches et prend des responsabilités vis-à-vis des autres. Bref, il fait ses premiers pas comme citoyen engagé dans une société.

Pour l'enfant de la maternelle qui se situe dans l'ici et le maintenant, il importe d'adapter les activités en conséquence. L'enseignante doit tenir compte des cadres de référence de l'enfant :

Le cadre de référence spatial est la classe, l'école, la rue, le quartier et la localité. L'exploration de l'espace s'effectue par observation directe (sur le terrain) ou indirecte (plan simple, illustration, maquette). Le cadre de référence temporel est la vie de l'élève, celle des parents, de ses grands-parents et de ses arrière-grands-parents. L'exploration du passé se fait par le recours aux documents écrits, visuels ou médiatiques et aux ressources du milieu ainsi que par l'utilisation de lignes du temps graduées en jours, semaines, mois, années, décennies et siècles. (Ministère de l'Éducation du Québec, 2001, p. 166.)

Évidemment, il importe que l'enfant de cinq ans ait des points de référence dans l'espace et dans le temps. À cet effet, dès le début de l'année, l'enseignante planifiera des activités avec les enfants afin qu'ils puissent se situer dans l'espace et savoir, par exemple, où est la cour de l'école, la garderie, la classe, etc. Elle leur donnera des repères pour s'orienter et ne pas se perdre. Aussi, les activités de routine qu'elle insérera dans la séquence des activités d'une journée aideront les enfants à se situer dans le temps. Par cette sécurité qu'il acquiert au fil des jours, l'enfant se sent de plus en plus comme un être appartenant à une société.

Différents savoirs essentiels sont reliés au domaine de l'univers social. Les voici présentés dans la figure 10.1.

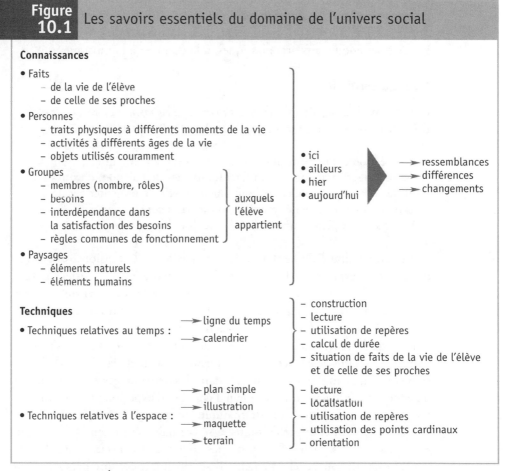

Figure 10.1 Les savoirs essentiels du domaine de l'univers social

Source: Ministère de l'Éducation du Québec, *Programme de formation de l'école québécoise,* Québec, MEQ, 2001, p. 168.

Le domaine des arts

Les arts ont toujours été très présents dans les classes maternelles. Ils demeurent une excellente façon pour se connaître :

> L'étude et la pratique des arts ouvrent la voie au monde de la sensibilité, de la subjectivité et de la créativité. Elles permettent de découvrir et de construire la signification des choses à partir des sens et de la communiquer par des productions artistiques. Mettant en valeur l'intuition et l'imaginaire, les arts [...] permettent d'appréhender le réel, de le comprendre et de l'interpréter. (Ministère de l'Éducation du Québec, 2001, p. 190.)

L'objectif général du domaine des arts est d'« apprendre à créer, à interpréter et à apprécier des productions artistiques dans sa vie ». Dans les sections qui suivent, nous abordons l'art à la maternelle sous quatre formes précises. L'enfant est ainsi amené à pénétrer dans le domaine des arts en s'ouvrant aux diverses créations artistiques, au moyen de langages propres à l'art dramatique, aux arts plastiques, à la danse et à la musique.

• L'art dramatique

L'art dramatique est défini, dans le *Programme de formation de l'école québécoise* (Ministère de l'Éducation du Québec, 2001, p. 196), comme étant :

> La création et l'interprétation d'œuvres dans lesquelles interagissent des personnages en action. Par différentes formes de création, d'expression et de communication, cette discipline permet de représenter des images extérieures de différentes manières et dans des contextes variés ; elle permet aussi d'exprimer une réalité socioculturelle.

Le jeu spontané de l'enfant à la maternelle est l'occasion toute rêvée d'exploiter l'expression dramatique. Nous n'avons qu'à regarder l'enfant jouer dans les différentes aires de la classe pour vite constater qu'il se crée un personnage et en adopte les gestes, la voix et les expressions caractéristiques. Il exploite des jeux de rôle par la répétition de gestes. Cette dynamique provient essentiellement de l'enfant lui-même. Il s'installe comme le maître de ses actions. Il emprunte la voie de la réalité, de la fiction et de l'imaginaire pour s'intégrer dans des personnages et des situations ou encore pour libérer son trop-plein d'énergie. Il expérimente des comportements variés. En fait, le jeu dramatique contribue à la formation globale de l'enfant, celui-ci apprenant ainsi à se connaître lui-même à travers ses actes et ses gestes, bien qu'il ne soit pas encore très conscient de l'effet de ses actions sur son développement. Il se reconnaît comme personne distincte, ayant des émotions et des sentiments qui lui sont personnels. De plus, en communiquant avec les autres, il se démarque, car il devient capable de se situer par rapport à ses pairs.

À côté d'activités ludiques organisées souvent spontanément par l'enfant, l'enseignante peut proposer des activités qui amènent l'enfant à expérimenter des comportements moteurs, affectifs, etc., qui ouvrent la porte à l'imaginaire. L'enseignante peut utiliser un thème ou une situation pour permettre à l'enfant de se situer par rapport à un environnement donné. Il est alors plus facile pour l'enfant de se transporter en pensée dans un monde imaginaire. Elle s'assure que les enfants comprennent bien les consignes et sont capables d'effectuer les transferts qui s'imposent. Par exemple, à partir du thème du poisson d'avril, après avoir montré et identifié certaines variétés de poissons ou de crustacés, on propose à l'enfant de devenir un animal marin. Les enfants se répartissent alors dans *la mer* (cercle de rassemblement), où ils imitent les diverses façons de se déplacer des poissons.

Selon le MEQ (2001, p. 196), « la formation en art dramatique suppose le développement de trois compétences complémentaires et interdépendantes : Inventer, Interpréter et Apprécier ».

À la maternelle, l'enfant invente au fur et à mesure qu'il agit. À partir de ses états affectifs, il se crée des histoires, des situations et donne un sens à ce qu'il fait.

En principe, l'aménagement de la maternelle favorise l'expression dramatique. Certaines classes possèdent un théâtre de marionnettes et des marionnettes que l'enfant anime dans un décor qu'il a imaginé. Il leur prête sa voix, parfois jusqu'à en oublier sa propre identité. Pour cette raison, des thérapeutes et d'autres intervenants ont recours aux marionnettes avec des enfants qui ont subi des traumatismes sur le plan émotif. En plus de constituer un support thérapeutique, la marionnette permet de maîtriser la voix, la manipulation, les rapports sociaux, le langage. En fait, elle est un atout précieux en ce qui concerne le langage verbal et non verbal. Les représentations ou les spectacles qui s'ensuivent contribuent à créer un climat propice à la fête et au plaisir.

• Les arts plastiques

Les arts plastiques sont décrits par le MEQ (2001, p. 210) comme suit :

À la fois expression d'une pensée et matérialisation d'une réalité socioculturelle, les arts plastiques permettent de concrétiser, à des fins d'expression, de communication et de création, des images dans la matière à partir de savoir-faire qui varient selon les lieux et les époques.

Les activités reliées aux arts plastiques sont très présentes dans les classes préscolaires. Les grandes fêtes comme l'Halloween, Noël, la Saint-Valentin et Pâques sont des occasions rêvées pour proposer des activités de décoration du local, de fabrication de cadeaux et pour inciter à la création. En mettant l'accent sur la beauté des réalisations de l'enfant, on renforce son estime de soi. L'observation des comportements de l'enfant est primordiale pour évaluer ses progrès, non seulement sur le plan de la dextérité et de l'utilisation du matériel, mais aussi sur le plan de ses relations avec les autres.

Actuellement, le marché abonde en matériel raffiné et attrayant, plus simple à préparer qu'autrefois. Il faut cependant savoir comment s'en servir et s'assurer qu'il répond réellement au besoin d'exploration des jeunes enfants. N'oublions pas que le but des activités manuelles est souvent la fabrication de cadeaux pour des personnes aimées. Il ne s'agit donc pas simplement d'accomplir un travail en faisant appel à son imagination, à sa créativité, à son intelligence et à son adresse. La motivation vient du plaisir de donner et surtout de recevoir des rétroactions positives : « Tu as bien travaillé… Montre-moi comment tu as fait… C'est très beau… » La valorisation intensifie la motivation, encourage et incite l'enfant à réaliser d'autres choses et lui donne confiance en lui.

Comme en témoignent les différents guides d'arts plastiques et ainsi qu'on peut le constater dans les catalogues de matériel éducatif, il existe une vaste gamme de matériaux associés à différentes activités en arts plastiques. Parmi les activités proposées le plus souvent à la maternelle, mentionnons les suivantes : le dessin (fusain, crayon de cire, feutre, pastel gras, pastel sec, encre), la peinture (peinture digitale, gouache liquide, gouache en pain, encre), le collage (papier déchiré, papier découpé, papier plié, corde, laine), la gravure (crayon de cire, pâte à modeler, cartogravure), l'impression (monotype, impression avec des objets, des légumes, des éponges), le modelage (pâte à modeler, terre glaise, papier bouchonné), le façonnage (papier façonné, papier frisé, papier plié, papier enroulé, papier froissé, papier sculpté, papier bourré) et l'assemblage (papier façonné). Toutes ces activités peuvent prendre la forme d'ateliers.

Dans les ateliers d'arts plastiques, l'enfant découvre son pouvoir de création, en développant « sa propre gestuelle » à travers l'exploration des matériaux, des gestes et des techniques, dans le but de réaliser une image personnelle et authentique. (Ministère de l'Éducation du Québec, 1997b, p. 38.)

Toute réalisation en arts plastiques nécessite un entraînement du geste qui concourt au développement de la motricité fine en particulier, mais aussi de la pensée en général. Par conséquent, plus l'enfant exécutera un geste donné, mieux il pourra reproduire ce qu'il désire.

• La danse

Le MEQ (2001, p. 224) définit la danse comme :

> […] l'art de produire et d'agencer des mouvements à des fins d'expression, de communication et de création. Elle permet à l'individu d'entrer en relation avec lui-même et avec son environnement en faisant appel à sa pensée intuitive, à l'imagination, au jeu et à l'analogie.

À vrai dire, l'enseignante de la maternelle n'est en règle générale pas une spécialiste de la danse ni des autres arts, d'ailleurs. Cependant, comme elle sait que la danse fait appel à la connaissance du schéma corporel à travers les mouvements, la gestuelle, et que, de plus, elle met en jeu le vécu de l'enfant, l'imaginaire et la créativité, elle s'assure de planifier des activités dans ce sens dans sa classe.

L'approche thématique est une bonne façon d'aborder la danse, ainsi que l'explique le MEQ (1983, p. 9) :

> Elle ouvre la voie à l'imaginaire, à la sensibilité artistique parce qu'elle permet l'exploitation, l'expérimentation du mouvement et de sa valeur expressive, parce qu'elle permet de porter un regard analytique sur les êtres et sur les choses, parce qu'elle entoure l'enfant d'exigences à la fois motrices, intellectuelles, affectives. Pour toutes ces raisons et pour d'autres encore, cette approche favorise un apprentissage global, intégré au vécu de l'enfant et inscrit la danse dans une voie qui mène à la connaissance de soi et de l'univers.

À la maternelle, beaucoup d'enfants sont capables de danser, c'est-à-dire de représenter par des mouvements expressifs et rythmés une réalité extérieure et l'état affectif que celle-ci suscite en eux. En fait, l'enfant peut inventer une gestuelle appropriée à un contexte, avoir une certaine aisance dans ses mouvements et produire une mimique exprimant une situation donnée. Cette motricité expressive combine des mouvements successifs, une vitesse d'exécution et une manière de s'exprimer corporellement. Évidemment, la danse peut prendre différentes formes, allant d'une expression spontanée à des exercices de motricité exigeant une gestuelle plus complexe à un enchaînement de mouvements de mieux en mieux ordonnés.

Enfin, pour intéresser les enfants à la danse, il faut créer autour d'eux une ambiance propice à cette activité. Par exemple, sur le thème de l'automne, l'enseignante pourra suggérer aux enfants de créer une danse illustrant les feuilles qui tombent ; sur le thème du printemps, elle proposera une danse sur l'éveil de la nature. À cinq ans, l'enfant peut inventer des mouvements tout en composant une courte chorégraphie qui traduit ses émotions dans la mesure où l'enseignante situe l'enfant dans une réalité concrète. Les représentations ou les spectacles qui peuvent s'ensuivre contribuent à créer un climat propice à la fête et au plaisir.

• La musique

La musique, que le MEQ (2001, p. 238) définit comme «l'art de produire et de combiner des sons suivant certaines règles qui varient selon les lieux et les époques à des fins d'expression, de communication et de création», a toujours eu sa place dans les maternelles. Dans plusieurs maternelles, on peut trouver un «coin d'écoute» dans l'organisation des coins de la classe. Cet espace bien délimité invite l'enfant à écouter de la musique classique, contemporaine, des chansons ou encore peut servir à écouter une histoire. Aussi, lors du repos, de la relaxation ou de la sieste, l'enseignante fait parfois jouer des airs ou des chansons pour amener l'enfant à se détendre.

L'activité musicale à la maternelle n'est pas nécessairement fixée dans le temps et peut prendre différentes formes. Elle donne la priorité au rythme à travers les chants, les comptines, les danses. En fait, l'enseignante peut se servir de la musique pour aller beaucoup plus loin, notamment pour exploiter des notions essentielles telles que la hauteur (sons aigus ou graves), l'intensité (sons lourds ou légers), la durée (sons longs ou brefs), le temps (mouvements vifs, modérés, lents).

De nos jours, l'enfant est exposé à tant de sons qu'il lui arrive d'oublier de s'y arrêter pour les discriminer ou distinguer les bruits de la nature (les feuilles qui bruissent, la pluie qui tombe, etc.), les cris et les déplacements des animaux (oiseaux, chats, etc.), les paroles (syllabes, mots, phrases, etc.) ainsi que les différents airs et sons produits par des instruments de musique. Montrer, présenter et comparer des instruments de musique est certainement une activité à ne pas négliger. La musique peut amener l'enfant à réaliser des apprentissages ponctuels mais, plus important encore, l'incite à être à l'écoute de lui-même et de ce qui l'entoure.

Les activités musicales permettent à l'enfant de mieux comprendre et d'apprécier le monde sonore. Le MEQ (1997b, p. 38) relève les trois temps suivants :

Dans un premier temps, l'enfant perçoit, discrimine, explore et expérimente les différents aspects du son par des expériences concrètes, diversifiées, liées à son vécu et à sa mémoire ; il s'agit ici de l'intensité du timbre, de la hauteur et de la durée des sons.

Dans un deuxième temps, l'enfant est appelé à organiser des sons de manière personnelle. Il est tantôt créateur, tantôt interprète.

Dans un troisième temps, l'enfant réagit de manière affective à ses productions sonores et à celles des autres. Il prend conscience de ce qui est facile ou difficile à réaliser, il fait des choix, propose des idées et s'éveille aux réalités culturelles, tout en répondant à ses propres besoins d'expression.

Le domaine du développement personnel

Le développement personnel est associé à un certain nombre de disciplines touchant à l'éducation physique et à la santé, ainsi qu'à l'enseignement moral ou religieux (catholique ou protestant). Dans les paragraphes qui suivent, nous verrons comment ces disciplines sont abordées dans la classe maternelle.

• L'éducation physique et la santé

L'éducation physique fait appel à l'agir corporel tandis que la santé concerne le bien-être de la personne.

> Traditionnellement, l'enseignement de l'éducation physique s'est centré sur les actions et sur le développement de l'efficience motrice chez les jeunes […].
>
> Le programme cherche à responsabiliser l'élève à l'égard de son agir corporel et de sa santé en lui permettant de développer : un répertoire d'actions corporelles ; un répertoire de stratégies cognitives ; un bagage de connaissances propres à la discipline ; des comportements conformes aux règles de sécurité et d'éthique ; un sens critique pour une gestion judicieuse de sa santé ; des attitudes positives dans ses relations avec les autres à l'occasion d'activités physiques. (Ministère de l'Éducation du Québec, 2001, p. 256.)

À la maternelle, l'accent a toujours été mis sur le développement du schéma corporel. En général, à cinq ans, l'enfant maîtrise bien son corps. Il contrôle habituellement sa motricité globale (courir, marcher). Il peut distinguer et désigner la plupart des parties de son corps, prendre diverses postures, exécuter sur demande certains mouvements. En conséquence, par le raffinement de sa gestuelle, il en vient à posséder des habiletés relevant de la motricité fine et à faire plus facilement les exercices de calligraphie.

Comme nous l'avons mentionné précédemment, l'agir est un élément crucial chez le jeune enfant. «Qui dit agir dit notamment action, sensation, expression, mouvement, contrôle.» (Ministère de l'Éducation du Québec, 2001, p. 258.) En fait, l'agir conduit à l'appropriation du corps, d'abord en fonction de soi, ensuite en relation avec les autres et, finalement, en interaction avec l'environnement. Donc, à mesure qu'il agit, l'enfant connaît mieux son corps. À cet égard, le MEQ (1997b, p. 22), dans l'objectif «Apprendre à se connaître et à s'estimer», donne des exemples concrets relativement à la connaissance de son corps. Ils sont présentés dans le tableau 10.4.

| Tableau 10.4 | Connaître son corps |

Objet d'apprentissage	Enfant
L'enfant développe sa capacité :	**Par exemple, il :**
• de mieux connaître son schéma corporel ;	• distingue et désigne les parties de son corps ; • découvre ses traits physiques ;
• de prendre conscience des différentes fonctions de son corps ;	• désigne les sens : la vue, l'odorat, l'ouïe, le goûter et le toucher ; • reconnaît ses rythmes cardiaque et respiratoire après un effort physique soutenu ;
• d'utiliser ses perceptions ;	• réagit corporellement à différents stimuli ; • explore et discrimine à l'aide de ses sens ; • fait appel à sa mémoire sensorielle ;
• de percevoir les différentes réactions de son corps en action et au repos ;	• court, grimpe, saute ; • exécute des mouvements qui mettent en jeu les différentes parties de son corps, travaille en coordination, travaille en dissociation ; • imite une posture ; • se maintient en équilibre ; • s'approprie des façons de se détendre ;
• d'accomplir des activités de motricité globale et de motricité fine.	• bouge avec aisance et souplesse ; • manipule adéquatement les outils et le matériel mis à sa disposition ; • fait preuve de dextérité dans les activités.

Source : Ministère de l'Éducation du Québec, *Programme d'éducation préscolaire*, Québec, MEQ, 1997, p. 22.

À la maternelle comme dans les autres classes du primaire, l'éducation physique ne se limite pas au temps passé au gymnase avec le professeur spécialisé. Elle se rattache plutôt à l'ensemble des activités motrices que l'enfant effectue tout au long de la journée. L'éducation physique revêt ici une signification relativement large puisqu'elle englobe toutes les actions de l'enfant, que ce soit sur le plan de la motricité globale (courir, sauter, etc.) ou sur le plan de la motricité fine (dessiner, manipuler, etc.). L'enfant est amené à prendre conscience des possibilités de son corps, à connaître son schéma corporel et à s'approprier une façon personnelle de faire les choses.

Rappelons que, par nature, l'enfant est un être qui bouge, joue et qui se réalise en faisant toutes sortes d'activités. Par ailleurs, il se reconnaît comme personne individuelle ayant ses propres limites. Ses activités lui permettent aussi de s'intégrer à un groupe de pairs, de participer à des jeux d'équipe et de coopérer en acceptant des rôles précis en vue d'atteindre un but commun. Tout cela fait partie de l'éducation physique. Comme c'est le cas pour les élèves du primaire, les enfants de la maternelle participent aussi à des jeux dans la cour de récréation et profitent de sorties axées sur des activités physiques comme la natation (piscine), le patinage (aréna), l'hébertisme (classe verte ou autres).

Par ailleurs, plus l'enfant agit, plus il prend conscience de l'importance d'un mode de vie sain et actif. Peu à peu, il apprend à distinguer les bonnes et les mauvaises habitudes de vie liées à la santé et au bien-être : alimentation, hygiène corporelle, comportement sécuritaire, etc.

• L'enseignement moral ou religieux

Le MEQ (2001, p. 273) envisage la morale à la fois comme un processus et comme un contenu :

En tant que processus, la morale fait [...] appel au raisonnement, aux sentiments et à l'expérience. Elle s'applique à :

— la recherche de sens des situations qui se vivent au quotidien ;

— l'identification et le questionnement des valeurs, des buts et des projets proposés par la collectivité ;

— la recherche des actions à poser dans des contextes variés qui demandent :

  • l'examen et le choix de références personnelles et collectives ;

  • la prise de conscience de ce que l'on peut faire pour se réaliser et pour apporter sa contribution au réaménagement et à l'amélioration du mieux-vivre individuel et collectif.

En tant que contenu, la morale comprend notamment une vision de l'être humain, des valeurs ainsi que de l'ensemble des exigences, des attentes et des conventions présentes dans la vie des individus.

À la maternelle, en principe, on ne s'attarde pas sur l'enseignement religieux, mais l'enseignante amènera l'enfant à réfléchir sur certaines situations quotidiennes de la classe. Ainsi, une situation conflictuelle peut donner lieu à une causerie où les enfants auront à exprimer leurs opinions et à prendre des décisions. On discutera avec les enfants de valeurs, de comportements, et chacun pourra faire valoir ce qu'il éprouve, ses sentiments, ses pensées. En fait, on rejoint ici l'objectif «Apprendre à se connaître et à s'estimer» défini par le MEQ (1997b). Le tableau 10.5 donne des exemples concrets à cet égard.

| Tableau 10.5 | Affirmer sa personnalité |

Objet d'apprentissage	Enfant
L'enfant développe sa capacité:	**Par exemple, il:**
• de percevoir ses goûts, ses sensations et ses attitudes;	• détermine ses goûts et ses choix;
• de reconnaître ses sentiments et ses émotions;	• manifeste ses sentiments et ses émotions; • parle de ses sentiments et les nomme; • exprime ce qu'il ressent de manière appropriée;
• de se respecter et de se faire confiance;	• choisit ce qui lui convient; • justifie ses choix;
• de s'exprimer et de créer;	• chante, joue d'un instrument, joue un personnage, une situation; il danse, réalise une image par le dessin, la peinture ou le modelage;
• de parler.	• maîtrise de mieux en mieux les phonèmes; • prononce les mots correctement; • emploie le mot juste pour ce qu'il veut désigner; • enrichit son vocabulaire; • utilise le pronom *je*; • décrit une situation simple ou une image; • évoque des situations réelles ou imaginaires; • exprime un désir, un besoin.

Source: Ministère de l'Éducation du Québec, *Programme d'éducation préscolaire*, Québec, MEQ, 1997, p. 23.

10.2.2 L'évaluation et le bulletin

Les compétences transversales, au même titre que les compétences disciplinaires, méritent une attention particulière lorsque vient le temps de faire l'évaluation au niveau primaire. Généralement, les compétences transversales partagent les mêmes situations d'apprentissage et d'évaluation que les compétences disciplinaires. Mais qu'en est-il précisément lorsqu'il s'agit d'évaluer l'enfant de la maternelle?

L'évaluation à la maternelle n'est pas chose facile. La difficulté réside dans la complexité du développement de l'enfant, dont il faut rendre compte, par rapport au relevé habituel d'apprentissages systématiques tel qu'il est traditionnellement exigé au primaire. De plus, en principe, l'enseignante de la maternelle est la première personne à devoir annoncer aux parents les éventuelles difficultés de leur enfant à l'école. Ces derniers refusent parfois l'évaluation faite par l'enseignante, en invoquant le fait que l'enfant se comporte bien à la maison et à la garderie. Le choc initial passé, les parents voudront aider l'enfant à cheminer le plus favorablement possible.

L'observation de l'enfant est au cœur du processus d'évaluation. Concrètement, les données tirées de l'observation feront l'objet d'une analyse et d'une synthèse qui, à leur tour, permettront de remplir le bulletin le plus objectivement possible. L'enseignante, appuyée par les parents dans ses prises de décision, pourra intervenir plus efficacement auprès de l'enfant. Ainsi, les actions entreprises à l'école devraient influer sur la façon d'intervenir des parents à la maison. Ces derniers deviennent alors des partenaires privilégiés dans la recherche de solutions visant à aider l'enfant à poursuivre son cheminement. Le processus d'observation-évaluation comporte un ensemble d'opérations ordonnées et organisées de manière à amener l'enseignante à prendre des décisions éclairées pour mieux soutenir l'enfant (*voir la figure 10.2*). Cela ne peut se réaliser sans la collaboration des parents.

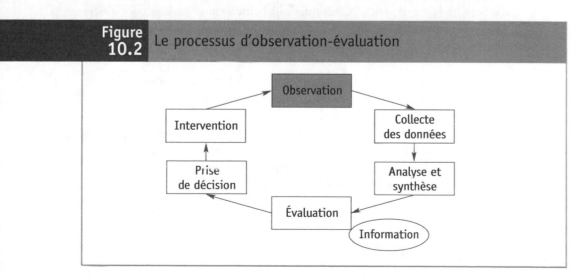

Figure 10.2 Le processus d'observation-évaluation

Chaque nouvelle intervention à la suite d'une décision entraîne nécessairement la reprise de l'observation, afin de vérifier si l'intervention a produit le changement d'attitude ou de comportement attendu. L'évaluation est une démarche complexe car, en plus de devoir suivre toutes les étapes du processus évaluatif et prendre en considération les compétences visées par le programme, l'enseignante doit tenir compte du contexte, c'est-à-dire de la réalité et du vécu de l'enfant. Ce contexte est associé à la diversité des expériences sociales que l'enfant a faites avant son entrée à l'école. Nous donnons ici quelques exemples :

- Certains enfants n'ont jamais fréquenté de milieux de garde. En entrant à la maternelle, ils vivent donc leur première expérience dans un milieu social élargi, sous la supervision d'un adulte autre que le parent.

- Certains enfants ont une expérience de milieux sociaux multiples car, en plus de fréquenter les milieux de garde, ils s'adonnent depuis quelque temps à des activités dites d'initiation ou d'éveil, comme le patinage, la natation, l'expression artistique, la musique.

- Des enfants savent déjà lire, écrire et compter.

- Plusieurs enfants savent comment fonctionne l'ordinateur et peuvent accéder à certains programmes informatiques.

Donc, comme l'évaluation touche le développement individuel de l'enfant, un moyen mis à la disposition des enseignantes pour soutenir l'évaluation est l'autoévaluation. À ce propos, le ministère de l'Éducation du Québec (2002) a produit des pistes de questionnement pour réaliser une autoévaluation au préscolaire. Ces pistes visent la planification, la collaboration, la démarche, la présentation, les goûts, les intérêts et les nouvelles connaissances. À la lumière de l'autoévaluation, l'enseignante consigne les observations et pose des jugements par rapport aux interventions et aux prises de décision.

En prenant en considération tout ce qui précède, nous nous pencherons maintenant sur certaines questions relatives au bulletin.

Le bulletin scolaire est un instrument d'évaluation dont le but premier est de renseigner les parents ou les autres personnes responsables de l'enfant quant au développement et au comportement de celui-ci dans la classe et à l'école. Selon le MEQ (1997b, p. 54) :

Certains principes régissent l'établissement d'un bulletin à l'éducation préscolaire :

- Le bulletin met l'accent sur les aspects positifs du développement. Dans ce sens, il doit constituer une image positive de l'enfant, aux yeux de celui-ci et aux yeux de ses parents.

- Il met l'accent sur le dynamisme de développement de l'enfant plutôt que sur une simple énumération de ses connaissances ou habiletés spécifiques. Ce sont, en quelque sorte, des indications sur l'enfant et sur ses progrès.

- Il est préparé à partir d'une consignation d'observations faites sur l'enfant au cours d'une assez longue période et dans différents contextes.

- Il est rédigé dans un langage accessible aux parents et en termes concrets pour inciter à l'action.

Pour être en mesure d'établir le bulletin, l'enseignante doit, à l'aide de grilles conçues à cet effet, observer l'enfant dans différentes situations et dans des activités multiples. Le respect de l'enfant individuel constitue la base de l'observation. Loin d'être comparé aux autres enfants, l'enfant est évalué en fonction des efforts qu'il fait et de ses progrès.

La démarche évaluative est très exigeante pour l'enseignante car, dans un souci d'objectivité, celle-ci doit mettre en pratique des moyens lui permettant d'observer chacun des enfants de son groupe. À la suite de l'analyse et de la synthèse de ses observations, elle peut être amenée à remettre en question ses interventions et ses stratégies éducatives et à chercher des moyens pertinents d'aider l'enfant. Le jeu étant essentiel dans le développement intégral du jeune enfant, l'enseignante y prête une attention spéciale au cours de ses observations. De même, elle ne néglige pas non plus l'auto-évaluation de l'enfant.

Finalement, conformément aux exigences de la nouvelle politique en matière d'éducation, l'évaluation ne doit pas se limiter exclusivement au bulletin de fin d'étape. Elle constitue davantage un processus dans lequel plusieurs moyens ou façons de faire sont adoptés en vue de porter un jugement objectif sur le développement et les apprentissages de chacun des enfants. À cet égard, le portfolio constitue un outil complémentaire des plus pertinents.

Le portfolio

Le portfolio, nouvellement utilisé en éducation, se présente habituellement sous la forme d'une collection de travaux personnels de l'enfant. Auparavant, le portfolio était davantage un outil des milieux artistique, esthétique ou administratif, employé pour évaluer les travaux réalisés par un individu à la place de résultats chiffrés provenant d'examens ou de tests.

En éducation préscolaire, le portfolio a, bien sûr, une finalité différente et présente des avantages que nous examinons dans les paragraphes qui suivent.

Le portfolio est constitué des différents travaux jugés significatifs par l'enfant. Ces travaux ou réalisations ne sont pas nécessairement des travaux écrits ; ils peuvent prendre d'autres formes, telles que des cassettes, des dessins, des livres, etc. Pour un enfant de la maternelle, l'idée d'un travail significatif a une dimension affective et est ni plus ni moins assimilée à l'idée d'une activité ou d'une production qu'il *aime*. En fait, quand nous parlons de travaux significatifs, nous entendons des travaux qui ont du sens pour l'enfant, c'est-à-dire pour lesquels il peut :

- expliquer les apprentissages qu'il a réalisés, tout en indiquant comment il les a faits. En un mot, comment, à partir de ses tâtonnements et de ses manipulations, il arrive à explorer et à entreprendre les activités ;
- faire les analyses nécessaires afin de mieux se connaître et de réfléchir sur le présent, tout en prenant en considération les actions passées et les engagements à venir ;
- expliquer ses choix en fonction de ses valeurs, et ce, pour mieux comprendre sa conduite et ses intérêts ;
- faire des liens entre le contexte de ses réalisations (conditions favorables ou non) et ses apprentissages ;
- faire une autoévaluation qui l'amène à s'interroger sur ses productions et sur son implication dans une activité personnelle ou de groupe, selon le cas ;
- travailler en collaboration afin de trouver l'information ou les ressources indispensables pour mener à terme ses activités ;

- produire des bilans et des synthèses qui tiennent compte des progrès réalisés, des réussites, de même que des difficultés éprouvées et des moyens pris pour les surmonter.

Comme on s'en doute, il est illusoire d'espérer que tous les enfants de la maternelle parviennent à remplir l'ensemble des conditions énumérées ci-dessus, d'autant plus qu'il importe de garder à l'esprit l'idée que l'enfant se développe graduellement au fur et à mesure de son agir. Selon cette perspective, il vaut mieux voir le portfolio comme une démarche qui amène peu à peu l'enfant à se prendre en main et à comprendre ce qui le distingue des autres. En ce sens, petit à petit, l'enfant pourra choisir, décider et peut-être même se donner des défis et, en cela, il sera aidé par l'enseignante qui le rencontrera individuellement pour l'amener à s'interroger et à réfléchir sur ses choix.

En résumé, bien plus qu'un ensemble de documents, le portfolio constitue un outil privilégié pour encourager l'enfant à explorer, à expérimenter, à choisir, à analyser, à synthétiser, à s'autoévaluer et à se livrer à quelques réflexions à sa mesure concernant son développement et ses apprentissages. Il est en quelque sorte un outil d'accompagnement grâce auquel l'enfant en vient à se transformer, à modifier sa conduite, à s'améliorer ou encore à trouver des solutions par rapport à des problèmes donnés.

Au risque de nous répéter, nous insistons sur le fait que certains enfants ne pourront que mettre des réalisations dans leur portfolio, sans arriver à les analyser en fonction de leur satisfaction ou insatisfaction. Il faut respecter le rythme individuel de l'enfant sans tenter de le bousculer ou de lui faire sauter des étapes.

Comme nous l'avons dit plus haut, le portfolio peut servir à l'évaluation formative comme complément d'une autre forme d'évaluation. Évidemment, la réalisation du portfolio implique une réceptivité aux informations nouvelles, ce qui entraîne des remises en question continuelles par rapport aux incertitudes et aux hésitations. Il est donc souhaitable que l'enfant croie en lui-même, qu'il parle avec d'autres afin d'évaluer ses limites et ses forces et qu'il prenne les moyens pour surmonter les difficultés. Encore là, il faut respecter le cheminement individuel. Bref, le portfolio tel qu'il est utilisé en éducation ne sert pas simplement à rendre compte des performances de l'enfant ; il représente un moyen supplémentaire d'amener ce dernier à réfléchir sur ses actions.

Finalement, même si l'idée de développement intégral de la personne et d'acquisition de compétences reste centrale quand il est question du portfolio, il nous semble important ici d'apporter des éclaircissements en ce qui concerne les bienfaits du portfolio sur les plans affectif et cognitif.

Sur le plan affectif, le portfolio incite l'enfant à avoir confiance en lui, car il décide lui-même des travaux à y inclure. Il le personnalise et l'organise en fonction de ses besoins, de ses talents et de ses intérêts. Étant donné que la responsabilité du choix lui revient en premier lieu, il doit faire une sélection de ses travaux en les classifiant et il doit les commenter en les comparant et en les interprétant. Il est donc en mesure de donner des informations et des explications à propos de ses décisions. En fait, il s'agit d'une appropriation de son mode d'action personnel qui le force à se pencher sur ce qu'il a fait (actions présentes), sur la façon dont il l'a fait (organisation de ses actions) et sur les intentions qui l'ont animé (orientations à long terme). En somme, par l'appropriation de ses façons de faire, l'enfant acquiert une plus grande confiance en lui et en ses idées, ce qui l'amène à se situer par rapport aux autres.

Sur le plan cognitif, se poser des questions demeure à la base du processus d'apprentissage et du développement. Par cette démarche, on peut amener l'enfant à reconnaître ce qui le distingue des autres. On lui donne la possibilité de choisir les moyens (dessin, bricolage, collage, etc.) pour personnaliser son portfolio et ainsi nous montrer ses talents. Par conséquent, l'enfant s'interroge à partir de ce qu'il perçoit dans la réalité, de ce qu'il sent, de ce qu'il ressent et de ce qu'il approuve. Ainsi, il est entraîné à découvrir, explorer, chercher, imaginer, comprendre, organiser, classer, analyser, juger, délibérer, décider, tout en effectuant des synthèses rendant compte des apprentissages qu'il a réalisés. Tout cela ne se fait pas du jour au lendemain, mais se bâtit petit à petit. La prise de conscience, à la mesure de son développement, le conduit peu à peu à intégrer ce qu'il apprend, à prendre des décisions de plus en plus conséquentes, à évaluer de mieux en mieux les choix qu'il fait.

En fin de compte, c'est le développement intégral de l'enfant qui est concerné. De ce fait, le portfolio, loin d'être une fin en soi, doit être vu comme une démarche qui s'actualise dans un processus de formation continue et d'évaluation formative. Il serait donc très pertinent que l'enfant puisse poursuivre cette démarche entreprise à la maternelle lorsqu'il entre en première année. Qui plus est, cela constituerait une façon d'établir des liens le plus naturellement possible entre la maternelle et la première année.

10.3 ENTRE L'ENSEIGNANTE ET L'OBJET D'APPRENTISSAGE : LA RELATION DIDACTIQUE

La relation didactique établit des liens entre l'enseignante et la matière à enseigner et fait appel à une planification des situations pédagogiques afin de faciliter les apprentissages. En pratique, comme l'éducation préscolaire n'obéit pas à des objectifs programmés, l'expression *relation didactique* est peu employée en éducation préscolaire. En fait, de manière pour le moins restrictive, la relation didactique est souvent perçue sous l'angle de la «fourniture de matériel à l'enfant». Pourtant, si on l'examine de près, elle est beaucoup plus que cela. La relation didactique implique une bonne connaissance de chacun des enfants, afin de leur offrir le matériel pédagogique qui répond autant à leurs besoins qu'à leurs désirs. Au-delà de la simple fourniture de matériel, il y a donc une réflexion nécessaire de la part de l'enseignante quant à la qualité et à la pertinence des objets et des jeux mis à la disposition de l'enfant pour favoriser son développement. De même, l'enseignante abordera les domaines d'apprentissage et les compétences qui y sont reliées de la façon qu'elle juge la plus appropriée pour faire cheminer l'enfant.

Rappelons que le jeune enfant requiert une attention spéciale, qui sera toujours, dans un premier temps, empreinte d'affection. Autrement dit, le lien que l'enseignante crée avec l'enfant produit un effet sur celui-ci quant à sa façon de tirer profit de l'environnement. L'initiative relève donc de l'enfant et non pas d'un enseignement quelconque. De là le besoin qu'éprouve l'enfant de se sentir accepté et aimé pour entreprendre des activités sans peur, avec l'intime conviction que l'on viendra l'aider en cas de problème. Au départ, une technique éprouvée qui entraîne des effets bénéfiques sur le développement de l'enfant consiste à introduire des objets familiers afin qu'il puisse avoir des repères et ainsi s'adapter plus rapidement.

Toute planification de classe suppose une compréhension du programme, mais également une transformation des données en vue d'un enseignement. C'est là que réside la difficulté puisque, à la maternelle, il n'y a pas d'enseignement systématique. Néanmoins, l'enseignante doit s'interroger sur ce qu'elle veut montrer à l'enfant, sur ce qu'elle désire mettre à sa disposition pour qu'il puisse progresser dans son cheminement. De cette réflexion sur l'organisation du contenu découleront des méthodes d'enseignement, c'est-à-dire des façons de faire et des stratégies pour enseigner efficacement ou, mieux encore, faire apprendre. Donc, l'enseignante doit se soucier de ces aspects et du fait que, chez l'enfant, la liberté d'agir et de manipuler une foule d'objets différents lui permet de s'organiser, de se structurer, de comprendre les événements et d'intégrer les différents éléments d'une situation. Il s'ensuit que la relation didactique à la maternelle ne peut se définir comme une stricte relation entre l'objet d'apprentissage et l'enseignante, mais doit assurément englober la dimension développementale, qui intègre à la fois les univers affectif, social, cognitif et psychomoteur de l'enfant.

ÉSUMÉ

La gestion de classe consiste à mettre en œuvre des moyens visant à articuler la relation d'enseignement (entre l'enfant et l'enseignante), la relation d'apprentissage (entre l'enfant et l'objet d'apprentissage) et la relation didactique (entre l'enseignante et l'objet d'apprentissage).

Dans la relation d'enseignement, il s'agit de choisir des moyens d'apprentissage en privilégiant une approche qui tienne compte de l'affectivité de l'enfant et de son besoin d'explorer, de s'exprimer et de travailler à son rythme. À cet égard, deux types d'approches sont plus fréquemment retenus : l'approche par ateliers et l'approche par projets.

La relation d'apprentissage vise à faire assimiler et intégrer de l'information pour ensuite l'adapter à un contexte donné. Pour le jeune enfant, l'apprentissage doit demeurer intimement lié à ses états affectifs et à son entourage. Le *Programme de formation de l'école québécoise* (Ministère de l'Éducation du Québec, 2001, p. 7) regroupe 14 programmes disciplinaires dans 5 domaines, soit : les langues ; les mathématiques, la science et la technologie ; l'univers social ; les arts ; le développement personnel. À la maternelle, on se préoccupe d'abord du développement intégral de l'enfant de telle sorte que l'accent est mis non pas sur l'acquisition formelle de connaissances mais sur l'activité elle-même, qui amène l'enfant à explorer plusieurs champs disciplinaires. En ce qui concerne l'évaluation, elle s'appuie sur une fine observation de l'enfant. Le portfolio, qui contient des travaux personnels de l'enfant, sélectionnés par lui, constitue un outil privilégié pour l'encourager à explorer, à expérimenter et à choisir.

Enfin, la relation didactique établit des liens entre l'enseignante et la matière à enseigner. À la maternelle, elle ne peut faire fi du développement de l'enfant, ce qui nécessite une bonne connaissance de chacun des enfants.

Questions

1. Que signifie «enseigner» à la maternelle? Plus précisément, comment concilier l'enseignement à la maternelle avec le développement de l'enfant?

2. Que signifie «apprendre» quand il s'agit d'un enfant de cinq ans?

3. Choisissez trois domaines d'apprentissage et dites comment vous comptez en tenir compte dans votre enseignement à la maternelle.

4. Expliquez le processus d'observation-évaluation.

5. Quels sont les avantages et les limites du portfolio à la maternelle?

Mise en situation

Le bulletin

Vous devez rencontrer un parent pour lui remettre le bulletin de son enfant, qui éprouve plusieurs difficultés en classe. Le problème qui se présente à vous est le suivant: selon les informations reçues des parents jusqu'à ce jour, l'enfant n'éprouve aucune difficulté à la garderie et à la maison. Comment annoncerez-vous au parent que son enfant a des difficultés à s'exprimer, à faire les activités et à comprendre les consignes?

Pistes d'exploration

- Que signifie «établir un bulletin»?
- À quelles stratégies ferez-vous appel pour annoncer au parent que son enfant éprouve des difficultés alors qu'il n'a que cinq ans, que la maternelle n'est pas obligatoire, qu'on se situe encore au début de l'année scolaire et que le programme est axé sur le développement de l'enfant et non sur l'acquisition de connaissances?
- Quelles sont les réactions possibles du parent?

Présentation

Vous avez à présenter la façon de traiter cette situation tout en tenant compte du fait que le parent est le premier éducateur auprès de l'enfant et que son aide vous est précieuse pour amener l'enfant à cheminer le plus harmonieusement possible. Les moyens que vous pouvez utiliser sont le jeu de rôle, l'entrevue ou tout autre moyen qui vous semble pertinent.

Lectures suggérées

BERTHIAUME, D. (2004). *L'observation en milieu éducatif*, Montréal, Gaëtan Morin Éditeur.

CARON, J., et A. DIONNE. (1993). *Dès le préscolaire... recueil d'outils de gestion de classe*, Québec, Ministère de l'Éducation.

CERQUETTI-ABERKANE, F., et C. BERDONNEAU. (1994). *Enseigner les mathématiques à la maternelle*, Paris, Hachette.

COURCHESNE, D. (1999). *Histoire de lire. Les littératures jeunes dans l'enseignement quotidien*, Montréal, Chenelière/McGraw-Hill.

DURIF, D. (1989). *Concevoir la classe : une aide aux apprentissages*, Paris, A. Collin, coll. «Pratique pédagogique».

GROUPE COOPÉRATIF DE LA TABLE RÉGIONALE DE L'ÉDUCATION PRÉSCOLAIRE. (1997). *Trousse d'accueil du préscolaire*, Montréal, Groupe coopératif de la table régionale de l'éducation préscolaire.

GUILBERT, M. (1992). *L'évaluation en maternelle*, Paris, Bordas.

HOWDEN, J., et F. LAURENDEAU. (2005). *La coopération : un jeu d'enfant. De l'apprentissage à l'évaluation*, Montréal, Chenelière Éducation.

PAOLETTI, R. (1999). *Éducation et motricité de l'enfant de deux à huit ans*, Boucherville, Gaëtan Morin Éditeur.

PIERRE, R., J. TERRIEUX, et N. BABIN. (1990). *Orientations, projets, activités pour l'école maternelle*, Paris, Hachette Écoles.

REICHLING, U., et D. WOLTERS. (1999). *Comment ça va ?*, Québec, Modulo.

THÉRIAULT, J. (1995). *J'apprends à lire... Aidez-moi*, Montréal, Éditions Logiques.

VERMETTE, M. (1991). *Découvertes au cours des saisons*, Montréal, Commission des écoles catholiques de Montréal.

WEITZMAN, E. (1992). *Apprendre à parler avec plaisir*, Toronto, Programme Hanen.

CHAPITRE 11

La famille, la garderie, la maternelle et la première année

Objectifs

Au terme de ce chapitre, le lecteur devrait pouvoir :

- définir la notion de passage ;
- décrire le passage de la famille à la garderie, celui de la garderie à la maternelle et celui de la maternelle à la première année ;
- bien distinguer ces trois milieux ;
- comprendre les implications de ces passages en ce qui a trait à l'enfant, aux parents, à l'enseignante et au milieu ;
- identifier et expliquer des stratégies pour harmoniser ces passages ;
- indiquer les actions pédagogiques propres à soutenir l'enfant dans son cheminement ;
- nommer quelques attitudes ou comportements qui peuvent influer sur le comportement de l'enfant lorsqu'il change de milieu ;
- utiliser des modes d'intervention ou des moyens pédagogiques susceptibles d'atténuer les effets négatifs du passage.

n éducation, le terme *passage* est souvent employé en début d'année scolaire pour marquer le changement de milieu, de classe ou de niveau de l'élève. Habituellement, cette expression se rapporte à l'adaptation de l'enfant à son nouvel environnement. De nombreuses recherches ont porté sur cette notion de passage. Deux idées sous-tendent ces recherches : tout changement de milieu possède sa part de connu et d'inconnu et tout passage entraîne un nouveau statut. Ainsi, l'enfant passe de la famille à la garderie, de la garderie à la maternelle, de la maternelle à la première année, du premier cycle du primaire au second cycle, et ainsi de suite jusqu'à l'université ou jusqu'à ce qu'il intègre le marché de l'emploi. À chacun de ces passages, il change de statut. Mais qu'en est-il des premiers passages qui, d'une certaine façon, poussent l'enfant à devenir plus grand ? De nos jours, l'enfant est sollicité très tôt pour s'inscrire à différentes activités ou adhérer à des groupes sociaux aux règles parfois contradictoires. Dans certains cas, cela peut poser des difficultés que l'on ne saurait minimiser quand arrive le moment d'un changement de milieu.

Ainsi, une diversité de composantes sont mises en cause lors du passage de la famille à la garderie. Deux changements majeurs sont de nature à engendrer de l'insécurité chez l'enfant : la personne qui prend soin de lui et le milieu lui-même. Tout changement entraîne une certaine déstabilisation qui peut trouver sa source dans les différents modes d'intervention, dans les diverses stratégies utilisées et dans les nouvelles activités quotidiennes auxquelles l'enfant doit désormais s'adapter.

Par la suite, le passage de la garderie à la maternelle semble comporter moins d'éléments nouveaux. En effet, les programmes appliqués en garderie et en maternelle s'articulent autour d'orientations similaires et mettent de l'avant le jeu comme moyen par excellence pour favoriser le développement intégral et harmonieux de l'enfant. Nous examinerons, toujours en préservant l'idée d'une continuité, la mission éducative de la maternelle.

À l'heure où les réformes et les démarches se multiplient pour renouveler la trilogie *lire, écrire* et *compter* en vue de l'adapter à des activités significatives dans la démarche d'apprentissage, des questions sérieuses se posent quant au rôle de la maternelle au regard des exigences de la première année. Plusieurs sont d'avis que savoir lire et écrire dès l'arrivée en première année faciliterait l'intégration de l'enfant au système scolaire, ce qui lui éviterait de se décourager d'emblée lorsqu'il doit réaliser des exercices ponctuels. Sans y aller d'une analyse approfondie des nombreux débats et rapports concernant l'importance de l'enseignement de la lecture et de l'écriture avant la première année, nous pouvons affirmer sans nous tromper que les milieux préscolaires se soucient réellement d'offrir aux enfants des activités susceptibles de les aider à entreprendre la première année. Cependant, nous ne pouvons nier que le passage de la maternelle à la première année pose parfois des problèmes, une situation qui tient au fait que la maternelle, de façon générale, ne suit pas une démarche uniforme. En conséquence, le programme d'activités peut varier d'un milieu à l'autre, avec diverses formes d'interventions, selon, par exemple, que le milieu opte ou pas pour la scolarisation précoce.

Très souvent, tout se passe comme si le milieu scolaire ignorait que les ruptures entre la maternelle et la première année peuvent entraîner des conséquences malheureuses chez l'enfant. En fait, nombre de perturbations et de crises de toutes sortes pourraient être évitées, si seulement les périodes de passage, de transition ou de continuité étaient abordées avec la volonté de trouver des solutions dans la perspective, souvent négligée, du développement.

Soulignons enfin que plus l'enfant est jeune, plus il faut prendre de précautions afin d'éviter de brusquer le passage d'une étape à l'autre. Plonger trop rapidement l'enfant dans un univers où l'accent est mis sur les apprentissages, où le cognitif prime l'affectif, risque de le démotiver. En d'autres mots, des ruptures trop brutales peuvent compromettre l'acceptation du nouveau milieu. En ce sens, l'idée de favoriser un passage harmonieux sous-tend la prise en considération de chacun des enfants et de son vécu. Par exemple, si d'autres séparations sont déjà venues perturber sa quiétude et ont suscité des sentiments d'abandon et de rejet, il faudra redoubler d'attention et user de stratégies appropriées pour neutraliser autant que possible ces expériences négatives. Souvent, les manières de faire se répercutent sur les réactions des enfants.

11.1   LE MILIEU FAMILIAL

Le milieu familial, dans lequel l'enfant est initialement plongé, reste celui qui apporte le plus d'éléments neufs. En effet, ce milieu fait partie de la réalité quotidienne et est constitué d'un ensemble de choses qui ont leur raison d'être avant même que l'enfant naisse. Par conséquent, des éléments de ce milieu, tels l'espace géographique ou le langage, concrétisent le contexte dans lequel l'enfant sera amené à réagir pour prendre graduellement conscience de ce qui l'entoure. De même, les conditions de sa naissance, notamment sa conception et l'accueil que lui réservent ses parents, posent déjà des jalons importants dans sa vie. Dans cette insertion continue rendue possible par la protection qu'assure le cadre familial, la liberté laissée à l'enfant de bouger et de s'activer l'encourage à agir sur les objets, donc à mieux les connaître. Ainsi, ce petit être se développe graduellement en intégrant, par son agir et quand il est prêt, les éléments culturels d'ordre affectif, notionnel et pratique. Le rôle protecteur que joue le parent perdra de son intensité au fur et à mesure qu'il sentira que l'enfant a acquis certaines habiletés le rendant capable d'effectuer les choses par lui-même, de réussir les activités seul et de se débrouiller sans aide.

La famille actuelle peut revêtir plusieurs formes : la famille nucléaire, la famille éclatée et la famille élargie. La famille nucléaire ou traditionnelle est composée du père, de la mère et de l'enfant. Ces personnes vivent à peu de choses près les mêmes réalités dans un même milieu. La rupture du lien entre les deux parents peut provoquer la séparation ou le divorce, d'où l'expression *famille éclatée*. En l'occurrence, l'enfant aura à s'intégrer dans les deux unités distinctes, celle du père et celle de la mère, au sein d'une garde partagée. Ces unités peuvent aussi prendre la forme d'une famille reconstituée, dans le cas où les époux se trouvent un conjoint ou une conjointe avec des enfants.

Donc, l'enfant se fera parfois ballotter entre le père et la mère, d'où l'importance d'une bonne entente entre les époux afin d'éviter l'insécurité rattachée à un milieu déstabilisant. Lorsque s'ajoutent d'autres membres à la famille comme les grands-parents ou autres, on parle alors de famille élargie.

11.1.1 L'enfant dans sa famille

Au risque de nous répéter, disons que le milieu familial influe grandement sur la façon dont l'enfant se développe. En laissant la possibilité à l'enfant de toucher et d'explorer les objets dans un contexte familier et sécuritaire, les parents lui donnent accès à la connaissance. Par les objets qu'ils mettent à sa disposition, ils l'incitent à faire différents mouvements et à apprendre le fonctionnement de son corps, mais aussi à reconnaître la diversité des objets et leurs propriétés. Par le fait même, l'enfant élargit le champ de ses connaissances en rapport avec lui-même et avec son environnement.

Tout part de l'enfant. Au commencement, le monde est réduit à sa plus simple expression. La prise de contact originelle marque le début de l'action, et ce, sans référence à l'expérience passée ni aux démarches vers l'avenir. Compte tenu de cette inexpérience, les parents doivent prendre soin de l'enfant et le surveiller.

Cette période « symbiotique », souvent considérée comme parasitaire par certains auteurs, prend graduellement fin avec l'éveil de l'enfant à son corps, c'est-à-dire lorsque la main commence à saisir, que les pieds s'apprêtent à marcher et que le langage permet de communiquer. Wallon (1942) insiste sur ces deux grandes conquêtes que sont la marche et le langage, en tant qu'élargissement physique qui marque l'envol vers la découverte du corps et des objets de l'environnement. Au cœur de cette réflexion, on peut mieux saisir l'importance accordée par les auteurs au développement moteur. En fait, le développement moteur est considéré comme le fondement du développement cognitif. De là notre insistance sur l'agir « corporalisé ».

Plus l'enfant est jeune, moins il a exploré, moins il s'est initié aux divers éléments qui l'entourent et moins il peut réaliser de choses. Bref, il a besoin des parents pour répondre à ses besoins. Les façons d'intervenir des parents laisseront des empreintes parfois indélébiles sur l'estime de soi de l'enfant. La persévérance de l'adulte, son regard bienveillant, sa main réconfortante, son sourire de connivence, une confiance absolue de l'enfant envers eux : ce sont là des variables qui influent sur l'épanouissement du petit être.

Le petit enfant appréhende les gestes de l'adulte et la complexité du milieu au fur et à mesure qu'il s'implique dans l'action. Il bouge d'une façon qui, à première vue, peut paraître désordonnée, mais ces mouvements revêtent une importance capitale pour la prise de possession du corps. Les expériences sensorielles, le développement de la motricité globale ou fine et l'évolution du langage sont, sans contredit, des facteurs de premier plan qui influencent les actions de l'enfant.

Dans sa famille, l'enfant se trouve dans une situation naturelle, du fait qu'il s'inscrit dans la quotidienneté, à travers des gestes qui lui sont de plus en plus perceptibles et, avec l'estompement de la nouveauté, qu'il maîtrise de mieux en mieux. Chaque jour apporte son lot d'éléments nouveaux pour lui, car il est « innocent et naïf », termes non péjoratifs qualifiant ici l'être qui a peu exploré. Encore réactif et incertain dans ses actions et dans son adhésion au monde, l'enfant est plus porté à aller vers le connu que vers l'inconnu. Il pénètre dans le réel à petits pas, en créant la réalité à sa mesure. Du seul fait qu'il s'inscrit dans la communauté des humains, son activité journalière devient indispensable et formatrice pour la construction de son identité.

La composante affective est primordiale : elle permet à l'enfant de grandir en ouvrant de nouvelles avenues. Sur cet aspect, de nombreux exemples montrent que le développement de l'enfant sera favorisé dans les *milieux sains* et ralenti dans les *milieux à risque*.

Le tout-petit, dans son milieu familial, est dominé par ses pulsions, ses impulsions et ses émotions. La nouveauté des actions, jour après jour, lui fait prendre conscience de ses possibilités à travers ses élans d'énergie qui se transforment en activités dites naturelles. Naturelles, car elles sont mises en branle par le jeu de l'enfant et proviennent du quotidien. Il faut dire ici que tout être humain est motivé par des besoins et des instincts qui le poussent littéralement vers le monde. Sans réfléchir et sans se référer à des modèles extérieurs, l'enfant passe la plus grande partie de son temps à jouer, c'est-à-dire à explorer, son énergie constituant le déclencheur indispensable de toute action. L'enfant se développe par le jeu égocentrique ou par les gestes spontanés qui donnent une valeur personnelle à son action. Peu importe que ses mouvements soient harmonieux ou non, il s'initie à la vie en tâtonnant, en s'éveillant aux réalités quotidiennes, en explorant. Certes, l'enfant qui vit tôt des expériences riches et variées réagit plus vivement et plus précocement au monde qui l'entoure. À cet égard, tous les enfants ne profitent pas du même accompagnement éducatif avant leur entrée à la garderie, ce qui oblige à adapter les interventions à chacun. Relativement à cette situation, il convient de prendre en considération les pratiques parentales. Allès-Jardel (1995) a mis en évidence trois types de pratiques éducatives qui exercent une influence déterminante sur le développement cognitif et la réussite scolaire des enfants :

- les pratiques *autoritaires,* fondées sur une volonté de contrôle et sur des exigences reliées à la maturité de l'individu : il en découle un manque de confiance et d'autonomie ;

- les pratiques *démocratiques,* selon lesquelles la personne a sa place au sein de sa famille : on y adopte une communication de qualité, ce qui valorise et donne confiance ;

- les pratiques *permissives,* fondées sur la liberté d'action, sans encadrement ponctuel ni contrôle : il en découle déstabilisation et anxiété.

Si on a pu démontrer que l'écart est parfois grand entre les enfants du même âge sur le plan des acquis, on peut aussi conclure que la qualité du soutien parental est déterminante en ce qui a trait à la démarche affective de l'enfant.

Des études (Esptein et Daube, 1991) ont montré que le milieu familial reste l'endroit par excellence pour stimuler l'enfant. Néanmoins, il ne faut pas minimiser le rôle sans cesse grandissant joué par les milieux de garde.

De plus en plus tôt dans la vie de l'enfant, des parents en nombre croissant font appel à des services de garde, principalement parce qu'ils travaillent, mais aussi pour donner à l'enfant l'occasion de se mêler à des pairs ou simplement pour s'offrir un temps de répit. Malgré tout, une majorité d'entre eux vivent de la crainte et de l'insécurité lorsqu'ils laissent leur enfant pour la première fois à la garderie. Ils se demandent, entre autres choses, comment il réagira, comment on répondra à ses besoins et s'il s'adaptera rapidement. Évidemment, les réponses à ces questions dépendent de facteurs tels que l'âge de l'enfant et son caractère propre.

11.1.2 L'enfant dans une famille éclatée

Normalement, la famille est un milieu stable qui permet à l'enfant de faire diverses expériences tout en sachant à quoi s'attendre de la part de ses parents. Devant les changements de comportements du père et de la mère dus à des mésententes ou autres, l'enfant devient vulnérable et ne sait pas trop quoi faire, ni comment réagir. Il vit une certaine forme d'instabilité. Alors qu'autrefois on acceptait ses écarts de conduite en lui expliquant le pourquoi des interdits, maintenant on le gronde, on l'envoie dans sa chambre en évitant de lui présenter la nouvelle situation. Cet inconfort, autant de la part de l'adulte que de l'enfant, alimente un climat de tension dans la famille. Tant et aussi longtemps que l'ambiguïté existera, l'enfant présentera des comportements plus difficiles et moins constants. Aussitôt que l'enfant sera informé de la situation, que l'heure juste lui sera donnée, que les actions entreprises seront faites dans un climat sain et sans dénigrer qui que ce soit, il sera en mesure de comprendre la situation, sinon d'en saisir les effets. Pour lui, ce qui importe avant tout, c'est de sentir qu'effectivement et pratiquement il pourra toujours compter sur l'un et l'autre de ses parents.

Si l'enfant modifie ses comportements et devient silencieux, agressif ou perturbateur, l'aide d'un spécialiste dans le domaine pourrait être requise afin de l'aider à évacuer ses craintes et ses inquiétudes. Il ne faut surtout pas penser qu'avec le temps il finira par comprendre. Les petites blessures d'enfance peuvent engendrer de grandes souffrances à l'âge adulte, d'où l'importance de s'en soucier dès qu'elles se produisent.

11.1.3 L'enfant dans un milieu pluriethnique

La politique d'intégration et d'éducation interculturelle mise en place par le ministère de l'Éducation du Québec (1998) incite les enseignantes à favoriser chez leurs élèves le savoir-vivre ensemble dans une communauté francophone, démocratique et pluraliste. Dans cette perspective, les enseignantes ont pour mission de favoriser l'intégration des élèves immigrants, de les amener à se faire accepter par les pairs dans le respect de leurs valeurs. Pour ce faire, la mise en place de pratiques qui favorisent les relations positives dans la reconnaissance de la diversité culturelle et linguistique est favorisée. C'est ce que prône *L'éducation dans un monde plurilingue* (UNESCO, 2003) à travers le respect des droits fondamentaux.

La facilité d'intégration des enfants immigrants à la maternelle dépend de l'attitude tant des parents que de l'enseignante. L'accueil qui leur est réservé produit des effets sur leur façon de réagir aux différentes situations comme celles qui sont reliées à l'apprentissage de la langue, à la communication et aux échanges avec les pairs. Évidemment, l'enfant pourra être touché par les problèmes que vivent ses parents sur le plan pratique (logement, travail et familiarisation avec les nouveaux repères culturels) ou sur le plan psychologique (acceptation par la société). Ces divers facteurs influent grandement sur la vie des parents et, plus souvent qu'autrement, se répercutent sur le bien-être de l'enfant.

La complicité entre le milieu familial et scolaire est de nature à favoriser l'adaptation de l'enfant immigrant dans son nouveau milieu. L'enseignante avertie peut influencer ce partenariat. Par exemple, elle peut inviter le parent à parler aux enfants de la classe des coutumes de son pays tout en intégrant son enfant dans son discours. Elle peut aussi demander à l'enfant de réciter une comptine ou de chanter une chanson de son pays. Enfin, elle peut proposer un projet sur le pays d'origine de l'enfant en mettant l'accent sur la situation géographique, la langue, le climat, les costumes, les menus, les habitudes de vie, etc. Toutes ces actions permettent l'intégration en douceur de l'enfant immigrant.

11.2 LE MILIEU DE LA GARDERIE

L'existence et le développement de l'enfant commencent dans un milieu qui correspond à la réalité de la vie quotidienne familiale. Or, le milieu social s'agrandit au fur et à mesure que l'enfant vieillit. Nous nous intéressons ici au milieu de la garderie.

Même si elle se veut très familiale, la garderie n'est pas la famille. Le ratio enfants/éducateur n'est pas le même ; les rapports personnels sont en principe moins empreints d'affection que dans la famille ; les enfants possèdent un statut équivalent dans le groupe, contrairement à leur statut familial d'enfant unique, d'aîné, de cadet ou de benjamin. Au point de vue physique, bien que certaines garderies tendent à reproduire les éléments de la maison dans leur aménagement, les deux endroits n'en sont pas moins distincts pour autant. À la garderie, les espaces sont plus vastes et organisés en fonction d'activités collectives ; le mobilier est souvent adapté à la taille des enfants et conçu en fonction des aires d'activités. À ces différences physiques s'ajoutent d'autres distinctions, susceptibles elles aussi d'influer sur l'adaptation de l'enfant à son nouveau milieu : c'est le cas, par exemple, des règles et des nouvelles limites, de l'absence des parents ou de la durée éprouvante de la séparation.

De nos jours, le milieu de la garderie est associé de plus en plus aux *centres de la petite enfance* (CPE). Jusqu'en 1997, chaque service de garde élaborait son propre programme d'activités dites éducatives. En 1997, en vue d'harmoniser les orientations, le ministère de la Famille et de l'Enfance du Québec a publié un programme éducatif qui s'applique aux CPE, y compris aux services de garde en milieu familial.

Cela étant dit, voyons maintenant l'essentiel des dispositions de la politique familiale définie par le gouvernement du Québec et ce qu'on entend par le terme *centres de la petite enfance*.

11.2.1 La politique familiale

En septembre 1997, le gouvernement du Québec instaurait une nouvelle politique familiale visant à assurer aux familles québécoises un soutien, aussi bien sur le plan financier qu'en matière de services :

> Les dispositions de la politique familiale visent à : aider les parents à concilier responsabilités familiales et professionnelles ; favoriser le développement et l'égalité des chances de tous les enfants. Elles prévoient notamment : des services de garde éducatifs à 5 $ par jour au sein d'un réseau des centres de la petite enfance auxquels sont admissibles les enfants de 2, 3 et 4 ans. Dès septembre 2000, les enfants de moins de 2 ans seront également admissibles. À cela s'ajoutent les services de garde en milieu scolaire à 5 $ par jour pour les enfants qui fréquentent la maternelle ou une école primaire du secteur public ; l'allocation familiale bonifiée pour les familles québécoises à faible revenu ; le régime d'assurance parentale qui vise à mieux indemniser les parents durant les congés de maternité et les congés parentaux. (Ministère de la Famille et de l'Enfance du Québec, 1999.)

11.2.2 Les centres de la petite enfance

Les centres de la petite enfance (CPE) ont été créés pour répondre aux besoins diversifiés des parents et aux exigences des nouvelles réalités sociales. Ces centres ont été mis sur pied à partir du réseau déjà existant des garderies et des agences de services de garde en milieu familial à but non lucratif.

La *Loi sur les centres de la petite enfance et autres services de garde à l'enfance* adoptée en 1997 définit ainsi les CPE et les services de garde en milieu familial:

«centre de la petite enfance»: un établissement qui fournit, dans une installation où l'on reçoit au moins sept enfants pour des périodes qui ne peuvent excéder 48 heures consécutives, des services de garde éducatifs, s'adressant principalement aux enfants de la naissance jusqu'à la fréquentation du niveau de la maternelle et qui, sur un territoire donné, coordonne, surveille et contrôle en milieu familial de tels services à l'intention d'enfants du même âge. Subsidiairement, ces services peuvent s'adresser aux enfants fréquentant les niveaux de la maternelle et du primaire lorsqu'ils ne peuvent être reçus dans un service de garde en milieu scolaire au sens de la *Loi sur l'instruction publique* (chapitre I-13.3) et de la *Loi sur l'enseignement privé* (chapitre E-9.1);

«service de garde en milieu familial»: un service de garde fourni par une personne physique, contre rémunération, pour des périodes qui peuvent excéder 24 heures consécutives, dans une résidence privée où elle reçoit:

1° en incluant ses enfants de moins de neuf ans et les enfants de moins de neuf ans qui habitent ordinairement avec elle, au plus six enfants parmi lesquels au plus deux enfants peuvent être âgés de moins de 18 mois; ou

2° si elle est assistée d'une autre personne adulte et en incluant leurs enfants de moins de neuf ans et les enfants de moins de neuf ans qui habitent ordinairement avec elles, au plus neuf enfants parmi lesquels au plus quatre enfants peuvent être âgés de moins de 18 mois.

Au cours des dernières décennies, le thème de la qualité des services de garde et de leur influence positive sur le développement des jeunes enfants a fait l'objet de multiples études, discussions, séminaires et congrès. Cela a donné lieu à des réflexions, autant sur la formation du personnel que sur la richesse de l'environnement, le suivi des programmes à l'intention des jeunes enfants, les activités stimulantes, l'ambiance éducative, le nombre d'enfants par adulte, les différents partenariats à créer.

À cet égard, le *Programme éducatif des centres de la petite enfance* (Ministère de la Famille et de l'Enfance du Québec, 1997) expose l'essentiel des préoccupations pédagogiques dans une démarche de continuité éducationnelle entre les CPE et les autres services éducatifs. Ainsi, ce programme fondé sur des orientations et des principes pédagogiques constitue un instrument indispensable pour favoriser la qualité des interventions et, d'une façon plus générale, unifier la pensée éducative. Dans cette optique, même si les

CPE se situent dans le cadre d'une mission éducative axée sur le développement global de l'enfant, leur programme vise certains objectifs, qui sont :

- Favoriser le développement global et harmonieux de l'enfant, c'est-à-dire son plein épanouissement, dans toutes les dimensions de sa personne […].

- Favoriser la dimension physique et motrice du développement global […]. L'enfant organise et exerce ses perceptions visuelles, auditives, olfactives, gustatives et tactiles. Il croît physiquement et fait l'acquisition graduelle de son schéma corporel […].

- Favoriser la dimension intellectuelle du développement global […]. Permettre à l'enfant de progresser dans sa connaissance du monde, dans sa compréhension des relations entre les objets et entre les événements, dans la construction de sa pensée, dans le développement de son raisonnement logique et dans le développement de stratégies de résolution de problèmes […].

- Favoriser la dimension langagière du développement global […] sous toutes ses formes : orale, artistique, corporelle et même d'une première forme de langage écrit […].

- Favoriser la dimension socio-affective et morale du développement global […] développer sa confiance en lui-même et son estime de soi en prenant graduellement conscience de ses capacités, en relevant de nouveaux défis à sa mesure et en se valorisant à travers les activités qu'il réalise […]. (Ministère de la Famille et de l'Enfance du Québec, 1997, p. 15-17.)

Certains principes de base chapeautent ces objectifs et guident les interventions des éducatrices :

- Chaque enfant est un être unique.

- Le développement de l'enfant est un processus global et intégré.

- L'enfant est le premier agent de son développement.

- L'enfant apprend par le jeu.

- Les parents contribuent au développement harmonieux de l'enfant. (Ministère de la Famille et de l'Enfance du Québec, 1997, p. 20.)

11.2.3 La loi sur les services de garde éducatifs à l'enfance (loi nº 124)

Comme on peut le constater, les services de garde à la petite enfance ont connu de nombreuses transformations depuis l'adoption de la nouvelle politique familiale du gouvernement du Québec en 1997. Pour répondre à la demande des parents, les services de garde se sont multipliés en quantité mais peut-être pas nécessairement en qualité. L'arrivée d'un nouveau gouvernement en 2003 a contribué à apporter des changements qui ont créé un certain mécontentement dans la population. À la colère et à l'indignation s'est ajouté le sentiment de ne pas être entendu quant aux conditions de travail et à la qualité des services offerts. Rappelons les faits : le ministère québécois de la Famille et de l'Enfance change son nom pour le ministère de l'Emploi, de la Solidarité sociale et de la Famille (MESSF) ; le tarif quotidien pour la garde de l'enfant passe de 5 $ à 7 $; le gouvernement impose des restrictions budgétaires pour tous les services (lucratifs ou non) ; il récupère des surplus accumulés par les CPE ; il prend position pour les garderies à but lucratif en créant les 12 000 places qui manquaient en garderie afin d'atteindre l'objectif de 200 000 places.

Bien que les services de garde à la petite enfance constituent un service public essentiel et que l'accès à un service de qualité devrait être garanti à chaque enfant, il n'en demeure pas moins que les parents sont actuellement sur le qui-vive, car ils craignent que l'augmentation des rémunérations n'entraîne une diminution de la qualité des services de garde éducatifs. On assiste d'ores et déjà à des compressions successives d'année en année.

En décembre 2005, le Ministère change de nouveau son appellation pour le ministère de la Famille, des Aînés et de la Condition féminine. Le gouvernement adopte aussi une nouvelle loi réorganisant les services de garde québécois. L'offre de services de garde éducatifs sera désormais composée 1) de centres de la petite enfance (73 018 places), 2) de services de garde en milieu familial (88 046 places) supervisés par certains CPE agréés par un bureau coordonnateur et 3) de garderies à but lucratif (34 087 places). Ces récents changements soulèvent des questions, tant pour les acteurs des services de garde que pour le milieu de la recherche en petite enfance, notamment au regard de leurs impacts sur la qualité des services de garde éducatifs.

Ces changements ne font pas l'unanimité de la part des parents pas plus que des chercheurs, qui voient là une façon d'amoindrir la qualité des services de garde éducatifs offerts aux jeunes enfants (Drouin, Bigras, Desrosiers et Bernard, 2004 ; Japel, Tremblay et Côté, 2005). Par ailleurs, le gouvernement du Québec s'engage à mettre la famille au cœur de ses priorités et à lui créer le meilleur environnement possible dont, entre autres choses, des services de garde à contribution réduite, une aide fiscale et des paiements de transfert basés sur le revenu familial.

11.3 LE PASSAGE DU MILIEU FAMILIAL À LA GARDERIE

Il est essentiel que l'éducatrice accorde une attention spéciale à l'enfant qui fait son entrée à la garderie. Sur ce plan, il faut tout mettre en œuvre pour créer un climat de sécurité physique et affective permettant à l'enfant de se détacher peu à peu de ses parents tout en s'adaptant à son nouveau milieu. Pour ce faire, il n'existe pas de recette miracle, et le temps d'adaptation varie en fonction des expériences antérieures de l'enfant, des attitudes des parents, de la réceptivité et de la chaleur du milieu d'accueil. Idéalement, il s'agit d'instaurer une routine afin que l'enfant saisisse que le parent viendra toujours le chercher approximativement au même moment et qu'il retournera chaque jour dans son milieu familial, ce qui atténuera sa crainte qu'on ne l'abandonne. Quoi qu'il en soit, il demeurera toujours essentiel pour les adultes, les intervenants et les parents d'adopter des attitudes qui favorisent ce passage en douceur de la famille à la garderie.

Quand on parle de passage, on doit se soucier des moyens tout en accordant la priorité à l'individu. D'emblée, on reconnaît que l'enfant bien adapté dans sa famille, y trouvant son équilibre affectif, s'intégrera plus facilement dans un nouveau milieu que l'enfant constamment ballotté et à qui on n'explique rien, en prétextant qu'il est trop petit pour comprendre. Par exemple, l'enfant déposé à la garderie tôt le matin et repris en toute hâte en fin de journée par un parent plus préoccupé par les tâches ménagères que par l'enfant lui-même, cet enfant, donc, aura probablement de la difficulté à passer d'un milieu à l'autre en gardant sa bonne humeur et sa joie de vivre.

Afin de faciliter le passage du milieu familial à la garderie, il est crucial que les nouveaux partenaires trouvent du temps pour discuter. Ainsi, l'éducatrice pourra s'informer des expériences antérieures de l'enfant, sur le plan médical (neurophysiologique), sur le plan de son comportement en général (seul, avec les autres, par rapport à l'environnement), sur le plan affectif (sentiments, émotions, estime de soi) et sur le plan cognitif (stimulations de tous ordres : langage, écriture, arts). Du côté du parent, sa rencontre avec l'éducatrice lui donnera l'occasion de lier connaissance avec elle, de se rassurer quant à la façon dont on s'occupera de son enfant et de prendre connaissance des activités types d'une journée ou d'une semaine à la garderie. Ainsi, lorsque l'enfant fera son entrée, l'éducatrice aura déjà une idée de ce qu'il aime et n'aime pas, de ses objets d'attachement, du type d'approche à adopter avec lui. Au fil du temps, ses contacts quotidiens avec le parent lui permettront d'échanger quelques mots avec lui, histoire de mieux comprendre certaines situations avant d'entreprendre la journée.

Par ailleurs, ce qu'il faut éviter à tout prix dans le passage de la famille à la garderie, c'est de soumettre les enfants à un modèle unique où les activités collectives seraient privilégiées au détriment des jeux individuels, où les manifestations affectives seraient remplacées par des acquisitions intellectuelles et où la curiosité serait évacuée au profit d'expériences ponctuelles. Certes, l'important est d'assurer la continuité entre les activités réalisées dans le milieu familial et les activités proposées dans les CPE. À cet effet, il faut que de bons rapports s'établissent entre les parents et l'éducatrice. Ainsi que le souligne le ministère de la Famille et de l'Enfance du Québec (1997, p. 26) : « La connaissance du milieu familial et culturel de l'enfant permet de mettre à sa disposition du matériel évoquant son milieu et ainsi d'accorder de l'importance à son vécu. »

Le tableau 11.1 donne une liste des actions que pourraient entreprendre les parents et l'éducatrice pour atténuer les effets négatifs du passage de la famille à la garderie.

Tableau 11.1	Des actions pour faciliter le passage du milieu familial à la garderie	
Facteurs d'influence	**Parent**	**Éducatrice**
• L'insertion dans le nouveau milieu	• Amener peu à peu l'enfant à se référer à des adultes différents (par exemple faire garder l'enfant en soirée par une autre personne). • Prolonger graduellement le temps d'absence pour que l'enfant puisse constater que, finalement, le parent revient toujours le chercher. • Adopter une attitude réceptive relativement à la situation de garde.	• Familiariser l'enfant avec son nouveau milieu avant de le faire garder une journée entière, c'est-à-dire planifier une insertion graduelle : 1° en garderie avec le parent ; 2° sans le parent pour un court laps de temps ; 3° un peu plus longtemps ; 4° une journée complète ; 5° quelques journées dans la semaine ; 6° une semaine complète, avec un horaire régulier.
• La complicité entre le parent et l'éducatrice	• Créer un climat qui facilite la discussion. • Éviter de materner indûment son enfant. • Renseigner sur les antécédents de l'enfant. • Accepter de partager l'affection de l'enfant avec une tierce personne. • Informer au besoin, à l'arrivée, sur la condition actuelle de l'enfant (comment il a dormi, comment il se sent, etc.).	• Prendre, bercer et aider un enfant qui en a besoin. • Avoir un regard bienveillant et des gestes chaleureux. • Entourer l'enfant d'affection. • Se mettre chaque jour au diapason de l'enfant qui arrive à la garderie. • Encourager ses initiatives.

• • •

Facteurs d'influence	Parent	Éducatrice
• La complicité entre le parent et l'éducatrice (*suite*)	• Éviter de critiquer les faits et gestes de l'éducatrice devant l'enfant. • Faire confiance aux éducatrices qui s'occupent de l'enfant.	• L'amener à découvrir. • Susciter sa curiosité. • Observer ses faits et gestes afin de mieux comprendre ses intentions et ses motivations.
• La relation de l'enfant avec les pairs	• Interroger l'enfant sur ses amis. • Savoir avec qui il aime jouer et avec qui il aime moins jouer. • Inviter ses amis à la maison. • Éviter de le comparer à ses amis. • Planifier de petites fêtes qui permettraient de connaître ses amis. • Essayer de créer des liens avec les parents des amis de l'enfant.	• Amener graduellement l'enfant à jouer avec un autre enfant, afin qu'il sache ce qui le distingue de lui. • Animer des activités sociales (en dyade, en équipe, en grand groupe). • Encourager les initiatives avec d'autres, permettant à l'enfant de comparer ses propres caractéristiques avec celles des autres. • Amener l'enfant à : – accomplir des tâches ; – jouer un rôle dans la vie de groupe ; – discuter, partager, aider, collaborer, coopérer, se situer, se comparer en s'opposant au besoin.
• L'interaction avec l'environnement	• Amener l'enfant à : – utiliser ses sens pour explorer ; – manipuler plusieurs types d'objets ; – utiliser différentes ressources ; – jouer au parc, à l'extérieur ; – respecter les objets. • Répondre à ses questions. • Lui laisser une certaine liberté d'action en évitant d'organiser constamment son temps et ses jeux. • Le laisser prendre des initiatives.	• Amener l'enfant à : – relever des ressemblances et des différences ; – créer des liens ; – émettre des hypothèses ; – utiliser les objets de manière créative ; – prendre des responsabilités au sein du groupe ; – connaître le matériel et l'analyser en fonction de ses besoins et de ses désirs ; – inventer de nouvelles activités.

Évidemment, beaucoup d'autres actions peuvent s'ajouter à ce tableau. Car au-delà de ce cadre se côtoient les milieux qui transportent avec eux leur part de nouveauté et d'inconnu. Certaines conditions peuvent favoriser une adaptation plus rapide à la garderie. Pour les découvrir, il s'agit de bien observer l'enfant et de déterminer le moment approprié pour l'amener à réaliser des activités de plus en plus complexes. En l'occurrence, au fur et à mesure que l'enfant se connaît mieux, manifeste le désir de passer à autre chose, répond à ses besoins, il faut l'orienter vers de nouvelles explorations. Il faut l'inciter à jouer avec des objets diversifiés pour qu'il en vienne à comprendre sa façon personnelle de s'approprier la réalité. Par la même occasion, on pourrait l'encourager à attacher ses boutons et à mettre ses bottes ou encore l'aider à prononcer des sons et à trouver les mots pour s'exprimer. Ainsi, chaque fois que l'enfant apprend à faire quelque chose de nouveau, il est fier de lui, ce qui, par ricochet, l'aide à prendre sa place parmi les autres.

En pratique, à la garderie, l'enfant bouge, crie, joue. Bien sûr, cela se traduit différemment selon les âges et le nombre d'enfants et aussi selon le degré de tolérance de l'éducatrice.

11.4 LA MISSION ÉDUCATIVE DE LA MATERNELLE

Depuis que les milieux de garde sont devenus plus présents dans la vie des enfants et qu'ils suivent sensiblement les mêmes orientations que la maternelle, plusieurs remettent en question la mission éducative de la maternelle. Mais on peut d'ores et déjà leur opposer que l'éducation est un processus continu, tout comme le développement de la personne, et qu'à cet égard la maternelle demeure un moment précieux pour poursuivre cette évolution. Ainsi, l'enfant se développe au fil des jours par son agir dans des situations de plus en plus complexes et de mieux en mieux mises en contexte. Grâce à un répertoire personnel d'actions, et loin de se contenter d'assimiler des notions, il se construit comme être individuel et différent des autres. Pour l'aider dans la poursuite de cet objectif développemental, les activités proposées à la maternelle, tout comme celles de la garderie, doivent être diversifiées et viser différents niveaux d'habiletés. Cependant, là se révèlent les différences : l'enseignante de la maternelle doit avoir une idée des divers domaines d'apprentissage établis par le MEQ (2001) que nous avons décrits au chapitre précédent, à savoir : les langues ; les mathématiques, la science et la technologie ; l'univers social ; les arts ; le développement personnel. Avec le nouveau *Programme de formation de l'école québécoise* du MEQ, approuvé en 2001, la maternelle fait désormais partie du système scolaire. Cette intégration formelle de la maternelle au système scolaire québécois marque une étape importante de son évolution et nous fournit l'occasion de rappeler que la notion d'apprentissage, en plus de soulever plusieurs débats, s'est traduite de diverses façons au fil des ans.

11.4.1 L'enfant, un être en démarche

Vers la fin des années 1960, le mot *éveil* est employé pour désigner l'apprentissage préalable aux apprentissages liés aux diverses disciplines scolaires. À partir de 1977, ce mot est supplanté par l'expression *activité d'éveil,* qui souligne le passage d'un état atone à un état dynamique engendré et entretenu par l'activité.

De nos jours, on tend plutôt à concevoir l'enfant comme un être *en démarche.* On renvoie non plus à la notion d'*éveil,* ni en mathématique ni en français, mais plutôt à la *curiosité,* à la *soif,* au *goût d'apprendre,* qui incitent à entreprendre des activités, à explorer et à découvrir à son rythme. Les tâtonnements successifs, tout comme la prise de conscience graduelle des propriétés de l'objet, nourrissent cette curiosité toujours plus présente. Cela amène l'enfant à s'interroger non pas de façon linéaire, mais selon un mouvement en spirale qui, par son élargissement graduel, accentue le développement intégral de la personne.

Évidemment, il existe des conditions propices à l'encouragement de la curiosité des enfants. Outre l'établissement de relations chaleureuses, il convient certainement d'offrir des activités riches et un aménagement physique de qualité. En ce sens, l'éducatrice de garderie a un rôle déterminant à jouer, en préparant peu à peu le terrain pour que l'enfant puisse se détacher d'elle et entamer une démarche vers le changement de milieu de vie. À ce sujet, comme les garderies ne font pas nécessairement partie du milieu scolaire et qu'en plus les enfants qui arrivent à la maternelle ont généralement fréquenté des garderies différentes, les choses se compliquent quand vient le temps de créer des liens entre l'enseignante et les diverses éducatrices de la région.

Nous pensons que l'inspiration de la maternelle doit résider dans l'affectivité de l'enfant. Par son agir, l'enfant révèle aux éducatrices les voies à prendre pour l'aider à progresser. L'observation minutieuse et soucieuse de l'enfant permet donc de saisir les bons moments pour intervenir et de découvrir les stratégies les plus appropriées pour amener chacun un peu plus loin dans son cheminement. Ainsi, la diversité des besoins éducatifs ne constitue plus un problème en soi, puisque l'enfant reste l'initiateur de son agir. Lorsqu'il se sent prêt, il explore, affronte, confronte, communique et discute, pour finalement s'engager dans des activités où il aura à tenir des rôles, à prendre des décisions et à assumer des responsabilités en considérant l'ensemble des composantes en jeu.

L'éducation oblige à garder toujours présent à l'esprit le fait que le besoin de bouger et d'agir de l'enfant amène inévitablement au développement de sa curiosité intellectuelle. Si le maître prépare l'avenir de l'enfant, c'est d'abord l'enfant lui-même qui en est le maître d'œuvre. Par ses balbutiements, ses piétinements, ses éparpillements, il donne à l'adulte la possibilité de s'infiltrer dans son univers pour mieux l'accompagner. Ce temps béni qu'est la maternelle permet à toute enseignante de trouver des stratégies adéquates pour intervenir au moment opportun. En conséquence, il faut accepter de ne pas savoir à l'avance comment se déroulera cette aventure éducationnelle, complexe, bien sûr, mais combien enrichissante.

11.4.2 Le point de ralliement : le jeu

Pour faciliter le passage de la garderie à la maternelle, le jeu se révèle être un merveilleux point de ralliement, car il est privilégié autant à la maternelle qu'à la garderie. À partir de là, on peut essayer de trouver, dans chacun des milieux, des objets familiers de l'univers précédent. En effet, démarrer les activités à partir d'éléments connus pour faire graduellement cheminer l'enfant vers l'inconnu reste un excellent moyen pour adoucir la transition d'un milieu à l'autre. Dès lors, l'affectif s'enrichit, à la suite d'actions répétées, d'une prise de conscience plus grande qui met en jeu des éléments d'ordre cognitif. N'oublions pas que, dans ses grandes orientations pédagogiques, la maternelle a toujours accordé une attention particulière non seulement aux activités spontanées et ludiques, mais aussi aux relations sociales et à la liberté d'action.

Grâce à cette liberté d'action, tout particulièrement en début d'année scolaire avec les périodes de jeux libres plus longues, l'enfant en vient peu à peu à s'inscrire à des activités, à effectuer des tâches, à assumer des responsabilités, à prendre des décisions, à faire des choix, à travailler en équipe et à réaliser des activités de plus en plus complexes, que ce soit sous forme de jeux ou autres. Cette organisation des activités, qui s'installe graduellement et sans se conformer à des démarches prédéterminées, compartimentées et « scolarisantes », conduit l'enfant à comprendre les exigences qu'impose la vie en groupe. En effet, la vie collective oblige à observer certaines règles qui assurent la cohésion, l'unité du groupe. L'enfant apprend ainsi à attendre son tour, à se prendre en main, à s'assumer, à jouer des rôles au sein du groupe, à participer à des activités d'équipe et à s'engager vis-à-vis des autres.

En évitant de soumettre l'enfant trop tôt à des disciplines scolaires et à des apprentissages stricts, on lui permet de se construire comme être individuel qui se développe en prenant graduellement conscience des objets qui l'entourent. Il se les approprie à sa façon, sans bousculade, à son rythme, et en se mêlant peu à peu aux autres. De plus, dans le respect du rythme de l'enfant, un découpage temporel s'effectue d'après les activités proposées dans le cours d'une journée complète de classe. On amène ainsi l'enfant à se plier à un horaire déterminé, parfois à se consacrer à un thème donné et même à opter pour une réalisation précise. Aussi, on s'efforcera de concilier le besoin de changement avec celui d'une stabilité rassurante de façon que se mette peu à peu en place un ordonnancement d'activités qui conduira l'enfant à s'organiser dans le temps et dans l'espace. Forcer l'enfant à renoncer à son comportement ludique empreint de vitalité et de spontanéité est susceptible d'entraîner des ruptures qui auraient un effet néfaste sur son développement.

11.5 LE PASSAGE DE LA GARDERIE À LA MATERNELLE

Tout comme le passage du milieu familial à la garderie, le passage de la garderie à la maternelle appelle la mise en œuvre de certaines stratégies propres à faciliter le processus d'adaptation au nouvel univers. Le tableau 11.2, qui met en parallèle certaines caractéristiques des CPE et de la maternelle, donne quelques pistes à cet égard. Mais, par-dessus tout, quels que soient les moyens qu'elle privilégie, l'enseignante ne doit jamais perdre de vue que chaque enfant est un être singulier et qu'il possède un vécu particulier.

En tant que premier échelon du système scolaire, la maternelle pose les jalons de l'enseignement, où pourront s'ancrer les apprentissages formels. Son rôle consiste donc, pour une bonne part, à créer des ponts entre la famille, la garderie et la première année.

Depuis plusieurs années, l'entrée progressive à la maternelle a retenu l'attention de nombreuses personnes, qu'ils soient parents, enseignantes ou chercheurs. Jacques et Deslandres, dans un article de la *Revue préscolaire* (avril 2001), présentent une analyse théorique de l'entrée de l'enfant à l'école en mettant en relief le modèle écologique de Bronfenbrenner (1979, 1993). Ces auteurs considèrent que les modalités d'entrée à la maternelle peuvent influer sur le développement de l'enfant tout autant que le profil personnel de ce dernier. Elles concluent en mentionnant que la transition de l'enfant entre les contextes familial, de garde et scolaire «s'inscrit dans un rite de passage qui implique l'apprentissage d'un nouveau rôle dans un nouvel environnement physique et social, quelle que soit l'expérience antérieure de l'enfant. Cette transition implique un stress qui peut s'avérer positif ou négatif selon les modalités de cette entrée et des ressources médiatrices présentes dans l'environnement». En fait, on ne peut parler de transition harmonieuse sans s'attarder sur la relation que l'enseignante établit avec l'enfant, sa famille et son milieu de garde.

	Tableau 11.2 Des stratégies pour faciliter le passage d'un centre de la petite enfance à la maternelle			
Paramètres	**Centre de la petite enfance**	**Maternelle**	**Stratégies**
• Orientations	• La mise en place de conditions optimales pour assurer le développement global et harmonieux de l'enfant.	• La mise en place des éléments nécessaires pour que l'enfant puisse entreprendre sa vie scolaire avec succès.	• Amener l'enfant à passer d'une activité axée sur la prise de conscience de soi à une activité où il prend conscience de ses actions vis-à-vis des autres et dans différents contextes.
• Programme	• Favoriser le développement global, notamment en ce qui concerne les dimensions : – physique et motrice ; – socio-affective et morale ; – intellectuelle ; – langagière.	• Développer des compétences d'ordre psychomoteur, affectif, social, cognitif et méthodologique relatives à la connaissance de soi, à la vie en société et à la communication.	• Dans une perspective développementale, amener graduellement l'enfant à s'investir dans ses actions selon une démarche de plus en plus complexe.
• Approche	• Approche développementale qui vise la socialisation de l'enfant, qui favorise l'empathie, la confiance en soi et l'ouverture à autrui.	• Approche développementale qui vise l'insertion et l'intégration de l'enfant dans une collectivité en tant que personne active et capable de prendre des responsabilités.	• En tenant compte des activités naturelles, amener l'enfant, à travers une démarche informelle, vers l'enrichissement de son réseau social.
• Activités	• Privilégier les activités les plus naturelles possible qui permettent à l'enfant d'agir à son gré (par exemple le jeu libre).	• Amener l'enfant vers un jeu de mieux en mieux circonscrit sur le plan des actions et des prises de conscience (par exemple le jeu de plus en plus organisé).	• Prévoir des activités ponctuelles ou des exercices qui amènent l'enfant à s'engager dans des projets et à en comprendre les étapes et les enjeux.

• • •

Paramètres	Centre de la petite enfance	Maternelle	Stratégies
• Activités (*suite*)	• L'éducatrice participe aux jeux de l'enfant sans chercher à les diriger. Elle soutient l'enfant et se fait sa complice dans ses jeux, tout en exigeant de sa part qu'il respecte ceux des autres.	On peut permettre à l'enfant de travailler dans un atelier ou de s'engager dans un projet. • L'enseignante laisse l'enfant faire et assumer ses choix.	• Ces activités favoriseront le passage de l'action plus ou moins adaptée à la représentation symbolique.
• Aménagement	• Le local est divisé en différents coins ou aires jugés appropriés (construction, jeux symboliques, lecture, etc.). Outre les coins, des endroits sont prévus pour accueillir un groupe d'enfants pour les repas, les collations ou autres.	• Le local est aussi divisé en différents coins ou aires jugés appropriés (construction, jeux symboliques, lecture, etc.). Outre les coins, des endroits sont prévus pour accueillir un groupe d'enfants.	• L'aménagement étant en gros le même dans les deux milieux, l'enfant ne devrait pas être trop désorienté. Les règles de conduite dans les aires peuvent toutefois être différentes. Sans brusquer l'enfant, l'habituer peu à peu à respecter les règles de vie, de rangement, etc.
• Fonctionnement	• Les jeux libres et les jeux dirigés sont privilégiés. Le fonctionnement comporte trois temps : la planification, la réalisation et le *retour* ou bilan. On prévoit un horaire pour éviter de prolonger les périodes de transition.	• Tout en maintenant des périodes de jeux libres, parfois plus longues en début d'année scolaire, on les écourte au fur et à mesure que l'année avance, en faveur des ateliers et des projets.	• Amener l'enfant à s'investir dans les ateliers et, ensuite, dans les projets. Cette démarche progressive tient compte du fait que l'enfant fait d'abord les choses seul, s'approprie les résultats à sa façon, puis les utilise avec discernement dans un projet.

Sources : Ministère de la Famille et de l'Enfance du Québec, *Programme éducatif des centres de la petite enfance*, Québec, Les Publications du Québec, 1997 ; Ministère de l'Éducation du Québec, *Programme de formation de l'école québécoise*, Québec, MEQ, 2001.

À vrai dire, prendre le temps de réaliser l'entrée à la maternelle de façon progressive et selon une démarche évolutive, et ce, sans brusquer le passage d'une étape à l'autre, ne peut qu'avoir des effets positifs sur l'intégration et l'adaptation de l'enfant dans le système scolaire.

11.6 LES PROGRAMMES DE FORMATION DE L'ÉCOLE PRIMAIRE

11.6.1 Le programme du préscolaire

Depuis 1999, le programme d'éducation préscolaire est incorporé au programme des écoles primaires publié par le MEQ sous le titre *Programme de formation de l'école québécoise*. De fait, loin d'être une classe à part et une enclave marginalisée, la maternelle fait partie intégrante du système d'éducation, avec des heures de classe similaires et des termes souvent de nature cognitive.

Le programme du préscolaire est construit autour du concept de compétence, dont pourrait fort bien s'inspirer la garderie également, puisque cette approche est fondamentalement reliée au développement même de l'enfant. L'enfant est considéré comme un tout. Par conséquent, on doit favoriser son développement global et harmonieux au moyen de jeux et d'activités qui répondent à ses besoins de bouger, d'explorer et de manipuler. De cette façon de faire découlent des choix en vue de développer l'initiative et la créativité de l'enfant. L'objectif général du programme s'énonce comme suit :

> [...] incite[r] l'enfant de 4 ou 5 ans à développer des compétences d'ordre psychomoteur, affectif, social, langagier, cognitif et méthodologique relatives à la connaissance de soi, à la vie en société et à la communication. Soutenu par l'intervention de l'enseignante ou de l'enseignant, il s'engage dans des situations d'apprentissage issues du monde du jeu et de ses expériences de vie, et commence à jouer son rôle d'élève actif et capable de réfléchir. (Ministère de l'Éducation du Québec, 2001, p. 52.)

Dans un esprit de cohérence, les communications entourant la remise du bulletin aux parents doivent se faire selon une démarche interactive axée sur le comportement de l'enfant, sur sa manière d'entrer en relation avec les autres (pairs, enseignante, parents) et sur sa manière de répondre à ses besoins et à ses désirs.

Par ailleurs, le Ministère n'exerce aucune pression sur l'enseignante pour qu'elle enseigne les matières scolaires. Il est recommandé plutôt d'introduire de nouvelles notions à la faveur des activités spontanées de l'enfant. En partant ainsi des intérêts et du vécu de l'enfant, on l'amène progressivement à intégrer certains apprentissages qui engendrent à leur tour de nouvelles questions, d'autres explorations pour trouver des réponses, des expérimentations, des prises de décision, la réalisation de productions concrètes et un accomplissement de soi au contact des autres et de l'environnement. Grâce à sa perspicacité, l'enseignante saura déterminer les bons moments pour introduire certains concepts importants. Ayant en tête le profil de chacun des enfants, elle saura présenter ces nouveaux concepts dans la perspective globale des apprentissages nécessaires pour entrer du bon pied en première année.

11.6.2 Le programme de première année

Comme nous l'avons déjà mentionné, le *Programme de formation de l'école québécoise* englobe les programmes de l'éducation préscolaire et de l'enseignement primaire. Trois grandes missions sont confiées à l'école: instruire, socialiser et qualifier. Instruire signifie essentiellement transmettre des connaissances; socialiser signifie adapter l'enfant à la vie sociale de sorte qu'il puisse s'y intégrer et développer des relations sociales; qualifier a trait à la réussite du parcours scolaire pour gérer sa destinée. Cette triple mission se rattache à un grand objectif: «[...] préparer l'élève à contribuer à l'essor d'une société voulue démocratique et équitable.» (Ministère de l'Éducation du Québec, 2001, p. 2.)

Pour atteindre cet objectif, cinq domaines généraux de formation sont proposés: santé et bien-être; orientation et entrepreneuriat; environnement et consommation; vivre ensemble et citoyenneté; médias (Ministère de l'Éducation du Québec, 2001, p. 43). Ces domaines «agissent comme de véritables lieux de convergence favorisant l'intégration des apprentissages. Ils servent d'ancrage au développement des compétences transversales...» (*ibid.*, p. 42). L'enseignante doit penser ses stratégies en les reliant directement à l'acquisition des compétences. Systématiquement, elle doit faire le point sur les réussites de l'élève et sur les difficultés qu'il éprouve, tout en s'interrogeant sur la manière de transmettre les savoirs et d'évaluer les apprentissages. Évidemment, l'évaluation va au-delà du simple diagnostic et s'inscrit plutôt dans l'optique d'une évaluation formative, avec en son centre l'autoévaluation. L'élève est ainsi amené à s'interroger sur ses forces et ses faiblesses ainsi que sur les défis qu'il désire relever. Notamment, il doit réfléchir sur ses méthodes de travail, ses stratégies et le développement de ses compétences. Cette auto-analyse le conduit à ajuster ses actions tout au long de sa démarche d'apprentissage.

Dans plusieurs cas, les activités de première année prennent la forme d'exercices liés à des objectifs ponctuels d'apprentissage. Les travaux se réalisent alors individuellement et en silence. L'évaluation qui en découle porte essentiellement sur la compréhension de notions par l'ensemble des élèves de la classe, en vue d'orienter l'enseignement vers des objectifs plus complexes d'apprentissage. Cependant, on tend de plus en plus à se préoccuper du rythme individuel de l'élève, ce dont témoigne le temps de *récupération* qui lui est offert sous forme de périodes désignées, afin de reprendre des notions incomprises. À cet effet, un soutien orthopédagogique peut être requis dans certains cas.

11.7 LE PASSAGE DE LA MATERNELLE À LA PREMIÈRE ANNÉE

Pour résumer de façon pratique les possibilités de rapprochement entre les milieux que sont la maternelle et la première année, nous retiendrons une condition qui nous paraît essentielle : celle qui consiste à multiplier les occasions de rencontre entre les partenaires des deux milieux, leur permettant au moins de se parler et peut-être même de réaliser des activités ensemble en vue de faciliter le passage de la maternelle à la première année.

À ce chapitre, le document publié en 1987 par le Conseil supérieur de l'éducation, intitulé *L'éducation préscolaire : un temps pour apprendre,* donne quelques exemples éloquents :

Afin d'atténuer l'impact d'un tel changement et de rendre ainsi plus harmonieuse la transition, plusieurs écoles ont élaboré des projets visant l'intégration progressive des jeunes enfants aux structures scolaires. Outre la participation des enfants de la maternelle aux diverses activités de l'école (bibliothèque, gymnase, fêtes), des projets ont été mis en œuvre par les éducatrices de la maternelle et les enseignants de la première année ; ces collaborations associent souvent les parents, dont le soutien s'avère alors des plus importants. C'est ainsi que des visites de classes, des échanges de productions ou de matériaux, des modalités d'entrée progressive en classe de première et des participations conjointes à des activités sont organisés par les enseignants au sein de l'école. Si elles n'épargnent pas à l'enfant l'obligation de vivre cette transition le moment venu, de telles initiatives le sensibilisent néanmoins au cadre et fonctionnement de l'école primaire. Bien qu'on ne puisse encore les considérer comme un fait acquis dans toutes les écoles, on peut cependant dire qu'elles se répandent : les écoles témoignent d'une plus grande sensibilité à l'importance de la transition. (Conseil supérieur de l'éducation, 1987a, p. 36.)

Ajoutons à cela quelques autres suggestions d'activités intéressantes à considérer :

- lecture d'une histoire par un élève de première année dans la classe de maternelle ;
- périodes offertes à l'enfant de la maternelle pour faire de l'observation en première année ;
- échanges de groupes : les enfants de maternelle vont en première année et vice versa ;
- activités collectives planifiées pour réunir les groupes de maternelle et de première année, par exemple à l'occasion d'une fête quelconque, d'une sortie éducative, etc. ;
- organisation d'un spectacle et invitation des enfants de première année à sa présentation ;
- récréations où se mêlent les enfants de maternelle et de première année ;
- présentations des projets des enfants de maternelle aux élèves de première année et vice versa ;
- création d'un coin première année dans la classe de maternelle, comprenant un bureau, des livres et des cahiers d'exercices de première année, le tout installé à proximité d'un tableau d'ardoise.

Cependant, malgré la meilleure volonté de part et d'autre, il n'existe pas de recette assurée permettant à tous les enfants sans exception de vivre harmonieusement leur passage de la maternelle à la première année. Sur le plan scolaire, les réactions individuelles plus négatives lors de ce passage s'expliquent en grande partie par le fait qu'on exige de l'enfant une adaptation simultanée à plusieurs éléments distincts. En effet, on lui demande tout à la fois de s'intégrer à un groupe élargi, de se plier à un horaire plus strict et à un mode de fonctionnement organisé dans un cadre pédagogique qui, globalement, laisse peu de place aux activités libres et, par-dessus tout, on s'attend à ce qu'il s'adapte successivement à plusieurs intervenants.

Dans un tel contexte, ce n'est pas sans raison que le *Guide pédagogique.*
Préscolaire. L'enfant de la maternelle au moment du passage à l'école pri-
maire: proposition d'éléments pédagogiques (Ministère de l'Éducation du
Québec, 1985) insiste sur l'attention particulière que l'enseignante doit
accorder à chaque enfant au cours des 8 à 10 premières semaines de l'année scolaire. Pour donner suite à cette préoccupation, le guide pose certains principes:

a) Reconnaître aux enfants le grand besoin de continuer à développer
   en première année des habiletés émotives, sociales et non seulement
   les habiletés intellectuelles.

b) S'appuyer sur les compétences antérieures des enfants pour entreprendre la première année.

c) Intervenir à la maternelle avec beaucoup de lucidité et de réalisme
   en ne niant pas que certaines demandes seront faites à l'enfant et
   qu'éventuellement il y prendra plaisir (Ministère de l'Éducation du
   Québec, 1985, p. 58).

Pour actualiser ces principes, le MEQ (1985, p. 59-61) valorise une
approche en trois moments pédagogiques concomitants, à l'intérieur
desquels une intervention pédagogique souple, flexible et différenciée devrait
répondre aux divers besoins des enfants:

1. Le moment de l'*accueil,* propre à encourager l'établissement d'un rapport maître-enfant harmonieux et à favoriser «la confiance en l'enfant,
   en ses ressources personnelles et en sa volonté de s'adapter au changement». À cette fin, il est important d'inclure à l'horaire, dès les premières semaines en première année, une période consacrée aux activités
   spontanées, dans un environnement qui offre des jeux familiers.

2. Le moment de la *consolidation,* dont l'objectif est de «favoriser une
   organisation pédagogique qui permette d'assurer à l'enfant l'intégration de ses habiletés et de son expérience antérieure. [...] Elle vise à
   rassurer l'enfant sur le caractère de continuité de certaines activités qui
   ont simplement pris une autre forme». L'intégration des jeux dans les
   activités de la classe assurera cette continuité. L'enfant peut utiliser ses
   ressources personnelles pour explorer une situation nouvelle et acquérir des connaissances.

3. Le moment de l'*initiation,* qui repose sur deux principes: a) l'enfant
   est intéressé par la nouveauté; b) cet intérêt peut le motiver à s'adapter. Pour faciliter l'initiation, il importe que l'enfant comprenne bien
   ce que l'on attend de lui au chapitre du comportement à reproduire,

mais cela dans un contexte qui évite autant que possible d'imposer des modèles stéréotypés qui avantageraient certains enfants plutôt que d'autres.

Toutes les idées développées dans ce chapitre ne constituent pas des solutions miracles en vue d'éliminer d'éventuels effets désastreux du passage d'un milieu à l'autre. Elles s'inscrivent plutôt dans le cadre d'une réflexion qui amène à conclure que rien n'est fixé d'avance une fois pour toutes. En d'autres mots, il n'existe aucune méthode garantissant à tous les enfants un passage serein d'un milieu à l'autre. En fait, tout dépend de multiples facteurs, à commencer par l'enfant lui-même et l'éducatrice qui le reçoit, ainsi que l'adaptation à l'environnement et l'attitude des parents et des amis.

Cela étant dit, il faut bien admettre que, chez certains enfants, l'entrée en première année met en évidence d'importantes lacunes souvent dues à l'insuffisance des acquisitions élémentaires. Là-dessus, plusieurs personnes sont d'avis que la maternelle est trop axée sur le développement du jeune enfant et qu'elle devrait dépasser les satisfactions reliées au bien-être immédiat en mettant davantage l'accent sur les compétences d'ordre intellectuel et communicationnel plutôt que sur les seules compétences personnelles et sociales. À première vue, le *Programme de formation de l'école québécoise* leur donne raison, puisque ses orientations vont dans le sens de la réussite de l'enfant dès la première année. Dans les faits, sans perdre de vue le développement de l'enfant, ce sont les activités réalisées en classe qui peuvent favoriser le plus systématiquement des apprentissages significatifs, c'est-à-dire reliés à l'expérience antérieure et en rapport avec les futurs apprentissages scolaires. Loin d'être restrictive et étriquée, cette façon de voir les choses permet d'associer les activités à une vision globale du développement de chacun des enfants. D'étape en étape, l'enfant évolue d'abord en fouinant, puis en tâtonnant, en manipulant, en explorant et finalement en organisant et en prenant conscience. Pour l'aider à aller toujours plus loin, il faut avoir une idée non seulement des apprentissages à réaliser, mais aussi des actions à venir en matière de développement de l'enfant. En d'autres mots, la maternelle et la première année peuvent accomplir leur mission éducative en favorisant les apprentissages, sans perdre de vue pour autant le développement intégral de la personne. Dans cette optique, la maternelle ne se réduit pas à *préparer à l'école* ni à *commencer l'école*; par son agir, l'enfant construit les bases mêmes de sa socialisation, de sa motricité, de son langage, de sa pensée, de son imaginaire et de sa créativité, qui le *mèneront vers* l'école et *vers* les apprentissages plus abstraits de la scolarisation.

Il n'est donc pas illusoire d'espérer qu'à la fin de la maternelle un enfant ayant manipulé beaucoup d'objets et ayant établi des liens entre les choses maîtrise un ensemble d'habiletés propres à le faire cheminer vers des avenues plus étendues. De même, il est justifié d'attendre de lui qu'il fasse montre d'une capacité d'attention lui permettant d'être disponible aux autres, de s'engager en dépassant la simple autonomie fonctionnelle, de prendre conscience de différents points de vue et de communiquer pour arriver à s'expliquer et à s'évaluer. De telles habiletés ne découlent pas d'apprentissages scolaires formels, mais sont essentiellement reliées à des conduites développementales, sur lesquelles s'appuient les apprentissages.

Ce portrait idéal laisse entrevoir l'envers de la médaille, c'est-à-dire le cas de l'enfant qui a peu exploré son univers. Celui qui, rivé devant l'écran du téléviseur, ne bouge ni ne joue. Celui qui ignore l'effet de ses gestes sur les objets et qui, plus certainement encore, ne connaît pas la façon d'entrer en relation avec les autres ou de *socialiser*. Ce même enfant manque de stimulation, de motivation et d'intérêt et, en général, a peine à s'exprimer. Il manque aussi d'initiative et il éprouve des difficultés à découper, à plier, à coller, à marteler, à coudre, à se boutonner, à s'habiller, etc. Même les activités simples l'intéressent plus ou moins. Pourtant, la mission de la maternelle est bel et bien d'amener cet enfant, comme les autres, à se développer. Dans ce cas, le passage de la maternelle à la première année exigera beaucoup des différents intervenants, qui devront adapter leurs stratégies d'action aux particularités de cet enfant.

Résumé

En l'espace de quelques années seulement, l'enfant est appelé à vivre plusieurs passages: du milieu familial à la garderie, de la garderie à la maternelle, de la maternelle à la première année. À chacun de ces passages, l'enfant change de statut et fait face à des situations nouvelles et souvent exigeantes. Il importe donc que les parents, les éducatrices et les enseignantes mettent tout en œuvre pour que l'enfant réalise ces passages de façon harmonieuse.

Le milieu familial est celui qui fournit le plus d'éléments neufs à l'enfant. En effet, c'est dans ce milieu qu'il reçoit les premières marques d'affection, qu'il trouve le premier espace dans lequel il découvre les objets et exerce sa liberté de bouger, d'explorer, d'expérimenter. En ce sens, la famille constitue une situation naturelle pour l'enfant, dont le développement est grandement influencé par les attitudes des parents à son égard.

La garderie offre à l'enfant un milieu social élargi, des espaces plus vastes et organisés en fonction d'activités collectives, de même qu'un mobilier adapté à sa taille, tout en lui imposant de nouvelles règles de vie. En 1997, le gouvernement du Québec a adopté une politique familiale qui établit un encadrement réglementaire et prescrit un programme éducatif aux centres de la petite enfance (CPE) ainsi qu'aux services de garde en milieu familial. Dans ce contexte, l'éducatrice doit accorder une attention spéciale à chaque enfant qui entre à la garderie et, avec les parents, créer un climat de sécurité physique et affective permettant à l'enfant de se détacher peu à peu des parents et de s'adapter à son nouveau milieu.

Tout comme le milieu de garde, la maternelle poursuit l'objectif de développement intégral de l'enfant et propose des activités diversifiées susceptibles de contribuer à l'acquisition de diverses habiletés. La maternelle doit toutefois appliquer un programme d'apprentissage relié à cinq domaines : les langues ; les mathématiques, la science et la technologie ; l'univers social ; les arts ; le développement personnel. Dans son action quotidienne, l'enseignante de la maternelle continue de privilégier la dimension affective et le besoin de bouger de l'enfant. Tout comme le passage du milieu familial à la garderie, le passage de la garderie à la maternelle appelle la mise en œuvre de stratégies propres à faciliter l'adaptation au nouvel environnement ; le jeu représente ici le principal point de ralliement.

La première année marque le début de l'acquisition de connaissances selon un programme formel et structuré. Les deux milieux que sont la maternelle et la classe de première année se trouvant généralement à l'intérieur d'une même école, il est alors possible de multiplier les occasions de rencontre entre les enseignantes et entre les enfants de la maternelle et les élèves de la première année. Cette démarche contribuera à atténuer le choc du passage d'un niveau à l'autre et à rendre la transition plus harmonieuse.

Tous les moyens évoqués dans ce chapitre pour faciliter le passage d'un milieu à un autre ne constituent pas des solutions miracles permettant d'éviter tout impact négatif. En fait, l'intégration harmonieuse de l'enfant à un nouvel environnement dépend de multiples facteurs, à commencer par l'enfant lui-même, l'éducatrice ou l'enseignante qui le reçoit et l'attitude des parents et des amis.

Questions

1. Relevez et expliquez les principales raisons qui incitent les parents à faire garder leur enfant à l'extérieur du milieu familial.

2. Décrivez la politique familiale et son effet sur le soutien aux familles.

3. Énumérez trois raisons qui justifieraient votre choix de faire garder votre enfant dans un centre de la petite enfance (CPE). Nommez aussi des raisons qui vous feraient hésiter.

4. Comment peut-on favoriser un passage harmonieux de la famille à la garderie?

5. En vous référant aux programmes de la garderie et de la maternelle, analysez les effets que peut avoir la garderie sur les activités offertes en maternelle.

6. Recherchez les principales raisons qui justifient le choix du parent d'envoyer son enfant à la maternelle plutôt que de le laisser une année supplémentaire à la garderie.

7. En quoi l'aménagement de la garderie doit-il influer sur celui de la maternelle? Expliquez pourquoi il devrait différer.

8. Pourquoi les éducatrices de la garderie et de la maternelle doivent-elles entretenir des liens entre elles?

9. Après avoir décrit les conséquences que peut avoir le passage de la maternelle à la première année sur le développement de l'enfant, montrez par quels moyens le milieu scolaire peut aider le jeune écolier à mieux entreprendre sa première année.

10. Quand une enseignante a décelé chez un enfant des manifestations caractéristiques d'une difficulté d'adaptation à son nouveau milieu, quelles interventions doit-elle faire auprès de cet enfant?

11. Montrez comment la connaissance du développement de l'enfant peut aider l'enseignante à concevoir et à prendre les mesures

• • •

éducatives propres à soutenir efficacement l'enfant au moment du passage de la maternelle à la première année.

12. Le philosophe Alain a écrit: «Toute l'enfance se passe à oublier l'enfant qu'on était la veille.» (*Propos sur l'éducation,* chap. III.) Commentez cette assertion en l'associant au passage de la maternelle à la première année.

Mise en situation

Le passage de la maternelle à la première année

Vous êtes enseignante à la maternelle et le directeur de l'école où vous travaillez vous signale que les enseignantes de première année se plaignent de ce que les élèves qui arrivent en début d'année dans leur classe ne sont pas prêts à réaliser les apprentissages scolaires.

Pistes d'exploration

– Étant donné que le jeu est la base de l'apprentissage à la maternelle, comment peut-on ménager un pont entre ce milieu et la première année?

– Trouvez des activités que vous pourriez mettre en place dans votre classe afin de mieux préparer l'enfant à entreprendre sa première année.

– Comment pouvez-vous créer des collaborations avec les enseignantes de première année?

– Y a-t-il des éléments que vous devriez reconsidérer en ce qui concerne l'aménagement de votre classe? en ce qui concerne vos stratégies d'enseignement?

Présentation

Vous avez à présenter les solutions que vous avez envisagées pour améliorer la situation. Les moyens que vous pouvez utiliser sont le jeu de rôle, la table ronde, la conférence.

Lectures suggérées

AMIGUES, R., et M.-T. ZERBATO-POUDOU. (2000). *Comment l'enfant devient élève,* Paris, Retz.

AUCLAIR, N., et coll. (1979). *Transition : maternelle/première année,* Montréal, Guérin.

BERTHIAUME, D. (2004). *L'observation en milieu éducatif,* Montréal, Gaëtan Morin Éditeur.

HÉNAU, A., et A. MALÉZIEUX. (1984). *La liaison école maternelle, école élémentaire,* Lille, Centre régional de documentation pédagogique.

HOWDEN, J., et F. LAURENDEAU. (2005). *La coopération : un jeu d'enfant. De l'apprentissage à l'évaluation,* Montréal, Chenelière Éducation.

MOURAUX, D. (1996). *L'école maternelle : entre peluche et tableau noir. Guide de réflexion pour aborder l'enseignement maternel et y progresser,* 2e éd., Bruxelles, De Boeck-Wesmaël.

PALLASCIO, R., et L. JULIEN. (1998). *Le partenariat en éducation. Pour mieux vivre ensemble,* Montréal, Éditions Nouvelles.

PEDNEAULT-PONTBRIAND, L. (1979). *Aider son enfant en maternelle et en 1re année,* Montréal, Éditions de l'Homme.

ZAZZO, B. (1978). *Un grand passage : de l'école maternelle à l'école élémentaire,* Paris, PUF.

CONCLUSION

u terme de ce tour d'horizon, force est de constater que, loin d'être une classe à part et une enclave marginalisée, la maternelle est devenue partie intégrante du système scolaire par l'insertion du programme éducatif du préscolaire dans le *Programme de formation de l'école québécoise*.

À la suite de l'adoption, par le gouvernement du Québec, d'un programme éducatif à l'intention des garderies, la maternelle a commencé à se rapprocher du système scolaire, adoptant des horaires similaires et accordant une importance plus grande aux apprentissages d'ordre cognitif.

Plusieurs tenants et adversaires de la scolarisation à la maternelle ont tendance à professer leur opinion en oubliant les principales personnes concernées, soit les enfants. Pour notre part, nous pensons que l'enfant, dans toute sa dimension affective, doit être la source d'inspiration de la maternelle. Par son agir, il indique à l'enseignante les voies à suivre, les détours à emprunter pour l'aider à progresser. C'est donc par l'observation minutieuse et soucieuse de l'enfant qu'elle découvrira les moments propices pour intervenir et déterminera les stratégies les plus appropriées pour amener chacun un peu plus loin dans son cheminement. Ainsi, la diversification des besoins éducatifs ne représente plus un problème en soi, puisque l'enfant singulier demeure, par ses actes, l'artisan de son développement. En l'occurrence, lorsqu'il se sent prêt, il explore, organise, affronte, confronte, communique, discute pour finalement s'engager dans des activités où il aura à jouer des rôles, à prendre des décisions et à se responsabiliser.

Au terme de ce livre, nous voudrions insister de nouveau sur le rôle de l'éducation dans le développement de l'enfant. Souvent négligée au profit de la psychologie, l'éducation oblige à toujours tenir compte du besoin d'agir de l'enfant, à apprécier son développement par rapport à lui-même et à adapter les interventions en fonction de sa situation particulière. Il faut se rappeler aussi que, contrairement à l'idée courante selon laquelle le maître prépare l'avenir de l'enfant, c'est d'abord l'enfant lui-même qui en est le maître d'œuvre. Par ses balbutiements, ses piétinements, ses éparpillements, il nous donne la possibilité de pénétrer dans son univers pour mieux l'observer. Ce temps privilégié qu'est la maternelle offre la possibilité à toute enseignante de trouver des stratégies adéquates pour intervenir efficacement au moment approprié. En conséquence, il faut accepter de ne pas savoir à l'avance comment se déroulera cette aventure éducationnelle, certes complexe, mais combien enrichissante.

BIBLIOGRAPHIE

ABBADIE, M. (1973). *L'enfant de 4 à 5 ans à l'école maternelle: pédagogie de la section des moyens,* Paris, Bourrelier-Colin.

ALLÈS-JARDEL, M. (1995). «Des compétences parentales... aux compétences sociales chez le jeune enfant», dans Y. Prêteur et M. de Léonardis (dir.), *Éducation familiale, image de soi et compétences sociales,* Bruxelles, De Boeck-Wesmaël, p. 29-60.

ALLÈS-JARDEL, M., et CIABRINI, C. (2000). «Adaptation scolaire et sociale d'enfants de 6-7 ans», *Revue des sciences de l'éducation,* vol. 26, n° 1.

AMIGUES, R., et ZERBATO-POUDOU, M.-T. (2000). *Comment l'enfant devient élève,* Paris, Retz.

ANGERS, P., et BOUCHARD, C. (1986*). L'activité éducative. Le développement de la personne,* Montréal, Bellarmin.

ANJOU, B., d' (1979). *Proposition de définition d'une conception d'«ouverture» en éducation,* thèse de doctorat, Montréal, Université de Montréal.

ANTIPPA, M., et ROY, B. (1989). «L'éducation préscolaire au Québec», *Revue préscolaire,* vol. 27, n° 4, p. 6-10.

ARÉNILLA, L., et coll. (1996). *Dictionnaire de pédagogie,* Paris, Bordas.

ARTÈS, P. (1973). *L'enfant et la vie familiale sous l'ancien régime,* Paris, Seuil.

ARMAND, F. (2005). «Sensibiliser à la diversité linguistique et favoriser l'éveil à l'écrit en milieu pluriethnique défavorisé», *Revue préscolaire,* vol. 43, n° 2, p. 8-11.

AUCLAIR, N. (1979). *Transition: maternelle/ première année,* Montréal, Guérin.

AUDET, L., et coll. (1975). *Le rapport Parent dix ans après,* Montréal, Bellarmin.

AZÉMAR, G.-P., DELAFOSSE, C., et POMPOUGNAC, J.-C. (dir.) (1990). *La maternelle,* Paris, Autrement, série «Mutations», n° 114.

BAILLARGEON, M. (1989). «Il était deux fois: l'évolution de l'éducation préscolaire au Québec». *Revue internationale de l'enfance préscolaire,* vol. 21, n° 1, p. 50-58.

BARDONNET-DITTE, J., MERCIER, J., et DURIF, D. (1980). *Les citoyens de la maternelle,* Paris, F. Nathan.

BASTIEN, M. (1995). *Découvrons la convention des droits de l'enfant,* Bruxelles, Labor.

BAULU-MACWILLIE, M., et SAMSON, R. (1990). *Apprendre... c'est un beau jeu,* Montréal, Éditions de la Chenelière.

BAUMRIND, D. (1966). «Effects of authoritative parental control on child behavior», *Child Development,* n° 37, p. 887-907.

BEAULIEU, N., et BÉRIAULT, H. (1978). *Une maternelle dans sa maison ou L'expérience de Maternelle-Maison,* Québec, Centraide-Québec.

BEAUPIN, E. (1914). *Les jardins d'enfants et le problème de l'éducation,* Paris, Bloud & Gay.

BECCHI, E., et JULIA, D. (dir.) (1998). *Histoire de l'enfance en Occident,* Paris, Seuil.

BELMONT, B. (1987). *Quelle articulation entre école maternelle et école élémentaire,* Paris, Institut national de recherche pédagogique.

BERGE, A. (1961). *La liberté dans l'éducation,* Paris, Éditions du Scarabée.

BERGERET, L. (1971). *L'entrée à l'école maternelle,* Paris, Éditions Gamma.

BERGERON, L. (1927). *Code scolaire de la province de Québec,* Québec, Le Soleil.

BERTHIAUME, D. (2004). *L'observation en milieu éducatif,* Montréal, Gaëtan Morin Éditeur.

BETBEDER, M.-C. (1982). «Maternelle, les inquiétudes d'une école heureuse», *Le Monde de l'éducation,* Paris, novembre, p. 11-25.

BILODEAU, C. (1960). «La fréquentation scolaire», *L'Instruction publique,* vol. 5, n° 4, p. 292-294.

— (1961). «Les nouvelles lois scolaires», *L'Instruction publique,* vol. 6, n° 2, p. 152-155.

BLOOD, R. O. (1972). *The family,* New York, Free Press.

BOEHM, L. (1952). *Les tendances nouvelles de l'éducation préscolaire aux États-Unis et leurs aspects psychologiques,* Neuchâtel, Delachaux et Niestlé.

BOILY, C., GAUTHIER, C., et TARDIF, M. (1994). « Les classes maternelles au Québec : origine et transformations », *Vie pédagogique,* n° 87, janvier-février, p. 10-14.

BOUCHARD, L. (1996). *Le Québec fait le choix de ses enfants,* [communiqué], Québec, gouvernement du Québec.

BOWLBY, J. (1971). *Attachement et perte,* vol. 1: *L'attachement,* Paris, PUF.

BRIEF, J.-C. (1995). *Savoir, penser et agir : une réhabilitation du corps,* Montréal, Éditions Logiques.

BRONFENBRENNER, U. (1979). *The Ecology of Human Development : Experiments by Nature and Design,* Cambridge, Harvard University Press.

CALVET, D. (1980). *Approche pédagogique d'une série télévisuelle (Passe-Partout),* Montréal, Presses de l'Université du Québec.

CARIGNAN, P.-H. (1977). *Mgr Albert Tessier : éducateur,* Trois-Rivières, Éditions du Bien public.

CARON, J., et DIONNE, A. (1993). *Dès le préscolaire... recueil d'outils de gestion de classe,* Québec, ministère de l'Éducation.

CARON, M. L., et coll. (1982). *De la salle d'asile à l'école maternelle,* Besançon, Centre régional de documentation pédagogique.

CAZES, P. (1899). *Code scolaire de la province de Québec,* Québec, Le Soleil.

— (1912). *Code scolaire de la province de Québec,* Québec, Le Soleil.

CENTRALE DE L'ENSEIGNEMENT DU QUÉBEC (1979). *Les enjeux d'un livre orange,* Sainte-Foy, CEQ, Service des communications.

CENTRE NATIONAL DE DOCUMENTATION PÉDAGOGIQUE (1986). *L'École maternelle : son rôle, ses missions,* Paris, Centre national de documentation pédagogique, Librairie générale française.

CERQUETTI-ABERKANE, F, et BERDONNEAU, C. (1994). *Enseigner les mathématiques à la maternelle,* Paris, Hachette.

CHAMEL, L. (1996). « Jean-Frédéric Oberlin pédagogue révolutionnaire ? », *Revue française de pédagogie,* n° 116, p. 105-118.

CHAMPAGNE, T., et coll. (1963). *Description des maternelles (de langue française) de la Commission scolaire de la cité de Lachine,* Lachine, Commission scolaire de Lachine.

CHARRIER, C., et HERBINIÈRE-LEBERT, S. (1955). *La pédagogie vécue à l'école des petits : cours complet et pratique,* Paris, F. Nathan.

CHOMBART DE LAUWE, M.-J. (1971). *Un autre monde : l'enfance,* Paris, Payot.

CLAPROOD, S., et coll. (1999). *La protection de l'enfant : évolution,* Sherbrooke, Éditions Revue de droit.

COCHOIS, P. (1963). *Bérulle et l'école française,* Paris, Seuil.

COMITÉ CATHOLIQUE DU CONSEIL DE L'INSTRUCTION PUBLIQUE. (1915). *Règlements du Comité catholique du Conseil de l'instruction publique de la province de Québec,* Québec, Conseil de l'instruction publique.

— (1916). « Projet de règlement concernant les écoles maternelles », *L'Enseignement primaire,* 36e année, n° 9.

— (1938). « Procès-verbal de la réunion du 14 décembre », *L'Enseignement primaire.*

— (1963). *Guide des écoles maternelles,* Québec, département de l'Instruction publique.

COMMISSION ROYALE D'ENQUÊTE SUR L'ENSEIGNEMENT DANS LA PROVINCE DE QUÉBEC (1964). *Rapport Parent,* t. 2: *Les structures pédagogiques du système scolaire. Les structures et les niveaux d'enseignement,* Québec, gouvernement du Québec.

COMMISSION SCOLAIRE DE LA CITÉ DE LACHINE (1951). *Maternelle des Saints-Anges. Prospectus 1950-1951.*

COMMISSION SCOLAIRE DES BASQUES (1983). *Ça peut se passer en douceur,* Québec, Commission scolaire des Basques.

COMMISSION SCOLAIRE DES LAURENTIDES. SERVICES ÉDU-CATIFS (1981). *Rapport final: maternelle-maison,* Sainte-Agathe-des-Monts, Commission scolaire des Laurentides.

COMMISSIONS SCOLAIRES DES RÉGIONS DE QUÉBEC ET DE CHAUDIÈRE-APPALACHES (1996). *À propos de services éducatifs à la petite enfance,* [document d'information], novembre.

COMMUNICATION-JEUNESSE (1975). *Auteurs canadiens pour la jeunesse: 20 biographies et bibliographies,* Montréal, Communication-Jeunesse, vol. 2.

CONSEIL DE L'EUROPE (1979). *Les grandes priorités de l'éducation préscolaire,* Strasbourg, Conseil de l'Europe.

CONSEIL SUPÉRIEUR DE L'ÉDUCATION (1968). *Avis du Conseil supérieur de l'éducation sur la politique de la formation des maîtres,* Québec, CSE.

— (1979). *L'éducation et les services à la petite enfance,* Québec, CSE, Direction des communications.

— (1983). *Le temps prescrit à l'éducation préscolaire et au primaire,* Québec, CSE, Direction des communications.

— (1987a). *L'éducation préscolaire: un temps pour apprendre,* Québec, CSE, Direction des communications.

— (1987b). *La qualité de l'éducation: un enjeu pour chaque établissement. Rapport annuel 1986-1987 sur l'état et les besoins de l'éducation,* Québec, Bibliothèque nationale du Québec.

— (1988). *Le rapport Parent, vingt-cinq ans après: rapport annuel 1987-1988 sur l'état et les besoins de l'éducation,* Québec, CSE, Direction des communications.

— (1989). *Pour une approche éducative des besoins des jeunes enfants,* Québec, CSE, Direction des communications.

— (1991). *Rapport annuel 1990-1991 sur l'état et les besoins de l'éducation. La profession enseignante: vers un renouvellement du contrat social,* Québec, Les Publications du Québec.

— (1993). *Pour un accueil et une intégration réussis des élèves des communautés culturelles,* Québec, ministère de l'Éducation.

— (1996). *Pour un développement intégré des services éducatifs à la petite enfance. De la vision à l'action,* Québec, Bibliothèque nationale du Québec.

— (1999). *Pour une meilleure réussite scolaire des garçons et des filles,* Sainte-Foy, Conseil supérieur de l'éducation.

CORNAZ, L., et CAFFIN, G. (1995). *L'Église et l'éducation: mille ans de tradition éducative,* Paris, L'Harmattan.

COURCHESNE, D. (1999). *Histoire de lire. Les littératures jeunes dans l'enseignement quotidien,* Montréal, Chenelière/McGraw-Hill.

COWAN, P. (1978). *Piaget with Feeling,* New York, Holt Rinehart & Winston.

CURE, A. (1899). *La classe. Conférences des religieuses institutrices sur la manière d'instruire et d'élever les enfants,* Bar-le-Duc, Librairie de l'Œuvre de Saint-Paul.

DAJEZ, F. (1994). *Les origines de l'école maternelle,* Paris, PUF.

DALPÉ, J. (1971). *Les comptines,* Montréal, Centre éducatif et culturel.

DALPÉ-COLLERET, J. (1995). «École maternelle... oui et non?», *La Revue des parents — mes enfants,* mars, p. 4-5.

DANDURAND, R. B., HURTUBISE, R., et LE BOURDAIS, C. (dir.) (1996). *Enfances: perspectives sociales et pluriculturelles,* Sainte-Foy, Institut québécois de recherche sur la culture.

DARWIN, C. (1877). «A biographical sketch of an infant», *Mind,* n° 7.

DAVELUY, M.-C. (1933). *L'orphelinat catholique de Montréal (1832-1932),* Montréal, A. Lévesque.

DAVID, M. (1990). *Deux à six ans, vie affective et problèmes familiaux,* Toulouse, Privat.

DEBESSE, M. (1970). *L'enfance dans l'histoire de la psychologie,* Paris, PUF.

DEBESSE, M., et MIALARET, G. (1972). *Traité des sciences pédagogiques,* Paris, PUF.

DE GRAEVE, S. (1996). *Apprendre par les jeux,* Bruxelles, De Boeck, coll. «Apprendre pour enseigner».

DE GRANDMONT, N. (1995). *Le jeu ludique,* Montréal, Éditions Logiques.

DE HOVRE, F., et BRECKX, L. (1936). *Les maîtres de la pédagogie contemporaine,* Bruges, C. Beyaert.

DE LA GARDE, R. (1968). *Analyse statistique des principales caractéristiques du personnel enseignant 1965-1966,* Québec, Conseil supérieur de l'éducation.

DELAUNAY, A., et ABBADIE, M. (1973). *Pédagogie de l'école maternelle: principes et pratiques,* Paris, Fernand Nathan, 2 vol.

DELORS, J. (1996). *L'éducation: un trésor est caché dedans. Rapport à l'UNESCO de la Commission internationale sur l'éducation pour le vingt et unième siècle,* Paris, Éditions Odile Jacob.

DERKENNE, F. (1938). *Pauline Kergomard et l'éducation nouvelle enfantine,* Paris, Cerf.

DESDOUITS, A-M. (1990). *Le monde de l'enfance: traditions du pays de Caux et du Québec,* Sainte-Foy, Presses de l'Université Laval; Paris, Éditions du CNRS.

DESPARD-LÉVEILLÉE, L., et BEAUCHESNE, L. (1990). *Les parents et vous. Garder le lien: comment établir une communication positive et efficace entre la famille et l'école,* Terrebonne, Commission scolaire des Manoirs.

DEWEY, J. (1960). *His Thought and Influence,* New York, J. Blewett.

DIRECTION RÉGIONALE DE MONTRÉAL. BUREAU DES SERVICES AUX COMMUNAUTÉS CULTURELLES (1983). *Guide d'initiation à la vie québécoise: maternelle d'accueil,* Québec, ministère de l'Éducation.

DIRECTION RÉGIONALE DE LAVAL, DES LAURENTIDES ET DE LANAUDIÈRE (2006). *Table de l'éducation préscolaire,* Québec, ministère de l'Éducation, du Loisir et du Sport.

DOTTRENS, R. (1936). *Le progrès à l'école: sélection des élèves ou changement des méthodes?,* Neuchâtel, Delachaux et Niestlé.

DROUIN, C., BIGRAS, N., FOURNIER, C., DESROSIERS, H., et BERNARD, S. (2004). *Grandir en qualité 2003. Enquête québécoise sur la qualité des services de garde éducatifs,* Québec, Institut de la statistique du Québec.

DUBY, M. (1973). *La maternelle,* Paris, Éditions Jean-Pierre Taillandier.

DUCKWORTH, E. (1972). *Avoir des idées merveilleuses,* trad. par L. Lamartine et O. Bonnard, Genève, École de psychologie et des sciences de l'éducation.

DUMAS, G. (1982). *Le vécu des enfants à leurs débuts scolaires: recommandations et pistes de travail,* Rimouski, Commission scolaire La Neigette.

DUMONT-JOHNSON, M. (1980). «Des garderies au XIXe siècle: les salles d'asile des Sœurs grises à Montréal», *Revue d'histoire de l'Amérique française,* vol. 34, n° 1, p. 27-55.

DURIF, D. (1989). *Concevoir la classe: une aide aux apprentissages,* Paris, A. Colin, coll. «Pratique pédagogique».

EGGER, E. (1870). *Observations et réflexions sur le développement de l'intelligence et du langage chez les enfants,* Paris, Picard.

ESPTEIN, J.-L., et DAUBE, S.-L. (1991). «School programs and teacher practices of parent involvement in inner-city elementary and middle schools», *Elementary School Journal,* vol. 91, n° 3, p. 289-305.

ERIKSON, E. H. (1950). *Enfance et société,* Neuchâtel, Delachaux et Niestlé.

FAURE, M. (1957). *Le jardin d'enfants,* Paris, PUF.

FAVREAU, M. (1969). «Quand le petit entre à l'école», *La Presse,* 28 août, p. 16.

FÉDÉRATION DES INSTITUTEURS DE L'ONTARIO (1974). *Philosophie et fonctionnement des maternelles,* Toronto, FIO, Comité des publications sur l'enseignement dans les maternelles.

FÉDÉRATION INTERNATIONALE DES ASSOCIATIONS D'INSTITUTEURS (1969). *L'éducation préscolaire. Rapport des associations nationales présenté à la 38e Conférence internationale des délégués de la FIAI,* Helsinki, 23-26 juillet.

FILTEAU, B. O. (1940). *Code scolaire de la province de Québec,* Québec, Le Soleil.

FONDATION D'ÉTUDES DU CANADA. Laurentian Project (1903). *Directoire pédagogique à l'usage des écoles chrétiennes*, Paris, Procure générale.

FOULQUIÉ, P. (1946). *Les droits et la liberté de l'enfant*, Paris, Centre d'études pédagogiques.

FREINET, C. (1956). *Les méthodes naturelles dans la pédagogie moderne*, Paris, Éditions Bourrelier.

— (1960). *L'éducation du travail*, Neuchâtel, Delachaux et Niestlé.

FREUD, S. (1926). *Introduction à la psychanalyse*, Paris, Payot.

FRÖBEL, F. (1861). *L'éducation de l'homme*, Paris, Hachette.

FURTH, H. G. (1969). *Piaget and Knowledge: Theorical Foundations*, Englewood Cliffs (N.J.), Prentice-Hall.

GAGNIER, J.-P., et CHAMBERLAND, C. (dir.) (2000). *Des initiatives communautaires novatrices dans les secteurs de la famille, de l'école et de la communauté*, Québec, Presses de l'Université du Québec.

GAGNON, A.-M. (2000). *La perception qu'ont les éducatrices de maternelle et les enseignantes de première année sur le passage de la classe maternelle à la première année*, mémoire présenté comme exigence partielle de la maîtrise en éducation, Montréal, Université du Québec à Montréal.

GAGNON, R. (1996). *Histoire de la Commission des écoles catholiques de Montréal. Le développement d'un réseau d'écoles publiques en milieu urbain*, Montréal, Boréal.

GAUTHIER, C., et TARDIF, M. (1996). *La pédagogie. Théories et pratiques de l'Antiquité à nos jours*, Boucherville, Gaëtan Morin Éditeur.

GIASSON, J. (1995). *La lecture. De la théorie à la pratique*, Boucherville, Gaëtan Morin Éditeur.

GIASSON, J., et THÉRIAULT, J. (1983). *Apprentissage et enseignement de la lecture*, Montréal, Éditions Ville-Marie.

GIRARD, N. (1989). *Lire et écrire au préscolaire*, Laval, Éditions Mondia.

GODEFROID, J. (1987). *Psychologie, science humaine*, Montréal, Éditions HRW.

GOUESS, J.-M., et BARDET, J.-P. (1976). *L'enfance sous l'Ancien Régime*, Paris, La Documentation française.

GOUIN-DÉCARIE, T. (1962). *Intelligence et affectivité chez le jeune enfant*, Neuchâtel, Delachaux et Niestlé.

GRÉGOIRE, H. (1965). *Le livre de l'Occident*, Genève, Éditions Kister, t. 3.

GROUPE COOPÉRATIF DE LA TABLE RÉGIONALE DE L'ÉDUCATION PRÉSCOLAIRE (1997). *Trousse d'accueil du préscolaire*, Montréal, Groupe coopératif de la table régionale de l'éducation préscolaire.

GROUPE DE TRAVAIL POUR LES JEUNES (1991). *Un Québec fou de ses enfants*, Québec, ministère de la Santé et des Services sociaux.

GUÉRIN, M.-A. (1998). *Dictionnaire des penseurs pédagogiques*, Montréal, Guérin.

GUÉRIN, M.-A., et VERTEFEUILLE, P.-Y. (1968). *Histoire de la pédagogie par les textes*, Montréal, Centre de psychologie et de pédagogie.

GUIDE PARENTS HACHETTE (1989). *Mon enfant en maternelle*, Paris, Hachette Éducation.

GUILBERT, M. (1992). *L'évaluation en maternelle*, Paris, Bordas.

HADJI, C. (1992). *Penser et agir en éducation*, Paris, ESF.

HAEBERLÉ, R., et coll. (1973). «La maternelle maison», *L'école coopérative*, n° 21, p. 20-23.

HAMAÏDE, A. (1966). *La méthode Decroly*, Neuchâtel, Delachaux et Niestlé.

HAMEL, M. (1995). «Les services d'éducation et d'intervention pour la petite enfance», dans N. Royer (dir.), *Éducation et intervention au préscolaire*, Boucherville, Gaëtan Morin Éditeur, p. 4-28.

HAMELINE, D. (1986). *L'éducation des images et son propos*, Paris, ESF.

HÉBERT, J. (1991). *La violence à l'école. Guide de prévention et techniques d'intervention*, Montréal, Les Éditions Logiques.

HEINEN, J. (1998). *La petite enfance: pratiques et politiques*, Paris, L'Harmattan.

HÉNAU, A., et MALÉZIEUX, A. (1984). *La liaison école maternelle, école élémentaire,* Lille, Centre régional de documentation pédagogique.

HENDRICK, J. (1993). *L'enfant, une approche globale pour son développement,* trad. par C. Fontaine, Québec, Presses de l'Université du Québec.

HESS, R. D., et BEAR, R. (1968). *Early Education: Current Theory, Research, and Action,* Conference on Pre-School Education, Social Science Research Council, Committee on Learning and the Educational Process, Chicago, Aldine.

HOHL, J. (1993). *Réussir dès la maternelle: instrument de réflexion sur les maternelles 5 ans plein temps en milieux défavorisés,* Montréal, Conseil scolaire de l'île de Montréal.

HOHMANN, M., et coll. (2000). *Partager le plaisir d'apprendre. Guide d'intervention éducative au préscolaire,* Montréal, Gaëtan Morin Éditeur.

HOHMANN, M., et WEIKART, D. (1995). *Educating Young Children,* Ypsilanti (Mich.), High/Scope Press.

HOWDEN, J., et LAURENDEAU, F. (2005). *La coopération: un jeu d'enfant. De l'apprentissage à l'évaluation,* Montréal, Chenelière Éducation.

HURTIG, M., et RONDAL, J.-A. (dir.) (1980). *Introduction à la psychologie de l'enfant,* 3ᵉ éd., Bruxelles, Pierre Mardaga éditeur, t. 1.

JACQUES, M., et DESLANDES, R. (2002). «Transition à la maternelle et relations école-famille», dans C. Lacharité, G., Pronovost et E. Coutu (dir.). *Comprendre la famille,* Presses de l'Université du Québec, p. 261-275.

JACQUES, M., et DESLANDES, R. (2001). «L'entrée progressive à la maternelle... une avenue à mieux connaître», *Revue préscolaire,* vol. 39, nᵒ 2, avril, p. 24-28.

JAPEL, C., TREMBLAY, R. E., et CÔTÉ, S. (2005). «La qualité, ça compte! Résultats de l'Étude longitudinale du développement des enfants du Québec concernant la qualité des services de garde», *Institut de recherche en politiques publiques,* vol. 11. nᵒ 4, p. 46.

JOLIBERT, B. (1981). *L'enfance au XVIIᵉ siècle,* Paris, J. Vrin.

JONCKHEERE, T. (1921). *La pédagogie expérimentale au jardin d'enfants,* Paris, F. Alcan.

JONES, J. L., et VERNON, E. (1986). *Sentiers. Préscolaire,* Laval, Beauchemin.

KAMII, C., et DEVRIES, R. (1981). *La théorie de Piaget et l'éducation préscolaire,* 3ᵉ éd., Genève, Université de Genève, Faculté de psychologie et des sciences de l'éducation.

KERGOMARD, P. (1913). *L'éducation maternelle dans l'école,* Paris, Hachette, 1974.

— (1919). «La maternelle», *L'éducation enfantine,* Paris, nᵒ 13, 1ᵉʳ juin.

KILPATRICK, W. H. (1918). «The project method», *Teachers College Record,* vol. 19, nᵒ 44.

KLEIN, F. (1913). *Mon filleul au jardin d'enfants: comment il s'instruit,* Paris, A. Colin.

KLEIN, M. (1932). *La psychanalyse des enfants,* Paris, PUF, 1972.

KOHLBERG, L., et MAYER, R. (1972). «Development as the end of education», *Harvard Educational Review,* vol. 42, nᵒ 4, novembre, p. 449-496.

LANEYRIE-DAGEN, N. (1995). *Les grands événements de l'histoire des enfants,* Paris, Larousse.

LANOT, V. (1994). *Étude du passage de la maternelle à la première année,* mémoire présenté comme exigence partielle de la maîtrise en éducation, Montréal, Université du Québec à Montréal.

LAROCHE-GISSEROT, F. (1996). *Les droits de l'enfant,* Paris, Dalloz.

LEFEBVRE, E. Y. (1988). «Pauline Kergomard et la Bretagne», *Les Cahiers de l'Iroise,* vol. 35, nᵒ 2, p. 94-100.

LEGAULT, G., et MICHAUD, C. (1994). *L'animation Passe-Partout auprès des parents: les pratiques observées en 1994,* Québec, ministère de l'Éducation.

LEGENDRE, R. (1983). *L'éducation totale,* Montréal, Ville-Marie.

— (1993). *Dictionnaire actuel de l'éducation,* 2ᵉ éd., Montréal, Guérin; Paris, Eska.

— (2005). *Dictionnaire actuel de l'éducation.* 3ᵉ éd., Montréal, Guérin; Paris, Eska.

LE PETITCORPS, F., FRENETTE, L., et BERTRAND, C. (1982). *Principes éducatifs. Le respect du rythme d'apprentissage de l'enfant: la nécessité de partir de la réalité de l'enfant en milieu socio-économiquement faible*, Montréal, PPMF-UQAM.

LETT, D. (1997). *L'enfant des miracles: enfance et société au Moyen Âge (XIIe-XIIIe siècles)*, Paris, Aubier.

LÉVEILLÉ-BOURGET, T. (1973). *Le préscolaire au Québec français*, Montréal, collection Thérèse Bourget.

LIGHTBOWN, P., et SPADA, N. (2001). *How Languages are Learned*, Oxford, OUP.

LUC, J.-N. (1997). *L'invention du jeune enfant au XIXe siècle, de la salle d'asile à l'école maternelle*, Paris, Belin.

MAGNAN, C. (1916). «Pédagogie: les écoles maternelles», *L'enseignement primaire*, Paris, 37e année, n° 5.

MALRIEU, P. (1963). *La vie affective de l'enfant*, Paris, Éditions du Scarabée.

MASLOW, A. H. (1962). *Toward a Psychology of Being*, Princetown, Van Nostrand.

MATRAT, M. (1890). *Les écoles maternelles et le décret du 2 août 1881: histoire, but, méthode, application*, Paris, C. Delagrave.

MATRAT, M., et KERGOMARD, P. (1889). *Les écoles maternelles*, Paris, Imprimerie nationale.

MAUCOURANT, B. (1924). *La première étape. Les méthodes actuelles d'éducation pour les enfants de 2 à 7 ans. Principes, documentation, pratique*, préface de M. Aubin, Paris, F. Nathan.

MÉDICI, A. (1940). *L'éducation nouvelle*, Paris, PUF.

MÉLARD, J. C. (1990). *Pratiques pédagogiques à l'âge de la maternelle, éveil scientifique*, feuillet 2, Namur, Éditions La Procure.

MIALARET, G. (1970). *Le rôle de l'éducation préscolaire dans l'éducation permanente*, Paris, Éditions Organisation mondiale pour l'éducation préscolaire.

MINDER, M. (1999). *Didactique fonctionnelle. Objectifs, stratégies, évaluation: le cognitivisme opérant*, 8e éd., Bruxelles, De Boeck.

MINELLE, F., et BATAILLE, D. (1976). *L'enfance au XIXe siècle*, Paris, La Documentation française.

MINISTÈRE DE LA FAMILLE ET DE L'ENFANCE DU QUÉBEC (1997). *Programme éducatif des centres de la petite enfance*, Québec, Les Publications du Québec.

MINISTÈRE DE L'ÉDUCATION DU QUÉBEC (1968). *Principes de l'éducation préscolaire*, Québec, MEQ.

— (1976). *Vers l'éveil spirituel et l'éducation des tout-petits (4-5 ans)*, Québec, MEQ.

— (1977). *L'enseignement primaire et secondaire. Livre vert*, Québec, Service général des communications.

— (1979). *L'école québécoise, énoncé de politique et plan d'action*, Québec, MEQ.

— (1980). *Passe-Partout: guide d'animation, informations générales*, Québec, MEQ.

— (1981a). *Guide pédagogique. Préscolaire. L'aménagement des maternelles*. Québec, MEQ, Direction générale du développement pédagogique.

— (1981b). *Programme d'éducation préscolaire*, Québec, MEQ.

— (1981c). *Rapport-synthèse final sur l'évaluation des interventions éducatives en milieu économiquement faible*, Québec, MEQ, Direction générale du développement pédagogique.

— (1982a). *L'éducation préscolaire et le primaire. Cahier de renseignements*, Québec, MEQ.

— (1982b). *Guide pédagogique. Préscolaire. Guide général d'interprétation et d'instrumentation pédagogique pour le Programme d'éducation préscolaire*, Québec, MEQ.

— (1982c). *Guide pédagogique. Préscolaire. La participation des parents au préscolaire*, Québec, MEQ.

— (1982d). *Guide pédagogique. Préscolaire. L'observation de l'enfant au préscolaire*, Québec, MEQ.

— (1982e). *Guide pédagogique. Préscolaire. Le langage au préscolaire*, Québec, MEQ.

— (1983). *Guide pédagogique. Primaire. Danse premier cycle*, Québec, MEQ.

— (1985). *Guide pédagogique. Préscolaire. L'enfant de la maternelle au moment du passage à l'école primaire: propositions d'éléments pédagogiques,* Québec, MEQ.

— (1992). *Guide pédagogique. Préscolaire. Le répertoire d'activités préscolaires saveur nature. Les sciences de la nature et l'éveil à l'esprit scientifique chez les enfants d'âge préscolaire,* Québec, MEQ.

— (1997a). *Parents: des réponses à vos questions à propos du Programme d'éducation préscolaire,* Québec, MEQ.

— (1997b). *Programme d'éducation préscolaire,* Québec, MEQ.

— (1999). *Besoin de toi, besoin d'éducatrices et d'éducateurs à l'enfance,* Québec, MEQ.

— (2000). *Programme de formation de l'école québécoise (version provisoire),* Québec, MEQ.

— (2001). *Programme de formation de l'école québécoise (version approuvée),* Québec, MEQ.

— (2002). *L'évaluation des apprentissages au préscolaire et au primaire. Cadre de référence,* Québec, MEQ.

— (2003). *Le plaisir de réussir se construit avec mon entourage,* Québec, MEQ.

MINISTÈRE DE L'ÉDUCATION, DU LOISIR ET DU SPORT DU QUÉBEC (2005). *Plan stratégique 2005-2008. Briller parmi les meilleurs,* Québec, Bibliothèque nationale du Québec.

MINISTÈRE DE L'ÉDUCATION NATIONALE (1982). *La petite enfance à l'école: XIXe-XXe siècles. Textes officiels relatifs aux salles d'asile, aux écoles maternelles, aux classes et sections enfantines (1829-1981),* Paris, Institut national de recherche pédagogique.

— (1986). *L'école maternelle, son rôle, ses missions,* Paris, CNDP.

MINISTÈRE DE LA SÉCURITÉ DU REVENU. COMITÉ DES PRIORITÉS (1997). *Nouvelles dispositions de la politique familiale. Les enfants au cœur de nos choix,* Sainte-Foy, Les Publications du Québec.

MONTAGNER, H. (1978). *L'enfant et la communication,* Paris, Pernoud-Stock.

MONTESSORI, M. (1958). *Pédagogie scientifique, la découverte de l'enfant,* Bruges, Desclée de Brouwer.

— (1966). *L'enfant,* Bruges, Desclée de Brouwer.

MORIN, J., et BRIEF, J.-C. (1995). *L'autonomie humaine: une victoire sur l'organisme,* Sainte-Foy, Presses de l'Université du Québec.

MORNEAU, G., et LAFORTUNE, Y. (1978). *Pré-maternelle-maison 1977-1978: rapport final au 30 septembre 1978,* Saint-Hilaire, Commission scolaire de l'Argile bleue.

MOURAUX, D. (1996). *L'école maternelle: entre peluche et tableau noir. Guide de réflexion pour aborder l'enseignement maternel et y progresser,* 2e éd., Bruxelles, De Boeck-Wesmaël.

NAUD, A. (1965). *Le rapport Parent et l'humanisme nouveau,* Montréal, Fides.

NAUD-ITHURBIDE, J. R. (1963). *Les écoles maternelles,* Paris, PUF.

NEIRINCK, C. (1993). *Le droit de l'enfance: après la convention des Nations Unies,* Paris, Delmas; P. Belfond.

NORMAND-GUÉRETTE, D. (2003). «Parents et enseignante de maternelle: agir ensemble pour une action préventive», *Revue préscolaire,* vol. 41, n° 4, octobre, p. 12-19.

ORGANISATION DES NATIONS UNIES. ASSEMBLÉE GÉNÉRALE (1959). *Déclaration des droits des enfants,* 20 novembre, résolutions 1386 (XIV).

PALLASCIO, R., et JULIEN, L. (1998). *Le partenariat en éducation. Pour mieux vivre ensemble,* Montréal, Éditions Nouvelles.

PAOLETTI, R. (1999). *Éducation et motricité de l'enfant de deux à huit ans,* Boucherville, Gaëtan Morin Éditeur.

PAPE-CARPANTIER, M. (1869). *Enseignement pratique dans les salles d'asile ou premières leçons à donner aux petits enfants,* 5e éd., Paris, Hachette.

PEDNEAULT-PONTBRIAND, L. (1979). *Aider son enfant en maternelle et en 1re année,* Montréal, Éditions de l'Homme.

PELLETIER, D. (1998). *L'activité-projet: le développement global en action,* Mont-Royal, Modulo.

PELLETIER, L., et coll. (1962). *Problèmes de l'enseignement préscolaire dans la province de Québec,* mémoire de l'Association canadienne des jardinières d'enfants présenté à la Commission royale d'enquête sur l'enseignement dans la province de Québec.

PERRENOUD, P. (1999). *Dix nouvelles compétences pour enseigner,* Paris, ESF.

— (2000). «Le rôle de l'école première dans la construction des compétences», *Revue préscolaire,* vol. 38, n° 2, p. 6-11.

PIAGET, J. (1936). *La naissance de l'intelligence chez l'enfant,* Neuchâtel, Delachaux et Niestlé, 1977.

PIERRE, R., TERRIEUX, J., et BABIN, N. (1990). *Orientations, projets, activités pour l'école maternelle,* Paris, Hachette Écoles.

PLAISANCE, É. (1986). *L'enfant, la maternelle, la société,* Paris, PUF.

— (1996). *Pauline Kergomard et l'école maternelle,* Paris, PUF.

PLATTEAUX, A. (1977). *Vivre à l'école maternelle,* Paris, Librairie Armand Colin.

POISSON, G. (1965). *Numéro spécial sur le Rapport Parent: forces et faiblesses; école chrétienne ou neutre; nouvelle ou traditionnelle; polyvalente ou «melting pot»; démocratie ou dictature; progrès ou recul?,* Montréal, Éditions de l'Institut Pie XI.

POLLOCK, F. (1878). «An infant progress in language», *Mind,* n° 3.

POMERLEAU, A., et MALCUIT, G. (1983). *L'enfant et son environnement,* Québec, Presses de l'Université du Québec.

POTVIN, P., PARADIS, L., et POULIOT, B. (2000). «Attitudes des enseignants de maternelle selon le sexe des élèves», *Revue des sciences de l'éducation,* vol. 25, n° 1, p. 35-54.

PY, G. (1993). *L'enfant et l'école maternelle: les enjeux,* Paris, A. Colin.

RAYNA, S., LAEVERS, F., et DELEAU, M. (1996). *L'éducation préscolaire, quels objectifs pédagogiques?,* Paris, INRP et Nathan, série «Formation».

RÉGNIER, M. (1995). *L'enfant et la maternelle: représentation du corps enseignant au Québec,* mémoire de maîtrise, Montréal, Université du Québec à Montréal.

REICHLING, U., et WOLTERS, D. (1999). *Comment ça va?,* Québec, Modulo.

ROBERGE, M. (1991). *Maternelle socialisante ou scolarisante: recension d'études et d'expériences,* Sainte-Foy, Centrale de l'enseignement du Québec.

ROBERT, M., et TONDREAU, J. (1997). *L'école québécoise. Débats, enjeux et pratiques sociales,* Montréal, Centre éducatif et culturel.

ROCHEFORT, C. (1976). *Les enfants d'abord,* Paris, B. Grasset.

ROGERS, C. (1973). *Liberté pour apprendre,* Paris, Dunod.

ROSE, R., et RICHARD, D. (1996). *Les coûts et les bénéfices d'un programme éducatif préscolaire, universel, facultatif et gratuit,* Québec, Conseil supérieur de l'éducation.

ROUSSEAU, J.-J. (1762). *Émile ou De l'éducation,* Paris, Classiques Larousse, livre II, 1938.

ROYER, N. (dir.) (1995). *Éducation et intervention au préscolaire,* Boucherville, Gaëtan Morin Éditeur.

ROYER, N. (dir.) (2004). *Le monde du préscolaire,* Boucherville, Gaëtan Morin Éditeur.

SCOVEL, T. (1999). «The younger the better myth and bilingual education». dans G. R. & M IIdiko (dir.), *Language Ideologies: Critical Perspective on the English only Movement,* Urbana, Il, National Council of Teachers of English.

SOURGEN, H., et LÉANDRI, F. (1963). *Les écoles maternelles: classes enfantines, cours préparatoires. Méthodes, règlements, organisation, fonctionnement. Commentaires des textes officiels par H. Sourgen et F. Léandri,* Paris, A. Colin.

SPITZ, R. A. (1958). *La première année de la vie de l'enfant,* Paris, PUF.

SPODEK, B. (1982a). *Foundations of Early Childhood Education: Teaching Three, Four, Five Year-old Children,* 2ᵉ éd., Englewood Cliffs (N.J.), Prentice-Hall.

— (1982b). *Handbook of Research in Early Childhood Education,* New York, Free Press.

SPODEK, B., et SARACHO, O. N. (1991). *Issues in Early Childhood Curriculum,* New York, Teachers College Press.

STERN, A. (1966). *Aspects et techniques de la peinture d'enfants,* Neuchâtel, Delachaux et Niestlé.

STRAYER, F. (1984). *La garderie en bas âge: perspectives bio-sociales sur les relations humaines pendant la jeune enfance,* Longueuil, Office des services de garde à l'enfance, collection «Diffusion».

THÉRIAULT, J. (1995). *J'apprends à lire. Aidez-moi!,* Montréal, Éditions Logiques.

TURCOTTE, M. (1963). «L'éducation préscolaire», *L'Instruction publique,* vol. 8, n° 1, p. 10-12.

UNESCO (2003). *L'éducation dans un monde plurilingue,* Document cadre de l'UNESCO. Paris, Organisation des Nations Unies pour l'éducation, la science et la culture.

VERMETTE, M. (1991). *Découvertes au cours des saisons,* Montréal, Commission des écoles catholiques de Montréal.

— (1996). *Grandir ensemble au préscolaire: ateliers d'intervention auprès des parents,* Montréal, Commission des écoles catholiques de Montréal.

VIAL, J. (1989). *L'école maternelle,* 2e éd., Paris, PUF, coll. «Que sais-je?».

VIEMÉRÖ, V. (1996). «Factors in chilhood that predict later criminal behavior», *Aggressive Behavior,* n° 22, p. 87-97.

VON CRANACH, M. (1976). *Conclusion Methods of Inference from Animal to Human Behavior,* Chicago, Aldine.

VYGOTSKI, L. S. (1934/1997). *Pensée et langage,* Paris, Éditions sociales.

WALLON, H. (1942). *L'évolution psychologique de l'enfant,* Paris, A. Colin, 1974.

WEITZMAN, E. (1992). *Apprendre à parler avec plaisir,* Toronto, Centre Hanen.

WINNICOTT, D. W. (1965). *Processus de maturation chez l'enfant,* Paris, Payot.

— (1973). *L'enfant et sa famille,* Paris, Payot.

ZAZZO, B. (1978). *Un grand passage: de l'école maternelle à l'école élémentaire,* préface de René Zazzo, Paris, PUF.

ZAZZO, R. (dir.) (1958). *Manuel pour l'examen psychologique de l'enfant,* Neuchâtel, Delachaux et Niestlé, 1970.

INDEX DES AUTEURS

INDEX DES SUJETS